Manuel de recherche
en sciences sociales

Jacques Marquet

Luc Van Campenhoudt

Raymond Quivy

Manuel de recherche en sciences sociales

6e édition

ARMAND COLIN

La précédente édition de cet ouvrage est parue en 2017 chez Dunod Éditeur.

LES + EN LIGNE

Pour aller plus loin et mettre toutes les chances de votre côté, des ressources complémentaires sont disponibles sur le site www.dunod.com.

Connectez-vous à la page de l'ouvrage (grâce aux menus déroulants, ou en saisissant le titre, l'auteur ou l'ISBN dans le champ de recherche de la page d'accueil).
Sur la page de l'ouvrage, sous la couverture, cliquez sur le lien « LES + EN LIGNE ».

Illustration de couverture : © Shutterstock

Mise en pages : Nord Compo

© Armand Colin, 2022

Armand Colin est une marque de
Dunod Éditeur, 11 rue Paul Bert, 92240 Malakoff
www.dunod.com

ISBN : 978-2-200-63395-0

Avant-propos
à la sixième édition

Comparativement à la cinquième édition du *Manuel* où les changements par rapport à l'édition précédente avaient été particulièrement nombreux, ils sont dans cette sixième édition plus limités. Pour l'essentiel, ils portent sur trois points : une plus grande attention est accordée aux enjeux éthiques de la recherche en sciences sociales ; la partie consacrée à l'observation, ou travail de terrain, a été significativement enrichie ; la conclusion a été retravaillée.

Le *Manuel* n'est pas un ouvrage d'éthique, ni même d'éthique de la recherche ; il reste un ouvrage de méthode. Néanmoins, il nous paraît aujourd'hui indispensable d'attirer l'attention des jeunes chercheuses et chercheurs sur les enjeux éthiques que soulève toute recherche et, nous osons insister, qui se posent tout au long de la recherche. C'est la raison pour laquelle, contrairement à d'autres ouvrages[1] qui consacrent un chapitre spécifique aux enjeux éthiques, nous avons pris l'option de les appréhender étape par étape, afin de souligner que la préoccupation éthique doit rester permanente et ne peut se régler une fois pour toutes. La diversité des épistémologies, des méthodologies et des techniques mobilisables en sciences humaines et sociales rend sans doute illusoire l'idée d'aborder l'ensemble des questions éthiques qui pourraient se poser ; nous avons cependant veillé à discuter les plus fréquentes d'entre elles.

Deux préoccupations principales nous ont conduits à enrichir l'offre méthodologique en matière d'observation et de travail de terrain (étape 5) : d'une part, le souci de proposer des méthodes plus adaptées à de nouveaux publics moins accessibles par les méthodes

---

1. Comme S. Gaudet et D. Robert, *L'Aventure de la recherche qualitative. Du questionnement à la recherche scientifique*, Ottawa, Les presses de l'Université d'Ottawa, 2018.

plus conventionnelles, comme les enfants ou les personnes souffrant de troubles mentaux graves ; d'autre part, le souci de prendre
davantage en considération la dimension spatiale de la vie collective et des relations sociales. Nous remercions tout particulièrement
nos collègues Laura Merla et Bérengère Nobels du projet MobileKids
(CIRFASE-UCLouvain), Vincent Lorant et François Wyngaerden du
projet Morpheus (IHS-UCLouvain), ainsi que tous les autres chercheurs de ces deux équipes de recherche qui nous ont rendus plus sensibles à ces préoccupations.

Enfin nous avons souhaité combler une lacune dans l'étape
« Les conclusions » en insistant sur l'intérêt de procéder à l'enquête
sur l'enquête, c'est-à-dire la « méta-analyse », consistant à prendre
pour objet le déroulement de l'enquête elle-même, pour tout à la fois
mieux cerner la portée et les limites des résultats engrangés, et apporter un surcroît d'enseignements sur l'objet de la recherche et donc sur
la réponse apportée à la question de recherche. Ce développement a
entraîné une modification de la structure de cette étape.

Outre ces principales modifications, de multiples changements plus
mineurs ont été apportés à plusieurs endroits du *Manuel*. Pour ne pas
alourdir l'ouvrage avec les nouveaux ajouts, on a procédé à la suppres-
sion ou à l'allègement de quelques passages qui ne nous semblaient pas
indispensables.

Avant-propos
à la cinquième édition

Chaque nouvelle édition du *Manuel* a apporté des améliorations substantielles afin de l'adapter de manière continue aux besoins des étudiants, jeunes chercheurs et enseignants en sciences sociales. Ces besoins évoluent avec le contexte sociétal, dont la transformation rapide impose un renouvellement des thématiques. En même temps, les outils méthodologiques se développent (grâce notamment à l'informatique et au numérique) et les chercheurs doivent être en mesure d'en tirer profit.

Les nombreux changements apportés au fil des éditions successives risquaient toutefois de mettre en péril la cohérence d'ensemble de l'ouvrage. C'est pourquoi, dans cette cinquième édition, un premier souci a été de la renforcer. Tout d'abord, deux mêmes recherches concrètes accompagnent désormais le lecteur tout au long des étapes, depuis la problématique jusqu'à l'analyse des informations. La première illustre la mise en œuvre de méthodes dites quantitatives, la seconde de méthodes dites qualitatives. De cette manière, le lecteur peut mieux saisir le processus de recherche dans sa continuité. Les problèmes inhérents à toute recherche sont abordés au plus près de la réalité, au moment où ils se présentent. Les thèmes de ces deux recherches, très actuels, ne figuraient pas dans les premières éditions : les comportements face au risque de contamination par le VIH dans les rapports sexuels et la participation des citoyens à une action collective. D'autres illustrations jalonnent ce livre, sur les attentes à l'égard de la justice ou sur les relations entre professionnels de la médecine psychiatrique et du droit dans le travail en réseau jusqu'aux deux applications en fin d'ouvrage, qui synthétisent l'ensemble de la démarche, dont l'une, inédite elle aussi, sur le rapport au corps dans les soins infirmiers.

Regroupées autour de thématiques ayant trait à différents aspects de la vie en société à partir de situations concrètes susceptibles de toucher chacun au cœur de sa propre existence, les enquêteurs comme les personnes enquêtées, ces illustrations diversifiées sont toutes extraites de recherches réelles, auxquelles les auteurs ont eux-mêmes directement participé. Voir la réalité sociale en face est une exigence de la recherche en sciences sociales sur laquelle cette cinquième édition insiste plus que les précédentes.

Proximité et implication dans les thématiques n'empêchent pas de les aborder avec tout le recul et le sang-froid nécessaires, surtout lorsqu'on débute dans le métier. C'est pourquoi la démarche exposée ici reste très progressive, chaque opération étant soigneusement détaillée, pas à pas. Pour des raisons pédagogiques, la démarche se présente comme essentiellement déductive, où l'on progresse de la théorisation vers le terrain plutôt que l'inverse. Même lorsque le chercheur adopte une démarche inductive, où il part du terrain pour progresser vers la théorisation, il a besoin, surtout s'il se forme encore et débute seulement, de décomposer les étapes, et les multiples opérations qu'elles comportent, d'y mettre de l'ordre pour s'y retrouver.

Le *Manuel* part du principe que, dans le déroulement de la plupart des recherches concrètes, déduction et induction ne s'opposent pas, mais se complètent. Il en va de même pour ce qui concerne les méthodes quantitatives et qualitatives, qui sont souvent mobilisées de manière complémentaire et dans des proportions variables, au sein d'un même projet de recherche. Le lecteur s'en apercevra au fur et à mesure de sa progression dans le *Manuel*. Même s'il opte pour une démarche clairement inductive, les étapes, les outils et les indications repris dans ces pages constitueront pour lui de précieux repères. (...)

Le développement de certaines illustrations de cette cinquième édition implique l'exposé de quelques opérations techniques de base aussi bien quantitatives que qualitatives. Ces explications sont indispensables pour saisir le processus de recherche en situation réelle et restent rédigées de manière aussi claire et pédagogique que possible. La formation proposée par le *Manuel* devenue plus robuste et consistante, il est désormais possible de faire des exercices sur des données et informations concrètes, soit individuellement, soit collectivement, en salle de cours. Pour ceux qui souhaitent s'exercer directement, par eux-mêmes ou avec leur enseignant, au travail d'analyse des informations, cette nouvelle édition comporte, pour la première fois, un complément numérique accessible en ligne[1]. Ce complément propose un ensemble de matériaux aussi bien quantitatifs que qualitatifs, extraits des recherches exposées

---

1. Ce complément numérique est accessible sur le site des éditions Dunod, à partir de la fiche de présentation de cet ouvrage.

dans ces pages, ainsi que des indications portant sur la manière de tirer le meilleur profit des exercices. L'utilisation du *Manuel* sans recours à ce complément numérique reste possible comme précédemment ; il s'agit d'une proposition que le lecteur peut exploiter ou non selon ses besoins et ses ambitions.

D'autres améliorations ont été apportées au fil des pages, notamment les ressources disponibles sur Internet pour la phase exploratoire ainsi que pour l'analyse des informations, et une actualisation des bibliographies spécialisées afférentes aux différentes étapes de la démarche.

Pour éviter que ces améliorations et ajouts n'alourdissent le texte, on a allégé plusieurs passages moins utiles ou redondants. Comme dans les éditions précédentes, on a également opté pour le genre masculin (« le chercheur », « l'enseignant », « l'étudiant »...) au sens épicène, c'est-à-dire non marqué par le genre et qui peut donc désigner aussi bien une femme qu'un homme. À une exception près toutefois : la recherche sur le rapport au corps dans les soins infirmiers présentée en fin d'ouvrage, où la dimension de genre et de sexe est centrale et doit être soulignée. (..)

Avec cette cinquième édition, plus complète et équilibrée, mais toujours aussi pédagogique et pratique que les précédentes, le *Manuel* est, plus que jamais, un guide et compagnon précieux pour l'étudiant et le jeune chercheur en sciences sociales.

Objectifs et démarche

1. Les objectifs

1.1 Objectifs généraux

La recherche en sciences sociales suit une démarche analogue à celle du chercheur de pétrole. Ce n'est pas en forant n'importe où que celui-ci trouvera ce qu'il cherche. Au contraire, le succès d'un programme de recherche pétrolière dépend de la démarche suivie. Étude des terrains d'abord, forage ensuite. Cette démarche nécessite le concours de nombreuses compétences différentes. Des géologues détermineront les zones géographiques où la probabilité de trouver du pétrole est la plus grande ; des ingénieurs concevront des techniques de forage appropriées que des techniciens mettront en œuvre.

On ne peut attendre du responsable de projet qu'il maîtrise dans le détail toutes les techniques requises. Son rôle spécifique sera de concevoir l'ensemble du projet et de coordonner les opérations avec un maximum de cohérence et d'efficacité. C'est à lui qu'incombera la responsabilité de mener à bien le dispositif global d'investigation.

Le processus est comparable en matière de recherche sociale. Il importe avant tout que le chercheur soit capable de concevoir et de mettre en œuvre un dispositif d'élucidation du réel, c'est-à-dire, dans son sens le plus large, une méthode de travail. Celle-ci ne se présentera jamais comme une simple addition de techniques qu'il s'agirait d'appliquer telles quelles, mais bien comme une démarche globale de l'esprit qui demande à être réinventée pour chaque travail.

Lorsqu'au cours d'un travail de recherche en sciences sociales, son auteur rencontre des problèmes majeurs qui compromettent la poursuite du projet, ce n'est pratiquement jamais pour des raisons d'ordre strictement technique. De nombreuses techniques peuvent s'apprendre assez rapidement et, en tout état de cause, il est toujours possible de solliciter

la collaboration ou au moins les conseils d'un spécialiste. Lorsqu'un chercheur professionnel ou débutant éprouve de grandes difficultés dans son
travail, c'est presque toujours pour des raisons d'ordre méthodologique
dans le sens où nous avons compris ce terme jusqu'ici. On entend alors
invariablement : « Je ne sais plus où j'en suis », « J'ai l'impression que
je ne sais même plus ce que je cherche », « Je n'ai aucune idée de la
manière dont je dois m'y prendre pour continuer », « J'ai beaucoup de
données… mais je ne vois pas du tout ce que je vais en faire » ou même,
d'emblée, « Je ne sais vraiment pas par où commencer ».

Le présent ouvrage a été conçu pour aider tous ceux qui, dans le
cadre de leurs études, ou de leurs responsabilités professionnelles ou
sociales, souhaitent se former à la recherche en sciences sociales ou,
plus précisément, entreprendre avec succès un travail de fin d'études
ou une thèse, des travaux, des analyses ou des recherches dont l'objectif
est de comprendre plus profondément et d'interpréter plus justement
les phénomènes de la vie collective auxquels ils sont confrontés ou qui,
pour une raison ou une autre, les interpellent.

La manière de l'utiliser dépendra des besoins spécifiques de chacun, en fonction des ambitions et du contexte de son travail. Pour qui
s'engage dans une thèse de doctorat dans une discipline de sciences
sociales, toutes les phases d'un processus de recherche scientifique
devront être effectuées de manière approfondie. Qui effectue un travail de master moins ambitieux pourra s'appuyer utilement sur ce livre
pour rassembler et traiter efficacement sa documentation et construire
sa problématique, sans pour autant suivre de manière approfondie
toutes les étapes dans toutes leurs implications.

L'ouvrage étant conçu comme un support de formation méthodologique au sens large, nous aborderons, dans un ordre logique, des
thèmes tels que la formulation d'un projet de recherche, le travail
exploratoire, la construction d'un plan d'investigation ou les critères
de choix des techniques de recueil, de traitement et d'analyse des données. Ainsi, chacun pourra, le moment venu et en toute connaissance
de cause, faire judicieusement appel à l'une ou à l'autre des nombreuses
méthodes et techniques de recherche au sens strict afin d'élaborer lui-
même, à partir d'elles, des procédures de travail correctement adaptées
à son projet. Le moment venu, nous l'y aiderons.

1.2 Conception didactique

Sur le plan didactique, cet ouvrage est directement utilisable. Le lecteur
qui le souhaite pourra, dès les toutes premières pages, appliquer à son
propre travail les recommandations proposées. Les différentes parties

du *Manuel* peuvent être expérimentées soit par des apprentis chercheurs isolés, soit en groupe ou en salle de cours, avec l'encadrement critique d'un enseignant formé aux sciences sociales. Il est toutefois recommandé de le lire une première fois entièrement avant d'effectuer les travaux d'application, de manière à bien saisir la cohérence d'ensemble de la démarche et à appliquer les suggestions de manière souple, critique et inventive.

Une telle ambition peut sembler une gageure : comment peut-on proposer un manuel méthodologique dans un domaine de recherche où, chacun le sait, les dispositifs d'investigation varient considérablement d'une recherche à l'autre ? Ne court-on pas le risque d'imposer une image simpliste et très arbitraire de la recherche en sciences sociales ? Pour plusieurs raisons, nous pensons qu'une telle critique ne peut résulter ici que d'une lecture superficielle ou partielle de ce livre.

Celui-ci ne se présente pas comme une simple collection de recettes, mais comme un canevas général et très ouvert, au contenu directement applicable, dans le cadre duquel (et hors duquel !) les démarches concrètes les plus variées peuvent être mises en œuvre. S'il contient effectivement de nombreuses suggestions pratiques et des exercices d'application, ni les unes ni les autres n'entraîneront le lecteur sur une voie méthodologique précise et irrévocable. Ce livre est tout entier rédigé pour aider le lecteur à concevoir par lui-même une démarche de travail, non pour lui en imposer une à titre de canon universel. Il n'est donc pas un « mode d'emploi » qui impliquerait une application mécanique de ses différentes étapes. Il propose des repères et un cheminement pour que chacun puisse élaborer lucidement ses propres dispositifs méthodologiques, en fonction de ses propres objectifs.

Dans ce but – et c'est une deuxième précaution – les pages de cet ouvrage invitent constamment au recul critique et à la réflexion éthique, de sorte que le lecteur soit régulièrement amené à s'interroger avec lucidité sur le sens de son travail au fur et à mesure de sa progression. Les réflexions que nous lui proposons se fondent sur notre propre expérience de chercheurs, de formateurs d'adultes et d'enseignants. Elles sont donc forcément subjectives et inachevées. Nous espérons harmoniser ainsi les exigences d'une formation pratique qui réclame des outils méthodologiques précis et celles d'une réflexion critique qui discute leur portée et leurs limites.

De nombreux lecteurs de cet ouvrage ont suivi ou suivent en parallèle une formation théorique et ont la possibilité de discussions critiques avec un enseignant ou un chercheur formé aux sciences sociales. C'est évidemment l'idéal. D'autres, qui suivent une formation principale dans une discipline différente ou qui n'ont pas un parcours scolaire conventionnel, n'ont pas ou difficilement cette possibilité. Notre ouvrage de méthode comporte à cet effet un certain nombre de ressources théoriques de base qui seront présentées au fur et à mesure de leur mobilisation dans le processus de recherche.

Une recherche en sciences sociales n'est donc pas une succession de méthodes et de techniques stéréotypées qu'il suffirait d'appliquer telles quelles et dans un ordre immuable. Le choix, l'élaboration et l'ordonnance des procédures de travail varient avec chaque recherche particulière. Dès lors – et c'est une troisième précaution – l'ouvrage est bâti sur de nombreux exemples réels. Certains d'entre eux seront mis plusieurs fois à contribution, de manière à faire bien apparaître la cohérence globale d'une recherche. Ils ne constituent pas des idéaux à atteindre, mais des repères et des applications dont chacun pourra s'inspirer.

Enfin – dernière précaution – ce livre se présente explicitement et sans ambiguïté comme un manuel de formation. Il est construit en fonction d'une idée de progression dans l'apprentissage. Par conséquent, la signification et l'intérêt de ses différentes étapes ne peuvent être correctement estimés si ces dernières sont extraites de leur contexte global. Certaines sont plus techniques, d'autres plus critiques. Quelques idées, peu approfondies au début de l'ouvrage, seront reprises et développées plus loin dans un autre contexte. Certains passages comportent des recommandations appuyées ; d'autres ne présentent que de simples suggestions ou un éventail de possibilités. Aucun d'eux ne donne à lui seul une image du dispositif global, mais chacun y occupe une place nécessaire.

1.3 « Recherche » en « sciences » sociales ?

Dans le domaine de la formation méthodologique qui nous occupe ici, on utilise souvent les mots « recherche » ou « science » avec une certaine légèreté et dans les sens les plus élastiques. On parlera par exemple de « recherche scientifique » pour qualifier les sondages d'opinion, les études de marché ou les diagnostics les plus banals, uniquement parce qu'ils ont été effectués par un service ou par un centre de recherche universitaire. On laisse entendre aux étudiants du premier niveau de l'enseignement supérieur, voire des dernières années de l'enseignement secondaire, que leurs cours de méthodes et techniques en recherche sociale les rendront à même d'adopter une « démarche scientifique » et de produire dès lors une « connaissance scientifique », alors qu'il est très difficile, même pour un chercheur professionnel et expérimenté, de produire une connaissance véritablement nouvelle qui fasse progresser sa propre discipline.

Qu'apprend-on en fait, dans le meilleur des cas, au terme de ce que l'on qualifie communément de travail de « recherche en sciences sociales » ? À mieux comprendre les significations d'un événement ou d'une conduite, à faire intelligemment le point d'une situation, à saisir plus finement les logiques de fonctionnement d'une organisation, à réfléchir avec justesse aux implications d'une décision politique, ou encore à comprendre plus nettement comment telles personnes perçoivent un problème et à mettre en lumière quelques-uns des fondements de leurs représentations.

Tout cela mérite qu'on s'y attarde et que l'on s'y forme ; c'est à cette formation que notre livre s'est principalement consacré. Mais il s'agit rarement de recherches qui contribuent à faire progresser les théories, les méthodes et les apports fondamentaux des sciences sociales. Il s'agit d'études ou d'analyses, plus ou moins bien menées selon la formation du « chercheur », son imagination et les précautions dont il s'entoure pour mener ses investigations à terme. Ce travail peut apporter une précieuse contribution à la lucidité des acteurs sociaux sur leurs propres pratiques ou sur les événements et les phénomènes dont ils sont les témoins, mais il ne faut pas lui accorder un statut inapproprié.

Si cet ouvrage peut épauler certains lecteurs engagés dans des recherches d'une relative envergure, il vise aussi à aider ceux qui, malgré des ambitions plus modestes, sont néanmoins déterminés à étudier les phénomènes sociaux avec rigueur.

En sciences sociales, il faut se garder de deux travers opposés : un scientisme naïf consistant à croire que nous pouvons établir des vérités définitives et que nous pouvons adopter une rigueur *analogue* à celle des physiciens ou des biologistes ; ou, à l'inverse, un scepticisme qui nierait la possibilité même d'une connaissance scientifique. Nous savons à la fois plus et moins que ce qu'on laisse parfois entendre. Nos connaissances se construisent à l'appui de cadres théoriques et méthodologiques explicites, lentement élaborés, qui constituent un champ au moins partiellement structuré, et ces connaissances sont étayées par une observation des faits.

Nous voudrions mettre les qualités de curiosité, d'honnêteté intellectuelle, de rigueur et de lucidité en évidence. Si nous parlons de « recherche », de « chercheurs » et de « sciences sociales » au sujet de travaux aussi modestes qu'ambitieux, c'est par facilité, mais c'est aussi avec la conscience que ces termes peuvent paraître excessifs.

2. La démarche

2.1 Problèmes de méthode (le chaos originel... ou trois manières de mal commencer)

Au départ d'une recherche ou d'un travail, le scénario est pratiquement toujours identique. On sait vaguement que l'on veut étudier tel ou tel problème, par exemple le développement de sa propre région, le fonctionnement d'une entreprise ou d'une institution publique, l'introduction des nouvelles technologies à l'école, l'évolution de la criminalité, les comportements face à de nouvelles maladies ou à de nouveaux risques, les relations sociales dans une société multiculturelle ou les activités d'une association que l'on fréquente, mais on ne voit pas très bien comment aborder la question. On souhaite que ce travail soit utile et débouche sur des propositions concrètes, mais on a le sentiment de s'y perdre avant même de l'avoir réellement entamé. Voilà à peu près comment s'engagent la plupart des travaux d'étudiants, mais parfois aussi de chercheurs, dans les domaines qui relèvent de ce qu'on a coutume d'appeler les « sciences sociales ».

Ce chaos originel ne doit pas inquiéter ; bien au contraire. Il est la marque d'un esprit qui ne s'alimente pas de simplismes et de certitudes toutes faites. Le problème est d'en sortir sans trop tarder, et à son avantage.

Pour y parvenir, voyons tout d'abord ce qu'il ne faut surtout pas faire... mais que l'on fait hélas souvent : la fuite en avant. Elle peut prendre diverses formes parmi lesquelles nous n'aborderons ici que les plus courantes : la gloutonnerie livresque ou statistique, l'impasse aux hypothèses et l'emphase obscurcissante. Si nous nous attardons ici sur ce qu'il ne faut pas faire, c'est pour avoir vu trop d'étudiants et de chercheurs débutants se fourvoyer d'entrée de jeu dans les plus mauvaises voies. En consacrant quelques minutes à lire ces premières pages, vous vous épargnerez peut-être plusieurs semaines, voire plusieurs mois de travail harassant et, pour une large part, inutile.

a. La gloutonnerie livresque ou statistique

Comme son nom l'indique, la gloutonnerie livresque ou statistique consiste à se « bourrer le crâne » d'une grande quantité de livres, d'articles ou de données chiffrées en espérant y trouver, au détour d'un paragraphe ou d'une courbe, la lumière qui permettra de préciser enfin correctement et de manière satisfaisante l'objectif et le thème du travail que l'on souhaite effectuer. Cette attitude conduit immanquablement au découragement, car l'abondance d'informations mal intégrées finit par embrouiller les idées.

Certes, la recherche en sciences sociales exige du chercheur qu'il lise beaucoup, notamment pour s'approprier les cadres de pensée et les outils de recherche indispensables, et pour maîtriser suffisamment son sujet. Mais, pour que ces lectures soient utiles et qu'il puisse les exploiter, il doit pouvoir en assimiler progressivement le contenu, le « digérer » au fur et à mesure, en quelque sorte.

S'il a tendance à progresser trop vite et trop superficiellement, à chercher l'abondance plutôt que la qualité, il lui faudra revenir en arrière, apprendre à réfléchir plutôt qu'à engloutir, à décongestionner son esprit de l'écheveau de chiffres et de mots qui l'étouffe et l'empêche de fonctionner de manière ordonnée et créative. Dans un premier temps, il est de loin préférable en effet de lire en profondeur peu de textes soigneusement choisis, d'interpréter judicieusement quelques données statistiques particulièrement parlantes, et d'en tirer des enseignements clairs et ordonnés avant d'aller de l'avant. À chaque phase du travail, il s'agit de se préoccuper d'abord de sa démarche, de manière à emprunter toujours le chemin le plus court et le plus simple afin d'obtenir le meilleur résultat.

b. L'impasse aux hypothèses

L'impasse aux hypothèses consiste à se précipiter sur la collecte des données avant d'avoir formulé des hypothèses de recherche – nous reviendrons plus loin sur cette notion – et à se préoccuper du choix et de la mise en œuvre des techniques de recherche avant même de bien savoir ce que l'on cherche exactement et donc à quoi elles vont servir.

Il n'est pas rare d'entendre un étudiant déclarer qu'il compte faire une enquête par questionnaire auprès d'une population donnée alors qu'il n'a pas d'hypothèse de travail et, à vrai dire, ne sait même pas ce qu'il cherche. On ne peut choisir une technique d'investigation que si l'on a une idée de la nature des données à recueillir. Cela implique que l'on commence par bien définir son projet.

Cette forme de fuite en avant est courante et encouragée par la croyance que l'usage de techniques de recherche consacrées détermine la valeur intellectuelle et le caractère scientifique d'un travail. Mais à quoi bon mettre correctement en œuvre des techniques éprouvées si elles servent un projet flou et mal défini ? D'autres pensent qu'il suffit d'accumuler un maximum d'informations sur un sujet et de les soumettre à diverses techniques d'analyse statistique pour découvrir la réponse aux questions qu'ils se posent. Ils s'enfoncent ainsi dans un piège dont les suites peuvent les couvrir de ridicule. Par exemple, pour un travail de fin d'études, un étudiant qui avait enregistré toutes les discussions des enseignants lors du conseil de classe de fin d'année pour découvrir les arguments les plus souvent employés pour évaluer la capacité des élèves, ayant soumis le tout à un programme d'analyse hautement sophistiqué, a obtenu des résultats inattendus : « et », « de », « euh », « capable », « mais », etc. étaient les termes les plus utilisés !

c. L'emphase obscurcissante

Ce troisième défaut est fréquent chez les chercheurs débutants qui sont impressionnés et intimidés par leur nouvelle fréquentation des universités ou des écoles supérieures et par ce qu'ils pensent être la Science. Pour s'assurer une crédibilité, ils croient utile de s'exprimer de manière pompeuse et inintelligible et, le plus souvent, ils ne peuvent s'empêcher de raisonner de la même manière.

Deux caractéristiques dominent leurs projets de recherche ou de travail : l'ambition démesurée et la confusion. Tantôt c'est la restructuration industrielle de leur région qui en semble l'enjeu ; tantôt l'avenir de l'enseignement ; tantôt c'est rien moins que le destin du tiers-monde qui paraît se jouer dans leurs puissants cerveaux.

Ces déclarations d'intention s'expriment dans un jargon aussi creux qu'emphatique qui cache mal l'absence de projet de recherche clair et intéressant. La première tâche de celui qui encadre ce genre de travail sera d'aider son auteur à remettre les pieds sur terre et à faire preuve de plus de simplicité et de clarté. Pour vaincre ses réticences éventuelles, il faut lui demander systématiquement de définir tous les mots qu'il emploie et d'expliquer toutes les phrases qu'il formule, de sorte qu'il se rende vite compte qu'il ne comprend rien lui-même à son propre charabia.

Dans le domaine qui nous occupe, plus que dans n'importe quel autre, il n'est de bon travail qui ne soit une quête honnête de la vérité. Non pas la vérité absolue, établie une fois pour toutes par les dogmes, mais celle qui se remet toujours en question et s'approfondit sans cesse par le désir de comprendre plus justement le réel dans lequel nous vivons et que nous contribuons à produire.

Cela suppose que, loin de se laisser guider par ses idées préconçues et de chercher à les démontrer à tout prix, l'apprenti chercheur accepte de se laisser surprendre par ses propres investigations et de voir ses schémas de pensée déstabilisés au fil de son travail. Cet état d'esprit n'est pas simplement affaire de bons sentiments ; il est surtout affaire de méthode. En effet, c'est en respectant certains principes méthodologiques qu'il se placera lui-même dans une situation favorable à la découverte, voire à la surprise. Nous y reviendrons.

En attendant, dès l'entame de sa recherche, chacun devrait s'imposer le petit exercice consistant à expliquer clairement les mots qu'il a utilisés et les phrases qu'il a rédigées dans le cadre du travail qui débute, et à s'assurer que ces écrits sont dépourvus d'expressions empruntées et de déclarations creuses et présomptueuses. Bref qu'il se comprenne bien lui-même.

Après avoir examiné diverses manières de mal commencer un travail de recherche, voyons maintenant comment lui assurer un bon départ et le mettre sur une bonne voie. À l'aide de schémas, nous évoquerons d'abord les principes majeurs de la démarche scientifique et présenterons les étapes de leur mise en œuvre.

2.2 Les étapes de la démarche

Une démarche est une manière de progresser vers un but. Chaque recherche est une expérience singulière. Chacune est un processus de découverte qui se déroule dans un contexte particulier au cours duquel le chercheur est confronté à des contraintes, doit s'adapter avec souplesse à des situations imprévues au départ, est amené à faire des choix qui pèseront sur la suite de son travail. Pour autant, il ne s'agit pas de procéder n'importe comment, selon sa seule intuition ou les seules opportunités du moment. Dès lors que l'on prétend s'engager dans une recherche en sciences sociales, il faut « de la méthode ». Cela signifie essentiellement deux choses : d'une part, il s'agit de respecter certains principes généraux du travail scientifique ; d'autre part, il s'agit de distinguer et de mettre en œuvre de manière cohérente les différentes étapes de la démarche. En mettant davantage l'accent sur la démarche que sur les méthodes particulières, notre propos a une portée générale et peut s'appliquer à toute forme de travail en sciences sociales. Quels sont donc les principes et les étapes d'une recherche en sciences sociales ?

Dans son livre *La Formation de l'esprit scientifique* (Paris, Librairie philosophique J. Vrin, 1965), G. Bachelard a résumé la démarche scientifique en quelques mots : « Le fait scientifique est conquis, construit et constaté. » La même idée structure l'ensemble de l'ouvrage *Le Métier de sociologue* de P. Bourdieu, J.-C. Chamboredon et J.-C. Passeron (Paris, Mouton, Bordas, 1968). Les auteurs y décrivent la démarche comme un processus en trois actes dont l'ordre doit être, selon eux, respecté. C'est ce qu'ils appellent la hiérarchie des actes épistémologiques. Ces trois actes sont la rupture, la construction et la constatation (ou expérimentation).

Ce manuel présente ces actes de la démarche scientifique en sciences sociales sous la forme de sept étapes à parcourir. Dans chacune d'elles seront décrites les opérations à entreprendre pour atteindre la suivante et progresser d'un acte à l'autre, comme dans une pièce de théâtre classique, en trois actes et sept tableaux.

Cette présentation de la méthode comme une succession d'étapes correspond à une conception déductive de la démarche méthodologique. Dans une démarche déductive, en effet, une construction théorique élaborée précède les observations de terrain ou le recueil de données. Le particulier est déduit du général. Dans une démarche inductive, au contraire, les concepts et hypothèses continuent d'être élaborés en cours d'observation, dans un processus de généralisation progressive. Le général est induit par le particulier.

Ce choix ne signifie pas que la démarche déductive serait intrinsèquement supérieure ou plus « scientifique » que la démarche inductive, ni même qu'elle serait plus courante. La plupart des recherches concrètes combinent d'ailleurs, de manière équilibrée, une part de déduction et une part d'induction. Notre choix est d'abord et essentiellement pédagogique. Se former à quelque métier ou art que ce soit, par exemple la menuiserie ou la musique, suppose d'en apprendre d'abord les gestes de base, un à un et étape par étape, avant d'être capable de les maîtriser simultanément et dans des combinaisons variées. Il en est de même pour la recherche en sciences sociales. Procéder dans un premier temps selon une démarche déductive oblige le chercheur débutant à expliciter au fur et à mesure les différentes phases de son travail et de sa progression, sans tout mélanger et sans s'y perdre. Cela lui permet de saisir combien ce qu'il décide et réalise à chacune des étapes engage, souvent de manière irréversible (par exemple dans le cas de l'utilisation d'un questionnaire d'enquête standardisé), la suite de son travail. Cela l'aide enfin à apprendre à articuler valablement son approche théorique et son travail d'observation ou de terrain, articulation souvent défaillante dans des recherches inductives menées par des chercheurs manquant de métier.

Au fur et à mesure que les gestes et opérations de base seront bien acquis, nous ferons place, dans les pages qui suivent, à la démarche inductive, à ses principes et à sa conduite.

Le schéma ci-dessous montre les correspondances entre les étapes et les actes de la démarche. Pour des raisons didactiques, les actes et les étapes sont présentés comme des opérations séparées et dans un ordre séquentiel. En réalité, une recherche concrète n'est pas aussi mécanique et linéaire, les différents actes et les différentes étapes interagissent de manière constante. C'est pourquoi des boucles de rétroaction seront introduites dans le schéma afin de symboliser les interactions entre les différentes étapes de la recherche.

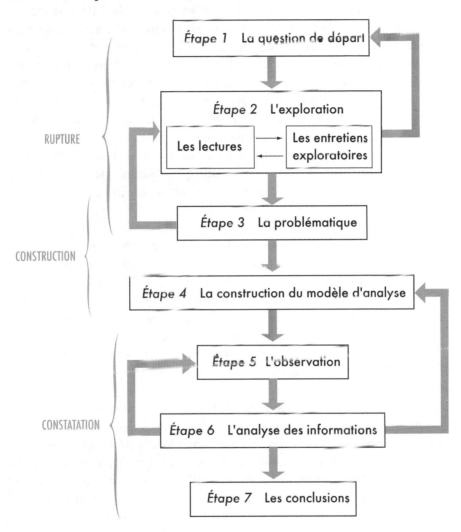

a. Les trois actes de la démarche

Pour comprendre l'articulation des étapes d'une recherche aux trois actes de la démarche scientifique, il nous faut tout d'abord dire quelques mots des principes que ces trois actes renferment et de la logique qui les unit.

■ La rupture

Si nous choisissons de traiter un sujet donné, c'est parce qu'il nous intéresse. Nous en avons presque toujours une connaissance préalable et souvent une expérience concrète. Peut-être même sommes-nous désireux de réaliser notre recherche pour mettre au jour un problème social ou pour défendre une cause qui nous tient à cœur. Un futur travailleur social qui a fait un stage dans une école dite « difficile » peut souhaiter étudier la violence scolaire à laquelle il a été confronté et contribuer ainsi à la recherche de modes d'intervention adéquats. Un étudiant en sociologie militant dans une association de prévention du VIH (virus du Sida) peut vouloir étudier les processus de discrimination auxquels sont exposées certaines catégories de personnes contaminées. Un étudiant ou une étudiante dont un des parents est un professionnel de la justice peut vouloir mettre à profit sa proximité avec l'univers judiciaire pour réaliser son travail de fin d'études. Une future politologue engagée dans un parti politique dominé par les hommes pourrait s'intéresser aux conditions de participation des femmes à la vie des partis. Les exemples sont innombrables.

Cette implication personnelle dans le sujet envisagé peut aller du simple intérêt à l'engagement militant. Même lorsqu'un jeune chercheur est engagé pour travailler sur un sujet vis-à-vis duquel il se sentait précédemment indifférent, il est extrêmement peu probable qu'il n'ait pas déjà quelques « petites idées » sur le sujet et que son intérêt pour la question ne se développe vite. La particularité des sciences sociales est d'ailleurs qu'elles étudient des phénomènes (comme la famille, l'école, le travail, les relations interculturelles, les inégalités sociales, le pouvoir, etc.) dont chacun a déjà, le plus souvent, une expérience préalable, sinon directe, au moins indirecte.

Cet intérêt, cette connaissance et cette expérience ne sont pas *a priori* une mauvaise chose, au contraire. On ne part pas de rien, on a quelques idées intéressantes, on connaît parfois déjà des choses très pointues sur le sujet, on connaît des personnes qui peuvent nous informer et nous aider à nouer des contacts utiles, on a peut-être même déjà lu des textes intéressants sur le sujet et, surtout, on est animé par une plus ou moins forte motivation. Mais en même temps, cet intérêt, cette connaissance et cette expérience recèlent quelques dangers et peuvent présenter des inconvénients.

Certains de ces dangers sont inhérents à l'implication personnelle et au système de valeurs du chercheur lui-même. Tous les groupes humains, y compris ceux dont les étudiants et les chercheurs en sciences sociales font partie (classes sociales, proches et amis, collègues de même formation supérieure, etc.), partagent un certain nombre d'idées sur eux-mêmes et sur les autres. Ces idées sont fonctionnelles pour ces « groupes d'appartenance ». Elles sont souvent simplistes et classent les gens dans des catégories qui ne vont pas de soi, mais à partir desquelles on aura tendance à expliquer les comportements des uns et des autres. Par exemple, on expliquera trop vite un comportement collectif de croyants par la nature de leur religion sans rechercher les facteurs socio-économiques et politiques qui expliquent l'usage social qui est fait aujourd'hui de la religion. Ou encore, on partira du préjugé que tel comportement est « anormal » parce qu'il n'est pas « rationnel » au regard des finalités et des valeurs que nous trouvons « raisonnables » et « normales ».

Lorsque nous abordons l'étude d'un sujet quelconque, notre esprit n'est pas vierge ; il est chargé d'un amoncellement d'images, de croyances, d'aspirations, de schémas d'explication plus ou moins inconscients, de souvenirs d'expériences agréables ou douloureuses, à la fois collectives et personnelles, qui préformatent notre approche de ce sujet. Ce préformatage est déjà présent dans le fait que c'est ce sujet-là et pas un autre qui a été choisi ; il est susceptible de marquer la recherche dans toutes ses étapes. Il faut donc être vigilant. Légion sont les mémoires, thèses, et travaux de fin d'études (TFE) où l'auteur ne parvient pas à prendre suffisamment de recul avec sa propre expérience et avec ses propres catégories de pensée *a priori*.

C'est pour insister énergiquement sur cette nécessité de prendre du recul avec les idées préconçues autant qu'avec les catégories de pensées du sens commun, c'est-à-dire celles qui sont généralement admises dans une collectivité donnée (par exemple une société nationale, une communauté confessionnelle ou une catégorie professionnelle) que certains auteurs parlent carrément de *rupture épistémologique*, soit de rupture dans l'acte de connaissance. Pour eux, notamment G. Bachelard, il doit y avoir rupture radicale entre le sens commun et ses préjugés d'une part et la connaissance scientifique d'autre part.

Pour d'autres, comme A. Giddens ou J. Habermas, parler de rupture épistémologique présente le double inconvénient de disqualifier injustement le sens commun ou les savoirs ordinaires et d'instaurer une séparation trop stricte entre la « non-science » (ici du social) et la « science » (du social). Pour I. Stengers (*L'Invention des sciences modernes*, Paris, Flammarion, 1995), il serait plus judicieux de parler de « démarcation » que de rupture. Aujourd'hui, nombreux sont les scientifiques en sciences sociales qui considèrent qu'il y a davantage continuité que rupture entre le sens commun et la connaissance produite par les scientifiques dans ces disciplines. Ce qu'on appelle le « sens commun » est d'ailleurs régulièrement le fait de personnes et de groupes très bien informés sur certaines questions et souvent très instruits. Plusieurs ouvrages, auxquels les lecteurs peuvent se référer, discutent de cette question (voir notamment A.P. Pires, « De quelques enjeux épistémologiques d'une méthodologie générale pour les sciences sociales », dans Poupart *et al.*, *La Recherche qualitative*, Montréal, Paris, Casablanca, Gaëtan Morin Éditeur, 1997). Plus encore, certains dont nous sommes estiment que la connaissance scientifique, notamment sociologique, a tout intérêt à mobiliser les connaissances et compétences intellectuelles des acteurs dans le processus même de recherche, à condition de mettre en œuvre des méthodes adéquates et rigoureuses (voir en particulier L. Van Campenhoudt, J.-M. Chaumont et A. Franssen, *La Méthode d'analyse en groupe*, Paris, Dunod, 2005).

Même si l'on se place dans l'optique d'une continuité entre le sens commun et les connaissances scientifiques, il n'en reste pas moins que, pour constituer des connaissances valides du point de vue des sciences sociales, ces connaissances doivent être produites selon certaines règles et certaines procédures rigoureuses auxquelles le sens commun n'est pas tenu (problématique argumentée, définition précise des concepts, mise à l'épreuve d'hypothèses, constitution d'échantillon, observations systématiques, etc.). C'est ce caractère méthodologique construit – voir ci-dessous – qui confère à la connaissance scientifique sa validité propre, à laquelle le sens commun ne saurait prétendre dans les sciences sociales comme dans les autres disciplines. C'est pourquoi certains parleront plutôt de *rupture méthodologique*.

Les termes du débat étant posés, à ce stade-ci toutefois, s'agissant généralement pour le lecteur d'un premier contact avec la méthodologie de la recherche, nous avons conservé le terme assez carré de *rupture*, sans le qualifier, pour bien marquer l'importance de ce recul réflexif, la nécessité de prendre conscience du poids énorme que peuvent avoir nos idées préconçues sur la qualité de nos recherches et l'exigence d'une construction méthodologique rigoureuse de la démarche de connaissance. Il s'agit ici d'un choix essentiellement pédagogique.

■ *La construction*

La rupture ou, moins radicalement dit, la démarcation ne s'obtient pas seulement dans le recul réflexif. Elle se concrétise positivement dans le deuxième acte de la recherche en sciences sociales, celui de la construction, qui consiste à reconsidérer le phénomène étudié à partir de catégories de pensée qui relèvent des sciences sociales, à se référer à un cadre conceptuel organisé susceptible d'exprimer la logique que le chercheur suppose être à la base du phénomène. Il s'agit de « reconstruire » les phénomènes sous un autre angle qui est défini par des concepts théoriques relevant des sciences sociales. C'est grâce à ce cadre théorique que le chercheur peut construire des propositions explicatives du phénomène étudié et prévoir le plan de recherche à installer, les opérations à mettre en œuvre et le type de conséquences auxquelles il faut logiquement s'attendre au terme de l'observation. Il ne peut y avoir, en sciences sociales, de constatation fructueuse sans construction d'un cadre théorique de référence. On ne soumet pas n'importe quelle proposition à l'épreuve des faits. Les propositions explicatives doivent être le produit d'un travail rationnel fondé sur la logique et sur un système conceptuel valablement constitué (*cf.* J.-M. Berthelot, *L'Intelligence du social*, Paris, PUF, 1990, p. 39).

■ *La constatation*

Une proposition n'a droit au statut scientifique que dans la mesure où elle est susceptible d'être vérifiée par des informations sur la réalité concrète. Cette mise à l'épreuve des faits est appelée constatation ou expérimentation. Elle correspond au troisième acte de la démarche.

b. Les sept étapes de la démarche

Les trois actes de la démarche scientifique ne sont pas indépendants les uns des autres. Ils se constituent au contraire mutuellement. Ainsi, par exemple, la rupture ne se réalise pas uniquement en début de recherche ; elle se poursuit dans et par la construction. En revanche, elle ne peut se passer des étapes initiales correspondant principalement à la rupture. Tandis que la constatation puise sa valeur dans la qualité de la construction.

Dans le déroulement concret d'une recherche déductive, les trois actes de la démarche scientifique sont réalisés au cours d'une succession d'opérations, regroupées ici en sept étapes. Pour des raisons didactiques, le schéma ci-avant distingue de manière précise les étapes les unes des autres. Cependant, des boucles de rétroaction rappellent que ces différentes étapes sont, en réalité, en interaction permanente, ce que nous ne manquerons pas de montrer à chaque occasion. Nous mettrons l'accent sur l'enchaînement des opérations et la logique qui les relie.

Pour servir d'outil de formation, un manuel tel que celui-ci se doit de présenter les principes et les étapes de la démarche de manière aussi claire et ordonnée que possible. Il doit aider le chercheur débutant à progresser dans sa recherche en sachant où il va et pourquoi il procède comme il le fait. Outil didactique, un manuel procure un fil conducteur, des repères et des normes de travail. On l'a dit : il faut de la méthode, et pas n'importe laquelle. Sans quoi le travail s'égare dans la confusion et perd toute rigueur. La rigueur consiste précisément en une adéquation entre ce que le chercheur avance comme enseignements de ses travaux et ce qui l'autorise à les avancer : des concepts précis, une méthode non arbitraire, des observations faites « dans les règles de l'art » et, surtout, la cohérence générale de la démarche de recherche mise en œuvre.

Toutefois, rigueur n'est pas synonyme de rigidité, bien au contraire. La démarche présentée ici ne doit pas être mise en œuvre de manière mécanique (comme une succession de normes précises où la finalité serait perdue de vue) ni ritualiste (comme la répétition stéréotypée de gestes sacrés). Une recherche est toujours un processus de découverte, une aventure intellectuelle qui se réalise dans un contexte concret et, pour une large part, imprévisible. Elle réserve toujours son lot de bonnes et de mauvaises surprises. Pour en retirer les enseignements les plus riches, le chercheur devra faire preuve de souplesse et d'une capacité d'adaptation. Il devra régulièrement revenir en arrière, reformuler une hypothèse trop sommaire ou inadéquate, redéfinir un concept avec plus de justesse, tantôt simplifier, tantôt complexifier son cadre théorique, retourner sur le terrain et procéder à un supplément d'observations pour récolter des informations manquantes non envisagées dans son plan de travail, voire se poser de nouvelles questions que l'observation elle-même va lui imposer. Une application rigoriste de la démarche exposée dans ce manuel peut être une réaction de peur et le signe d'un manque de confiance en soi. Ces sentiments sont parfaitement normaux et compréhensibles dans la tête du débutant en recherche sociale. Mais, après avoir bien étudié tous les mouvements de bras et de jambes, l'apprenti nageur doit bien, tôt ou tard, lâcher le bord de la piscine, du moins s'il veut apprendre à nager.

La question
de départ

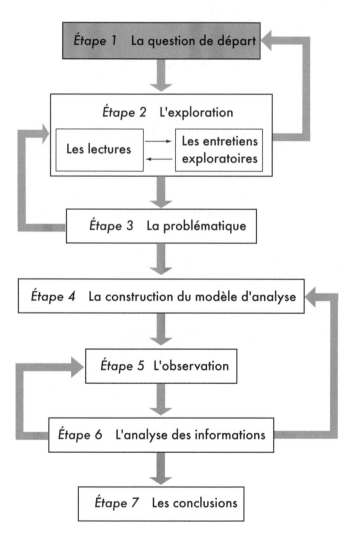

Les étapes de la démarche

1. Objectifs

Le premier problème qui se pose au chercheur est tout simplement celui de savoir comment bien commencer son travail. Il n'est pas facile en effet de parvenir à traduire ce qui se présente couramment comme un centre d'intérêt ou une préoccupation relativement vague en un projet de recherche opérationnel. La crainte de mal entamer le travail peut amener certains à tourner en rond pendant fort longtemps, à rechercher une illusoire sécurité dans une des formes de fuite en avant abordées précédemment ou encore à renoncer purement et simplement à l'entreprise. Au cours de cette étape, nous montrerons qu'il existe une solution à ce problème du démarrage du travail.

La difficulté d'entamer valablement un travail provient souvent d'un souci de trop bien faire et de formuler d'emblée un projet de recherche d'une manière parfaitement satisfaisante. C'est une erreur. Une recherche est par définition quelque chose qui se cherche. Elle est un cheminement vers une meilleure connaissance et doit être acceptée comme telle, avec tout ce que cela implique d'hésitations, d'errements et d'incertitudes. Beaucoup vivent cette réalité comme une angoisse paralysante ; d'autres au contraire la reconnaissent comme un phénomène normal et, pour tout dire, stimulant.

Dès lors, le chercheur doit s'obliger à choisir rapidement un premier fil conducteur aussi clair que possible de sorte que son travail puisse débuter sans retard et se structurer avec cohérence. Peu importe si ce point de départ semble banal et si la réflexion du chercheur ne lui paraît pas encore tout à fait mûre ; peu importe si, comme c'est probable, il change de perspective en cours de route. Ce point de départ n'est que provisoire, comme un camp de base que dressent des alpinistes pour préparer l'escalade d'un sommet et qu'ils abandonneront pour d'autres camps plus avancés jusqu'au début de l'assaut final. Reste à savoir comment doit se présenter ce premier fil conducteur et à quels critères il doit répondre pour remplir au mieux sa fonction. Tel est l'objet de cette première étape.

2. Une bonne manière de s'y prendre

Pour plusieurs raisons qui apparaîtront progressivement, nous suggérons d'adopter une formule qui, à l'expérience, apparaît d'une très grande efficacité. Elle consiste à s'efforcer d'énoncer son projet de recherche sous la forme d'une question de départ par laquelle le chercheur tente d'exprimer le plus exactement possible ce qu'il cherche à savoir, à élucider, à mieux comprendre. Pour remplir correctement sa fonction, cet exercice demande bien entendu à être effectué selon certaines règles qui seront précisées et illustrées plus loin.

Sans doute certains éprouveront-ils d'emblée des réticences à l'égard d'une telle proposition. Nous les invitons à réserver leur jugement jusqu'au moment où ils auront bien saisi la nature et la portée exactes de l'exercice.

Tout d'abord, il n'est pas inutile de signaler que les auteurs les plus réputés n'hésitent pas à énoncer leurs projets de recherche sous forme de questions simples et claires, même si ces questions sont en réalité sous-tendues par une réflexion théorique très consistante. En voici trois exemples, bien connus des sociologues :

• « L'inégalité des chances devant l'enseignement a-t-elle tendance à décroître dans les sociétés industrielles ? » Telle est la question posée par Raymond Boudon au départ d'une recherche dont les résultats ont été publiés sous le titre *L'Inégalité des chances : la mobilité sociale dans les sociétés industrielles* (Paris, Armand Colin, 1973). À cette première question centrale, Boudon en a ajouté une autre portant sur « l'incidence des inégalités devant l'enseignement sur la mobilité sociale ». Mais la première question citée constitue bien l'interrogation de départ de son travail et ce qui lui a servi de premier axe central.

• « La lutte étudiante (en France) n'est-elle qu'une agitation où se manifeste la crise de l'Université ou porte-t-elle en elle un mouvement social capable de lutter au nom d'objectifs généraux contre une domination sociale ? » Telle est la question de départ posée par Alain Touraine dans la première recherche où il a mis en œuvre sa méthode d'intervention sociologique et dont les comptes rendus et les analyses ont été publiés sous le titre *Lutte étudiante* (avec F. Dubet, Z. Hegedus et M. Wieviorka, Paris, Seuil, 1978).

• « Qu'est-ce qui prédispose certains à fréquenter les musées ? Contrairement à la grande majorité de ceux qui ne les fréquentent pas ? »
Telle est, reconstituée à partir des termes mêmes des auteurs, la question de départ de la recherche effectuée par Pierre Bourdieu et Alain Darbel sur le public des musées d'art européens et dont les résultats ont été publiés sous le titre *L'Amour de l'art* (Paris, éditions de Minuit, 1969).

Si les ténors de la recherche sociale s'imposent l'effort de préciser leur projet de manière consciencieuse, il faut admettre que le chercheur débutant ou moyen, amateur ou professionnel, occasionnel ou régulier,

ne peut se permettre l'économie de cet exercice, même si ses prétentions théoriques sont beaucoup plus modestes et son champ d'investigation plus restreint.

3. Les critères d'une bonne question de départ

Traduire un projet de recherche sous la forme d'une question de départ
n'est utile que si cette question est correctement formulée. Cela n'est
pas forcément facile car une bonne question de départ doit remplir
plusieurs conditions. Plutôt que de présenter d'emblée ces conditions
de manière abstraite, partons d'exemples concrets. Nous procéderons
donc à l'examen critique d'une série de questions de départ insatisfaisantes, mais de forme courante. Cet examen nous permettra de réfléchir aux critères d'une bonne question et à leur signification profonde.
Chaque énoncé de question sera suivi d'un commentaire critique, mais
il serait préférable de discuter ces questions par vous-mêmes, si possible en groupe, avant de lire plus ou moins passivement nos propres
commentaires.

Si les exemples de questions présentés vous semblent très, voire trop
clairs, et si les recommandations proposées vous paraissent évidentes
et élémentaires, ne vous dispensez pas pour autant de prendre cette
première étape au sérieux. Ce qui peut paraître facile lorsqu'un critère
est présenté isolément le sera beaucoup moins lorsqu'il s'agira de respecter l'ensemble de ces critères pour une seule question de départ : la
vôtre. Ajoutons que ces exemples ne sont pas de pures inventions de
notre part. Nous les avons tous entendus, parfois sous des formes légèrement différentes, dans la bouche d'étudiants. Si, sur des centaines de
questions insatisfaisantes à partir desquelles nous avons travaillé avec
eux, nous n'en avons finalement retenu ici que sept, c'est parce qu'elles
sont très représentatives des défauts courants et parce que, ensemble,
elles couvrent bien les objectifs poursuivis.

Progressivement, nous verrons combien ce travail, loin d'être strictement technique et formel, oblige le chercheur à une clarification
souvent bien utile de ses propres intentions et perspectives spontanées. En ce sens, la question de départ constitue normalement un premier moyen de mise en œuvre d'une des dimensions essentielles de la
démarche scientifique : la rupture avec les préjugés et les prénotions.

L'ensemble des qualités attendues peut se résumer en quelques mots : une bonne question de départ doit pouvoir être traitée. Cela signifie que l'on doit pouvoir travailler efficacement à partir d'elle et qu'il doit donc être possible, en particulier, d'y apporter des éléments de réponse. Ces qualités demandent à être détaillées. À cet effet, procédons à l'examen critique de sept exemples de questions.

3.1 Les qualités de clarté

Les qualités de clarté concernent essentiellement la précision et la concision de la formulation de la question de départ.

a. Question 1

Dans quelle mesure le souci de maintenir l'emploi dans le secteur de la construction explique-t-il la décision d'entreprendre de grands projets de travaux publics destinés non seulement à soutenir ce secteur mais aussi à diminuer les risques de conflits sociaux ?

■ *Commentaire*

Cette question est embrouillée et relativement longue. Elle comporte des suppositions et se dédouble sur la fin, de sorte qu'il est difficile de percevoir exactement ce que l'on cherche à comprendre en priorité. Il est préférable de formuler la question de départ d'une manière univoque et concise afin qu'elle puisse être comprise sans difficulté et aider son auteur à percevoir clairement l'objectif qu'il poursuit.

b. Question 2

Quel est l'impact des changements apportés à l'aménagement de l'espace urbain sur la vie des habitants ?

■ *Commentaire*

Cette question est beaucoup trop vague. À quels types de changements pense-t-on ? Qu'entend-on par « la vie des habitants » ? S'agit-il de leur vie professionnelle, familiale, sociale, culturelle ? Fait-on allusion à leurs conditions de déplacement ? À leurs dispositions psychologiques ? On pourrait aisément allonger la liste des interprétations possibles de cette question trop floue qui informe très peu sur les intentions précises de son auteur, pour autant qu'elles le soient.

Il conviendra donc de formuler une question précise dont le sens ne prête pas à confusion. Il sera souvent indispensable de définir clairement les termes de la question de départ, mais il faut d'abord s'efforcer d'être aussi limpide que possible dans la formulation de la question elle-même.

Il existe un moyen fort simple pour s'assurer qu'une question est bien précise. Il consiste à la formuler devant un petit groupe de personnes en se gardant bien de la commenter ou d'en exposer le sens. Chaque personne du groupe est ensuite invitée à expliquer la manière dont elle a compris la question. La question est précise si les interprétations convergent et correspondent à l'intention de son auteur.

En procédant à ce petit test à propos de plusieurs questions différentes, vous observerez très vite qu'une question peut être précise et comprise de la même manière par chacun sans être pour autant limitée à un problème insignifiant ou très marginal. Considérons la question suivante : « Quelles sont les causes de l'afflux de réfugiés en Europe depuis la fin des années quatre-vingt-dix ? » Cette question est précise en ce sens que chacun la comprendra de la même manière, mais elle couvre néanmoins un champ d'analyse très vaste (ce qui, comme nous le verrons plus loin, posera d'autres problèmes).

Une question précise n'est donc pas le contraire d'une question large ou très ouverte, mais bien d'une question vague ou floue. Elle n'enferme pas d'emblée le travail dans une perspective restrictive et dépourvue de possibilités de généralisation. Elle permet simplement de savoir où l'on va, et de le communiquer aux autres.

Bref, pour pouvoir être traitée, une bonne question de départ sera précise.

c. Question 3

Quelles sont les causes du sous-développement ?

■ Commentaire

Cette question est beaucoup trop ambitieuse et on peut craindre que le chercheur débutant ne puisse y répondre que par des généralités. Ce qu'on appelle le sous-développement recouvre une très grande diversité de réalités et de processus, de sorte que les contributions scientifiques les plus utiles à son sujet portent le plus souvent soit sur des situations précises (par exemple un ensemble de villages confrontés à des conditions particulières dans un pays du tiers-monde), soit sur des mécanismes particuliers (par exemple certains aspects des processus d'endettement qui comportent des dimensions sociales et/ou techniques). En revanche, les dissertations générales ne présentent guère d'intérêt. Ce n'est qu'après avoir rassemblé les résultats d'un grand nombre de travaux spécialisés que certains chercheurs, armés d'une longue expérience de recherche, parviennent à élaborer des synthèses sur le sous-développement en général et même, plus souvent, sur certains de ses aspects seulement qui présentent un réel intérêt scientifique.

Le chercheur débutant a intérêt à prendre connaissance de tels travaux avant de se lancer éventuellement lui-même dans une recherche aux ambitions nettement plus modestes.

3.2 La qualité de faisabilité

La faisabilité porte essentiellement sur le caractère réaliste ou non du travail que la question laisse entrevoir. Le chercheur aura-t-il effectivement la capacité de faire tout ce qui sera nécessaire pour mener à bien sa recherche ?

a. Question 4

Les chefs d'entreprise des différents pays de l'Union européenne se font-ils une idée identique de la concurrence économique de la Chine ?

■ *Commentaire*

Si vous pouvez consacrer au moins deux années complètes à cette recherche, si vous disposez d'un budget de plusieurs centaines de milliers d'euros, d'un bon réseau de collègues dans les autres pays européens disposés à collaborer et d'une équipe de collaborateurs compétents, efficaces et polyglottes, vous avez sans doute une chance de mener ce genre de projet à bien et d'aboutir à des résultats suffisamment détaillés pour être de quelque utilité. Sinon, il est préférable de restreindre vos ambitions.

Les conditions de faisabilité sont de divers ordres qui doivent être tous pris en considération par le chercheur : ses connaissances de base sur la question, ses compétences méthodologiques, la possibilité de récolter le matériau indispensable (ici sans doute une enquête par questionnaire ou des interviews de chefs d'entreprise) et d'effectuer les démarches préalables, la capacité de convaincre les personnes clés d'apporter leur concours et d'organiser éventuellement des réunions préparatoires, la capacité de trouver les documents utiles, le budget nécessaire (notamment en frais de déplacement), les moyens logistiques (comme un support informatique pour le traitement des données), mais aussi, dans certains cas, la capacité de dépasser des obstacles psychologiques ou éthiques pouvant survenir au cours du travail de terrain.

Le chercheur doit s'assurer de ces conditions dès la formulation de la question de départ, sous peine d'être vite dépassé par ses ambitions. En effet, les chercheurs débutants, mais aussi parfois professionnels, sous-estiment souvent les contraintes concrètes qu'implique leur projet de recherche. Les conséquences en sont, outre le découragement possible, qu'une bonne partie des informations nécessaires ne sont pas récoltées, que les informations recueillies sont sous-exploitées et que la recherche se termine par un sprint angoissant au cours duquel on s'expose aux erreurs et aux négligences.

Bref, pour pouvoir être traitée, une question de départ doit être réaliste, c'est-à-dire en rapport avec les ressources personnelles, matérielles et techniques dont on peut d'emblée penser qu'elles seront nécessaires et sur lesquelles on peut raisonnablement compter.

3.3 Les qualités de pertinence

Les qualités de pertinence concernent le registre (descriptif, explicatif, normatif, prédictif...) dont relève la question de départ.

Procédons ici aussi à l'examen critique d'exemples de questions comparables à celles que l'on retrouve souvent au départ de travaux d'étudiants.

a. Question 5

À quoi les jeunes de la région de Bordeaux consacrent-ils leurs loisirs ?

■ *Commentaire*

Au premier abord, on peut craindre qu'une telle question n'attende qu'une réponse purement descriptive qui aurait pour seul objectif de faire état des données d'une situation. Un danger supplémentaire est d'en rester à du « vécu » anecdotique, sans parvenir à saisir les processus sociaux qui sous-tendent les modes de vie et comportements décrits.

Il ne faudrait toutefois pas dresser une frontière trop nette entre la description des phénomènes sociaux et leur explication (voir à ce sujet J.-P. Olivier de Sardan, *La Rigueur du qualitatif*, Louvain-la-Neuve, Bruylant-Academia, 2008). En effet, de nombreuses questions qui se présentent, au premier regard, comme descriptives n'impliquent pas moins une visée de compréhension des phénomènes sociaux étudiés. Décrire les relations de pouvoir dans une organisation, ou des situations socialement problématiques en montrant en quoi elles sont précisément « problématiques », ou l'évolution des conditions de vie d'une partie de la population, ou les modes d'occupation d'un espace public et les activités qui s'y déroulent... implique une réflexion sur ce qu'il est essentiel de mettre en évidence, une sélection des informations à récolter, un classement de ces informations en vue de dégager des lignes de force et des enseignements pertinents.

En dépit des apparences, il s'agit donc d'autre chose que d'une « simple description », soit, pour le moins, d'une « description construite » qui trouve parfaitement sa place dans la recherche en sciences sociales et qui nécessite un véritable dispositif conceptuel et méthodologique. Une « description » ainsi conçue peut constituer une excellente recherche et une bonne manière de s'y engager. Beaucoup de recherches connues se présentent d'ailleurs, d'une certaine manière, comme des descriptions construites à partir de critères qui rompent avec les catégories de pensée généralement admises et qui conduisent par là à reconsidérer les phénomènes étudiés sous un regard neuf. *La Distinction, critique sociale du jugement* de Pierre Bourdieu (Paris, éditions de Minuit, 1979) en est un bon exemple : la description des pratiques et dispositions culturelles y est menée à partir du point de vue de l'habitus et d'un système d'écarts entre les différentes classes sociales.

Mais on est alors au plus loin d'une simple intention de rassemblement non critique de données et d'informations existantes ou que l'on produit soi-même. Il est souhaitable que cette intention de dépasser ce stade transparaisse dans la question de départ.

Bref, une bonne question de départ visera à mieux comprendre les phénomènes étudiés et pas seulement à les décrire.

Sans entrer dans des développements inutilement complexes à ce stade, nous entendons ici par « comprendre des phénomènes » : « reconstituer, dans l'espace de la pensée, les processus réels par lesquels les phénomènes adviennent » (Ladrière J., « La causalité dans les sciences de la nature et dans les sciences humaines », in Frank (dir.), *Faut-il chercher aux causes une raison ? L'explication causale dans les sciences humaines*, Paris, Institut interdisciplinaire d'études épistémologiques, 1994, p. 248-274). Les bonnes questions de départ peuvent appeler des réponses en termes, par exemple, de processus d'interaction, de stratégies, d'action collective, de modes d'organisation, de conflits sociaux, de relations de pouvoir, d'invention, de diffusion ou d'intégration culturelle, pour ne citer que quelques exemples classiques parmi beaucoup d'autres qui relèvent de l'analyse en sciences sociales et sur lesquels nous aurons l'occasion de revenir.

b. Question 6

Quels changements affecteront l'organisation de l'enseignement d'ici une vingtaine d'années ?

■ *Commentaire*

L'auteur d'une telle question a en fait pour projet de procéder à un ensemble de prévisions sur l'évolution d'un secteur de la vie sociale. Ce faisant, il se nourrit des plus naïves illusions sur la portée d'un travail de recherche en sciences sociales. Un astronome peut prévoir longtemps à l'avance le passage d'une comète à proximité du système solaire parce que sa trajectoire répond à des lois stables auxquelles elle n'a pas la capacité de se soustraire par elle-même. Il n'en va pas de même en ce qui concerne les activités humaines, dont les orientations ne peuvent jamais être prévues de manière certaine.

Sans doute pouvons-nous affirmer sans grand risque de nous tromper que les nouvelles technologies occuperont une place croissante dans l'organisation des écoles et le contenu des programmes, mais nous sommes incapables d'émettre des prévisions sûres au-delà de pareilles banalités.

Certains savants, particulièrement clairvoyants et informés, parviennent à anticiper les événements et à présager le sens probable de transformations prochaines mieux que ne le ferait le commun des mortels. Mais ces pressentiments portent très rarement sur des événements précis et ne sont jamais conçus que comme des éventualités. Ils se fondent sur leur connaissance approfondie de la société telle qu'elle fonctionne aujourd'hui et sur des tendances actuellement observables, et non sur des pronostics hasardeux.

Cela signifie-t-il que la recherche en sciences sociales n'ait rien à dire qui intéresse l'avenir ? Certainement pas, mais ce qu'elle a à dire relève d'un autre registre que celui de la prévision. En effet, tout d'abord, une recherche bien menée permet de saisir les contraintes et les logiques qui déterminent une situation ou un problème, elle permet de discerner la marge de manœuvre des acteurs sociaux et met au jour les enjeux de leurs décisions et de leurs rapports sociaux. Ensuite, un bon chercheur qui s'intéresse à la problématique du changement social (ou politique ou culturel) tentera de discerner, dans ce qui est déjà là, la réalité en train d'advenir, la réalité en germe en quelque sorte, comme des formes émergentes d'action collective (par exemple à travers le fonctionnement et l'évolution des réseaux sociaux) ainsi que les nouveaux thèmes et enjeux qui apparaissent dans les débats de société. Enfin, un chercheur qui adopte une perspective historique pourra mettre le présent en regard du passé et tenter de saisir des évolutions, mais aussi des ruptures dans les processus en cours. Bref, de plusieurs façons, la recherche en sciences sociales interpelle directement l'avenir et acquiert une dimension prospective, mais il ne s'agit pas de prévision au sens strict du terme. En dehors de telles perspectives, des prévisions faites à la légère risquent fort de n'avoir que très peu d'intérêt et de consistance. Elles laissent leurs auteurs désarmés face à des interlocuteurs qui, pour leur part, ne rêvent pas, mais connaissent leurs dossiers.

Bref, une bonne question de départ n'étudiera pas le changement sans s'appuyer sur l'examen de ce qui existe. Elle ne visera pas à prévoir

l'avenir mais pourra contribuer à comprendre la réalité en train d'advenir, à délimiter un champ de possibilités, à saisir des évolutions ou des
ruptures historiques.

c. Question 7

Les récentes réglementations fiscales décidées par le gouvernement
sont-elles socialement justes ?

■ *Commentaire*

Qu'entend-on par « socialement juste » ? La réponse sera radicalement
différente selon que l'on considérera que la justice consiste à faire payer
par chacun une quote-part égale à celle des autres, quels que soient ses
revenus (comme c'est le cas pour les impôts indirects sur les produits de
consommation), une quote-part proportionnelle à ses revenus, ou une
quote-part proportionnellement plus importante au fur et à mesure de
l'accroissement de ses revenus (c'est l'imposition progressive, généralement en application pour les impôts directs). Cette dernière formule,
considérée comme juste par certains car elle contribue à atténuer les
inégalités, sera jugée injuste par d'autres qui estimeront que, de cette
manière, le Fisc leur extorque bien plus qu'aux autres le fruit de leur
travail, de leur habileté ou des risques qu'ils ont osé prendre.

Le projet de qui souhaite étudier une telle question est essentiellement critique. S'il est mal posé du point de vue des sciences sociales,
il est légitime dans la mesure où elles ne visent pas à produire des
connaissances pour elles-mêmes, dans une perspective purement spé-
culative, mais à produire des connaissances permettant d'améliorer les
choses pour chaque individu et pour la collectivité. Il est légitime dans
la mesure où les recherches en sciences sociales sont indissociables de
préoccupations éthiques et politiques (comme contribuer à résoudre
des problèmes sociaux, instaurer plus de justice et moins d'inégalités,
lutter contre la marginalité ou contre la violence, accroître la motivation du personnel d'une entreprise, aider à concevoir un plan de rénovation urbaine...). Loin de devoir être évité, ce souci de pertinence
pratique dans une visée éthique doit être encouragé sous peine de produire des recherches dépourvues de sens et qui ne constitueraient que
des « exercices de style ».

Mais encore faut-il prendre ces préoccupations éthiques et politiques en compte de manière adéquate. En effet, le projet est mal posé
dans la mesure où il n'est possible de répondre à la question qu'en référence à des critères normatifs à la fois relatifs, posés *a priori* et, le plus
souvent, implicites. Il est à craindre alors que la « recherche » n'en soit
plus véritablement une, et qu'elle tourne à la démonstration, où seront

surtout retenus et mis en avant les arguments à charge ou à décharge selon ces critères.

Comment conjuguer ces préoccupations morales ou politiques légitimes et même nécessaires, d'une part, et les exigences d'un travail rigoureux en sciences sociales, d'autre part ? On se limitera à ce stade à deux recommandations de base.

La première est de formuler la question de telle manière que la rigueur du travail ne soit pas d'emblée compromise. Le chercheur doit construire son dispositif de recherche de telle sorte que celle-ci ne soit pas une démonstration dont la réponse à la question qu'il se pose serait connue d'avance. Il doit concevoir et construire ce dispositif comme une investigation susceptible de conduire à des résultats qui ne seraient pas ceux souhaités. Dans des étapes ultérieures de la démarche nous reviendrons sur ce point, notamment sur l'exigence de falsifiabilité de l'hypothèse et sur l'ouverture à la surprise. Pour dire les choses autrement, une bonne question de départ sera donc une question « ouverte », ce qui signifie qu'*a priori* plusieurs réponses différentes doivent pouvoir être envisagées.

La seconde recommandation est de bien expliciter les critères à partir desquels une évaluation à caractère normatif peut être effectuée, au cours ou au terme du travail. Par exemple, les résultats d'une analyse sociologique des effets concrets de programmes mis en œuvre par des autorités municipales en vue de réduire l'insécurité peuvent être confrontés aux objectifs déclarés de ces mesures, en vue de vérifier si les effets concrets correspondent ou non aux promesses de départ. D'une manière générale, confronter les actes et leurs effets aux discours de ceux qui les engagent est une façon de les évaluer à partir de critères non subjectifs.

Toutefois, pour ce qui concerne les sciences sociales, le rapport entre la dimension scientifique et la dimension morale (au sens large du terme : engagement moral et politique du chercheur) est plus complexe et, dans une certaine mesure, spécifique. De nombreux grands auteurs montrent ici encore l'exemple. Un seul suffira. Lorsque Erving Goffman (*Asiles. Études sur la condition sociale des malades mentaux*, Paris, Minuit, 1968) étudie la vie dans les hôpitaux psychiatriques et montre que les comportements des malades mentaux sont, pour une large part, des modes d'adaptation à la structure et au fonctionnement de ce qu'il appelle les institutions totales, il en montre en même temps la dimension tragique et profondément humaine. En incluant dans son analyse les actions des médecins et des infirmiers qui soignent et contrôlent les malades, le choix de Goffman est d'abord scientifique car il estime impossible de comprendre les conduites des reclus sans comprendre celles du personnel d'encadrement. Mais un tel choix a d'importantes implications morales, notamment parce que, ce faisant, Goffman transgresse ce qu'on appelle la hiérarchie de crédibilité selon laquelle on accorde un crédit supérieur aux personnes en position de pouvoir (par exemple un ministre de la Justice ou un médecin) par rapport aux personnes qui sont soumises à ce pouvoir (par exemple les détenus ou les patients). Pour autant, Goffman se dispense bien de faire de grandes déclarations moralisatrices : la dimension éthique et politique de son travail réside dans ses options théoriques et méthodologiques, autant que, et sans doute surtout, dans la qualité de son travail de terrain qui rend compte avec justesse de la vie concrète des personnes recluses. Une recherche en sciences sociales qui comporte un travail empirique (c'est-à-dire un travail d'observation, d'entretien, de récolte de données…) à la fois fin, consistant et honnête possède, en lui-même, une dimension morale forte car il rend compte de la riche complexité de la vie réelle et de la manière dont les personnes étudiées conduisent leur propre existence et font face aux épreuves. C'est une particularité et une richesse des sciences sociales, qui sont des disciplines d'enquête, et pas seulement spéculatives.

De plus, une recherche menée avec rigueur et dont la problématique est construite avec inventivité (voir étape 4) met au jour les enjeux éthiques et normatifs des phénomènes étudiés, de manière analogue aux travaux des biologistes qui peuvent révéler des enjeux écologiques. Enfin, comme Marx *(L'Idéologie allemande)*, Durkheim *(Les Formes élémentaires de la vie religieuse)* ou Weber *(L'Éthique protestante et l'esprit du capitalisme)* notamment l'ont bien montré, les systèmes de valeurs font partie des objets privilégiés des sciences sociales car la vie collective est incompréhensible en dehors d'eux.

Dans la plupart des cas, les enjeux éthiques d'une recherche n'apparaîtront clairement que très progressivement, certains n'émergeant parfois qu'au moment de la divulgation des résultats. Dès la formulation encore hésitante de la question de départ cependant, il n'est pas inutile d'engager un mouvement réflexif sur les enjeux de la recherche envisagée, les enjeux en termes de connaissances nouvelles, bien évidemment, mais aussi plus globalement politiques, sociaux, éthiques pour la collectivité dans son ensemble, et, plus spécifiquement, pour les personnes qui seront appelées à participer d'une façon ou d'une autre à la recherche. Car *in fine*, et sans même verser dans un utilitarisme à tous crins, la question se posera de savoir si les apports attendus justifient les coûts engagés et les désagréments encourus par les uns et les autres.

3.4 Quelques exemples de bonnes questions de recherche

Dans le présent ouvrage, les étapes successives de la recherche en sciences sociales seront illustrées par de nombreux exemples repris de recherches concrètes. Ce sont quelques-unes des questions de départ de ces recherches que nous reprendrons ici, sans les expliquer ou les commenter, car elles seront développées plus loin.

- Comment les individus qui fréquentent régulièrement les réseaux sociaux sur Internet s'y mettent-ils en scène ?
- Quelles sont les attentes des citoyens à l'égard de la justice ?
- Qu'est-ce qui, dans une relation sexuelle, amène les partenaires à prendre ou non des risques de contamination par le virus du Sida ?
- Comment expliquer que le taux de suicide est plus élevé dans certaines sociétés que dans d'autres ?
- Quelle est la signification que donnent au *Mouvement blanc* (mouvement de masse de citoyens consécutif à l'affaire Dutroux en Belgique) celles et ceux qui y ont participé ?
- Quels sont les rapports de pouvoir entre les professionnels (notamment de la justice et de la médecine psychiatrique) qui interviennent dans le traitement judiciaire de justiciables souffrant de troubles mentaux ?

3.5 Conclusion

Si l'objectif de cette première étape de formulation de la question de départ est d'abord de permettre au chercheur de démarrer et de disposer d'un premier fil conducteur, cet exercice est aussi, pour lui, l'occasion de clarifier et de préciser ses attentes et son projet. Celui qui décide de consacrer une part importante de son temps à l'étude d'un sujet particulier, dans le cadre de ses études, de son travail de fin d'études voire d'une thèse de doctorat, ne choisit pas ce sujet au hasard ; pour lui il doit être important et valoir la peine d'être étudié pour des raisons qui dépassent des considérations purement scolaires ou académiques. Il peut s'agir de raisons personnelles liées à une expérience de vie passée, à une passion pour une cause ou pour un phénomène particulier, voire à un projet de vie. Il peut également s'agir de raisons liées à un engagement dans un projet collectif à caractère social, culturel ou politique, ou encore à une opportunité qu'il serait dommage de manquer. Tout cela est parfaitement légitime et même heureux, à condition que le chercheur soit au clair avec lui-même. Plutôt que de se draper dans une illusoire neutralité, le chercheur en sciences sociales doit être capable d'expliciter de manière réflexive les dimensions morales et politiques de son travail, souvent tues et, le cas échéant, de changer d'orientation s'il s'avère que ses raisons pour aborder tel ou tel sujet n'en sont pas de bonnes, qu'elles sont de nature à l'aveugler ou à compromettre son impartialité. L'effort pour éviter les formulations tendancieuses de la question de départ et les discussions qu'on peut avoir à ce sujet peuvent efficacement contribuer à prendre du recul à l'égard des idées préconçues ou des mauvaises raisons.

Nous pourrions encore discuter de nombreux autres cas de figure et mettre d'autres défauts et qualités en évidence. Ce qui a été dit jusqu'ici suffit largement pour faire clairement percevoir les trois niveaux d'exigence qu'une bonne question de départ doit respecter de manière à servir de premier fil conducteur à un travail qui relève de la recherche en sciences sociales : *primo* des exigences de clarté, *secundo* des exigences de faisabilité et *tertio* des exigences de pertinence.

Résumé de la 1ʳᵉ étape
La question de départ

La meilleure manière d'entamer un travail de recherche en sciences sociales consiste à s'efforcer d'énoncer le projet sous la forme d'une question de départ. Par cette question, le chercheur tente d'exprimer le plus exactement possible ce qu'il cherche à savoir, à élucider, à mieux comprendre. La question de départ servira de premier fil conducteur à la recherche.

Pour remplir correctement sa fonction, la question de départ doit présenter des qualités de clarté, de faisabilité et de pertinence :
• Les qualités de clarté : concise et univoque, précise, d'ampleur raisonnable.
• La qualité de faisabilité : réaliste.
• Les qualités de pertinence : vraie question, fonder l'étude du changement sur celle de ce qui existe, avoir une intention de compréhension des phénomènes étudiés.

Outre qu'elle doit permettre au chercheur de démarrer son travail en lui procurant un premier fil conducteur, le travail de formulation de la question de départ doit être pour lui l'occasion de clarifier ses propres attentes et intentions, et de les évaluer de manière réflexive et autocritique.

Travail d'application n° 1
Formulation d'une question de départ

Si vous entamez un travail de recherche sociale, seul ou en groupe, ou si vous envisagez de l'engager sous peu, vous pouvez considérer cet exercice comme la première étape de ce travail. Dans le cas où votre étude serait déjà engagée, cet exercice peut néanmoins vous aider à mieux centrer vos préoccupations.

Pour celui qui entame une recherche, bâcler cette étape serait très imprudent.

Consacrez-y une heure, une journée ou une semaine de travail. Réalisez cet exercice seul ou en groupe, avec l'aide critique de collègues, d'amis, d'enseignants ou de formateurs. Retravaillez votre question de départ avec tout le soin qu'elle mérite.

Le résultat de ce précieux exercice n'occupera que deux à trois lignes sur une feuille de papier, mais il constituera le véritable point de départ de votre travail.

Pour mener ce travail à bien, vous pouvez procéder comme suit :

– formulez un projet de question de départ ;

– testez cette question de départ auprès de votre entourage, de manière à vous assurer qu'elle soit claire et précise, et donc comprise de la même manière par tout le monde ;

– vérifiez si elle possède également les autres qualités rappelées ci-dessus ;

– reformulez-la le cas échéant et recommencez l'ensemble de la démarche.

4. Et si vous avez encore des réticences...

Peut-être avez-vous encore des réticences. Nous connaissons les plus courantes.

• « Mon projet n'est pas suffisamment au point pour procéder à cet exercice. »

Dans ce cas, il vous conviendra parfaitement car il a précisément pour but de vous aider – et de vous obliger – à le préciser.

• « La problématique n'en est qu'à ses balbutiements. Je ne pourrai formuler qu'une question assez banale. »

Aucune importance car cette question n'est pas définitive. D'autre part, que voulez-vous « problématiser » si vous êtes incapable de formuler clairement votre objectif de départ ? Cet exercice vous aidera au contraire à mieux organiser vos réflexions, qui s'éparpillent pour l'instant dans trop de directions différentes.

• « Une formulation aussi laconique de mon projet de travail ne peut constituer qu'une grossière réduction de mes interrogations et de mes réflexions théoriques. »

Sans doute, mais vos réflexions ne seront pas perdues pour autant. Elles resurgiront plus tard et seront exploitées plus vite que vous ne le pensez. Ce qu'il vous faut maintenant, c'est une première clef qui permette de canaliser votre travail et de ne pas disperser vos précieuses réflexions.

• « Il n'y a pas qu'une seule chose qui m'intéresse. Je souhaite aborder plusieurs facettes de mon objet d'étude. »

Si telle est votre intention, elle est respectable, mais vous en êtes déjà à penser « problématique ». Vous avez éludé la question de départ.

L'exercice qui consiste à essayer de préciser ce qui pourrait constituer la question centrale de votre travail vous fera le plus grand bien. Car toute recherche cohérente en possède une qui lui assure son unité.

Si nous insistons sur la question de départ, c'est parce qu'on l'élude trop souvent, soit parce que celle-ci paraît évidente (implicitement !) au chercheur, soit parce qu'il pense que c'est en avançant qu'il y verra plus clair. C'est une erreur. En faisant office de premier fil conducteur, la question de départ doit l'aider à progresser dans ses lectures et ses entretiens exploratoires. Plus ce « guide » sera précis, mieux le chercheur progressera. En outre, c'est en « façonnant » sa question de départ que le chercheur entame le processus de rupture. Enfin, il existe une dernière raison décisive pour effectuer soigneusement cet exercice : les hypothèses de travail, qui constituent les axes centraux d'une recherche, se présentent comme des propositions de réponse à la question de départ.

DEUXIÈME ÉTAPE

L'exploration

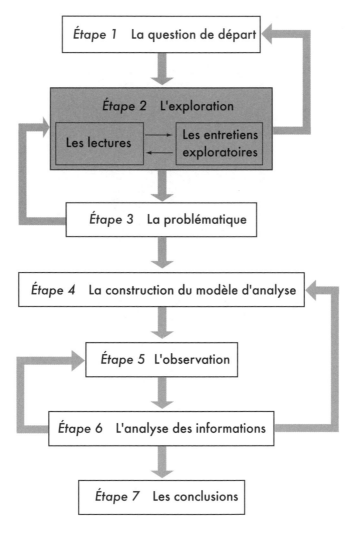

Les étapes de la démarche

1. Objectifs

Au cours de l'étape précédente, nous avons appris à formuler un projet de recherche sous la forme d'une question de départ appropriée. Jusqu'à nouvel ordre, cette question de départ constitue le fil conducteur du travail. À présent, le problème est de savoir comment nous y prendre pour atteindre une certaine qualité d'information ; comment explorer le terrain pour concevoir une problématique de recherche. C'est l'objet de cette partie.

L'exploration comprend les opérations de lecture, les entretiens exploratoires et quelques méthodes d'exploration complémentaires. Les opérations de lecture permettent au chercheur de s'informer de l'état des connaissances sur la question traitée et d'assurer la qualité du questionnement, tandis que les entretiens et méthodes complémentaires l'aident notamment à avoir un contact avec la réalité vécue par les acteurs sociaux.

Nous étudierons ici des méthodes de travail précises et directement applicables par chacun, quel que soit le type d'entreprise dans lequel il s'engage.

2. La lecture

Lorsqu'un chercheur entame un travail, il est peu probable que le sujet traité n'ait jamais été abordé par quelqu'un d'autre auparavant, au moins en partie ou indirectement. On a souvent l'impression qu'il n'y a « rien sur le sujet », mais cette opinion résulte généralement d'une mauvaise information. Tout travail de recherche s'inscrit dans un *continuum* et peut être situé dans ou par rapport à des courants de pensée qui le précèdent et l'influencent. Il est donc normal qu'un chercheur prenne connaissance des travaux antérieurs qui portent sur des objets comparables et qu'il soit explicite sur ce qui rapproche et sur ce qui distingue son propre travail de ces courants de pensée. Les cours théoriques qu'il aura suivis lui seront peut-être ici fort utiles.

Même si votre souci n'est pas de faire de la recherche scientifique au sens strict, mais bien de produire une étude honnête sur une question particulière, il reste indispensable de prendre connaissance d'un minimum de travaux de référence sur le même thème ou, plus largement, sur des problématiques afférentes. Il serait à la fois absurde et présomptueux de croire que nous pouvons nous passer purement et simplement de ces apports, comme si nous étions en mesure de tout réinventer par nous-mêmes.

Dans la plupart des cas cependant, l'étudiant qui entame un mémoire de fin d'études, le travailleur qui souhaite réaliser un travail de dimension modeste ou le chercheur auquel une analyse rapide est demandée ne disposent pas du temps nécessaire pour aborder la lecture de dizaines d'ouvrages différents. De plus, nous l'avons vu, la boulimie livresque est une très mauvaise manière d'entamer une recherche. Comment s'y prendre dans ces conditions ?

Concrètement, il s'agira de procéder par salves successives, en commençant par sélectionner soigneusement un petit nombre de lectures et de s'organiser pour en retirer le bénéfice maximum. Cela nécessite une méthode de travail correctement élaborée. C'est donc une méthode d'organisation, de réalisation et de traitement des lectures que nous étudierons d'abord.

2.1 Le choix et l'organisation des lectures

a. Les critères de choix

Le choix des lectures doit être réalisé avec beaucoup de soin. Quels que soient le type et l'ampleur du travail, un chercheur ne dispose jamais que d'un temps de lecture limité. Certains ne peuvent y consacrer que quelques dizaines d'heures, d'autres plusieurs centaines mais, pour les uns comme pour les autres, ce temps sera toujours d'une certaine manière trop court en regard de leurs ambitions respectives. Rien n'est dès lors plus désespérant que de constater, après plusieurs semaines de lecture, que l'on n'est guère beaucoup plus avancé qu'au départ. L'objectif est donc de faire le point sur les connaissances intéressant la question de départ en exploitant au maximum chaque minute de lecture.

Comment procéder ? Quels critères retenir ? Nous ne pouvons bien entendu proposer ici que des principes et critères généraux que chacun devra adapter avec souplesse et à-propos.

■ *Premier principe*

Partir de la question de départ. Le meilleur moyen de ne pas s'égarer dans le choix des lectures consiste en effet à avoir une bonne question de départ. Tout travail doit avoir un fil conducteur et, jusqu'à nouvel ordre, c'est la question de départ qui remplit cette fonction. Sans doute serez-vous amené à la modifier au terme de votre travail exploratoire et tenterez-vous de la formuler d'une manière plus judicieuse mais, pour l'instant, c'est d'elle qu'il faut partir.

■ *Deuxième principe*

Éviter de surcharger le programme de lectures. Il n'est pas nécessaire – ni d'ailleurs, le plus souvent, possible – de tout lire sur un sujet car, dans une certaine mesure, les ouvrages et articles de référence se répètent mutuellement et un lecteur assidu se rend vite compte de ces répétitions. Dans un premier temps, on évitera donc autant que possible de lire d'emblée des « briques » énormes et indigestes avant d'être certain de ne pouvoir s'en dispenser. On s'orientera davantage vers les ouvrages et articles de revues en sciences sociales qui présentent des repères théoriques et une réflexion de synthèse dans le domaine de recherche concerné. Il est, en effet, préférable de lire de manière approfondie et critique quelques textes bien choisis que de lire superficiellement des milliers de pages que l'on ne parviendra pas à exploiter convenablement.

■ *Troisième principe*

Rechercher dans la mesure du possible des documents dans lesquels les auteurs ne se contentent pas de présenter des données, mais qui comportent des éléments d'analyse et d'interprétation de ces données.

Nous aborderons très bientôt l'examen d'un texte de Émile Durkheim extrait de son livre *Le Suicide*. Nous verrons que ce texte comporte des données et même, en l'occurrence, des données statistiques. Cependant ces données ne sont pas présentées telles quelles. L'analyse de Durkheim leur donne sens et permet au lecteur de mieux en apprécier la signification.

Même si l'on étudie un problème qui, *a priori*, exigera l'utilisation de nombreuses données statistiques, comme les causes de l'augmentation du chômage ou l'évolution démographique d'une région, il est encore préférable de rechercher des textes qui aident à saisir les dynamiques et processus plutôt qu'une multitude de tableaux de chiffres qui ne veulent jamais dire grand-chose en eux-mêmes. Les textes qui incitent à la réflexion contiennent le plus souvent suffisamment de données, chiffrées ou non, pour permettre de se rendre compte de l'ampleur, de la distribution ou de l'évolution du phénomène sur lequel ils portent. De plus, ils permettent de « lire » intelligemment ces données et stimulent la réflexion critique et l'imagination du chercheur. Au stade actuel du travail, cela suffit largement. Si de nombreuses données sont utiles, il sera toujours temps de les récolter plus tard, quand le chercheur aura délimité des pistes plus précises.

■ *Quatrième principe*

Veiller à recueillir des textes qui présentent des approches diversifiées du phénomène étudié. Non seulement il ne sert à rien de lire dix fois la même chose mais, en outre, le souci d'aborder l'objet d'étude sous un angle éclairant implique que l'on puisse confronter des perspectives différentes. Ce souci doit inclure, du moins pour les recherches d'un certain niveau, la prise en compte de textes plus théoriques qui, sans porter forcément de manière directe sur le phénomène étudié, présentent des problématiques et des modèles d'analyse susceptibles d'inspirer des hypothèses particulièrement intéressantes. (Nous reviendrons plus loin sur la problématique, sur le modèle d'analyse et sur les hypothèses.)

À côté des ouvrages et articles scientifiques, il peut être également nécessaire de rassembler ce qu'on appelle une « documentation grise » comme des notes de travail, des comptes rendus de réunions ou d'assemblées générales, des rapports internes à une organisation, des documents d'information ou de présentation d'un service public ou d'une entreprise destinés à ses usagers ou clients. On trouve une série d'informations utiles dans ce genre de documents, même s'ils n'ont pas le caractère d'une publication scientifique. De plus, avant de commencer vos propres investigations, grâce à eux, vous connaîtrez votre « dossier » et gagnerez en crédibilité face à vos interlocuteurs et informateurs. Dans cette perspective, si vous envisagez d'interagir avec une population que vous connaissez peu et dont le mode de vie vous est étranger, il n'est pas inutile de sélectionner quelques publications qui vous informeront sur ses coutumes et usages afin de pouvoir ultérieurement l'aborder en respectant ses propres normes de sociabilité.

■ *Cinquième principe*

Se ménager à intervalles réguliers des plages de temps consacrées à la réflexion personnelle et aux échanges de vues avec des collègues ou avec des personnes d'expérience. Un esprit encombré n'est jamais créatif.

Les suggestions qui précèdent concernent principalement les premières phases du travail de lecture. Au fur et à mesure de son avancement, des critères plus précis et spécifiques s'imposeront progressivement d'eux-mêmes à condition, précisément, que la lecture soit entrecoupée de périodes de réflexion et, si possible, d'échanges et de discussions.

Une manière de s'organiser consiste à lire par salves successives de deux ou trois textes (ouvrages, chapitres d'ouvrages ou articles) à la fois. Après chaque salve, on cessera de lire pendant un temps pour réfléchir, prendre des notes et discuter avec des connaissances que l'on pense capables d'aider à progresser. Éventuellement, on reformulera la question de départ de façon plus adéquate. Ce n'est qu'après cette pause dans les lectures que l'on décidera du contenu exact de la salve suivante, quitte à corriger les orientations générales que l'on s'était fixées au départ.

Décider d'emblée du contenu précis d'un programme de lecture important est généralement une erreur : l'ampleur du travail décourage vite ; la rigidité du programme se prête mal à sa fonction exploratoire et les éventuelles erreurs d'orientation au départ seront plus difficiles à corriger. D'autre part, ce dispositif par salves successives convient aussi bien pour les travaux modestes que pour les recherches de grande envergure : les uns mettront un terme au travail de lecture préparatoire après deux ou trois salves, les autres après une dizaine ou davantage.

Bref, respectez les critères de choix suivants :
– liens avec la question de départ ;
  dimension raisonnable du programme de lecture ;
– éléments d'analyse et d'interprétation ;
– approches diversifiées.

Lisez par salves successives, entrecoupées de plages de temps consacrées à la réflexion personnelle, aux échanges de vues et, si nécessaire, à la reformulation de la question de départ.

b. Où trouver ces textes ?

Avant de se ruer dans une bibliothèque physique ou plus probablement encore dans une bibliothèque numérique (ou virtuelle), il est nécessaire de se rappeler que l'on ne vise pas à établir une bibliographie exhaustive, mais bien à faire assez rapidement le point sur les connaissances relatives à la question de départ. Dans cette perspective, il importe avant tout de savoir ce que l'on cherche. Qu'elles soient physiques ou numériques, les bibliothèques de sciences sociales dignes de ce nom possèdent des milliers de références. Sans écarter totalement l'idée d'un apprentissage par essai et erreur, on conviendra qu'il est hasardeux d'espérer découvrir, au détour d'une promenade à travers les rayons ou d'une navigation sur Internet, la référence idéale qui réponde exactement aux attentes. Ici aussi, il faut une méthode de travail dont la première étape consiste à préciser clairement le genre de textes recherchés. En ce domaine comme dans d'autres, la précipitation peut se payer très cher.

Nous n'aborderons pas ici le travail de recherche bibliographique proprement dit car cela nous mènerait trop loin et nous ne ferions que répéter ce que chacun peut déjà lire dans les ouvrages spécialisés dans ce domaine (par exemple celui de B. Pochet *Comprendre et maîtriser la littérature scientifique*, Gembloux, Presses agronomiques de Gembloux, 2015), ou apprendre en mobilisant des tutoriels de formation à la recherche documentaire, mis au point par les fournisseurs de ressources scientifiques et par de plus en plus de bibliothèques, par exemple les tutoriels *ABCdoc* (université Toulouse 3), *ARBRAdoc* (université Paris-8), *Cersise* (la Sorbonne), *InfoSphere* (UQAM) ou *infoTRACK* (université de Genève). Voici quelques idées qui peuvent aider à trouver facilement les textes qui conviennent, sans y consacrer trop de temps.

• Les bibliothèques comptent une grande quantité de publications scientifiques (ouvrages et revues) et offrent *via* leurs outils en ligne des modes de recherche variés fondés sur des résumés, des index thématiques, voire l'ensemble des mots du texte. Car aujourd'hui, de plus en plus de bases de données, d'ouvrages et de revues scientifiques sont directement accessibles en ligne sur Internet. De plus, les bibliothèques se modernisent et offrent à leurs utilisateurs des techniques de recherche bibliographique performantes : outre des moteurs de recherche efficaces sur les ouvrages et revues qu'elles présentent dans leurs rayons, elles disposent généralement de bases de données et d'un système intranet permettant un accès rapide à des sources variées, y compris des sources rares et chères.

• Dans certains pays, il existe des catalogues recensant les fonds des principales bibliothèques universitaires nationales. C'est par exemple le cas de « Sudoc » en France ou d'« Unicat » en Belgique. Ces catalogues sont particulièrement utiles si l'on veut avoir accès à une ressource rare. Ensuite, les bibliothèques scientifiques ou académiques comportent des répertoires spécialisés généralement disponibles sur Internet comme l'Academic Search Premier, l'International Political Sciences Abstracts, l'International Bibliography of Social Sciences, la SAGE Encyclopedia of Science Research Methods, ou la Sociology Database. Il s'agit de bases de données bibliographiques répertoriant les publications parues dans un domaine et, pour certaines d'entre elles, donnant directement accès aux contenus en fonction des abonnements souscrits par les bibliothèques. Pour ce qui est des revues où sont publiés les articles écrits par les chercheurs, les mêmes bibliothèques souscrivent aussi à des abonnements à des plateformes éditoriales comme Cairn, JSTOR ou Sage Journals Online qui gèrent des bouquets de revues scientifiques, tout comme Revues.org (dont les revues sont intégrées dans la plateforme OpenEdition Freemium qui propose aussi des *e-books*) et Persée qui ont en plus l'avantage d'être en accès libre. Les bibliothèques offrent ainsi un accès aisé à une multitude de revues, et leurs utilisateurs n'ont pas à se soucier des formalités d'abonnement. En fonction des abonnements institutionnels contractés, l'accès à ces outils à partir d'un site universitaire (ou de chez soi *via* un *proxy* ou le VPN de l'université) offre généralement bien plus de possibilités qu'une connexion privée. L'accès en ligne aux revues les plus anciennes y est généralement gratuit. Google Scholar est aussi un outil largement utilisé, mais il convient de noter que le niveau de fiabilité de ses références n'est pas toujours équivalent à celui des bases de données académiques ou validé par des experts des domaines de recherche.

- Les revues spécialisées dans le champ de recherche retenu sont particulièrement intéressantes pour deux raisons. D'abord parce que leur contenu apporte soit les connaissances les plus récentes en la matière, soit un regard critique sur les connaissances produites antérieurement. Dans l'un et l'autre cas, les articles font souvent le point sur la question qu'ils traitent et citent alors d'autres articles qui sont à prendre en considération. La seconde raison est que les revues publient des recensions et des résumés critiques des ouvrages les plus récents grâce auxquels vous pourrez faire un choix de lecture judicieux.

- Ne négligez pas les articles de revues de vulgarisation ou de revues générales, les dossiers de synthèse et les interviews de spécialistes publiés dans la presse pour un large public instruit, les publications d'organismes spécialisés et bien d'autres documents qui, sans constituer des rapports scientifiques au sens strict, n'en comportent pas moins des éléments de réflexion et d'information qui peuvent être précieux, tantôt parce qu'ils constituent une bonne introduction pour un néophyte qui s'engage sur un terrain de recherche spécifique, tantôt parce qu'ils donnent accès au point de vue d'un acteur particulier.

- Les ouvrages comportent toujours une bibliographie finale reprenant les textes auxquels les auteurs se réfèrent. Comme on n'y trouve forcément que les références antérieures à l'ouvrage lui-même, on se focalisera particulièrement sur les bibliographies des ouvrages récents en lien direct avec la question de départ.

- Ne soyez pas effrayé par l'épaisseur de certains livres. Il n'est pas toujours indispensable de les lire entièrement. Certains sont des ouvrages collectifs reprenant des contributions de plusieurs auteurs sur un même thème, mais toutes les perspectives développées ne vous intéresseront pas nécessairement. D'autres rassemblent des textes relativement disparates que l'auteur a rassemblés en un ouvrage auquel il s'efforce de donner un semblant d'unité. Les tables des matières, les sommaires, les paragraphes d'introduction et de conclusion des différents chapitres vous permettront de déterminer assez vite le propos principal des ouvrages et de leurs différentes parties.

- Demandez conseil à des spécialistes qui connaissent bien votre domaine de recherche : chercheurs, enseignants, responsables d'organisations, etc. Avant de vous adresser à eux, préparez avec précision votre demande d'information de sorte qu'ils vous comprennent immédiatement et puissent recommander ce qui, selon eux, vous convient le mieux. Comparez les suggestions des uns et des autres et faites enfin votre choix en fonction des critères que vous aurez définis.

En consultant une variété de sources, on couvre rapidement un champ de publication assez vaste et on peut considérer qu'on a fait le tour du problème à partir du moment où l'on tombe systématiquement sur des références que l'on connaît déjà.

> ### Travail d'application n° 2
> ### *Choix des premières lectures*
>
> Le moment est venu, si votre lecture de cet ouvrage s'accompagne de la réalisation d'un travail, d'appliquer les suggestions proposées ici. L'exercice consiste à choisir les deux ou trois textes qui constitueront votre première salve de lectures. Pour y parvenir, procédez comme suit :
> – partez de votre question de départ ;
> – rappelez-vous les critères de choix des lectures qui ont été énoncés plus haut ;
> – identifiez en conséquence les thèmes de lecture qui vous semblent le plus en rapport avec la question de départ ;
> – procédez à la recherche de documents en vous aidant des techniques de recherche bibliographique disponibles dans les bibliothèques et sur Internet ;
> – consultez l'une ou l'autre personne informée.

2.2 Comment lire ?

L'objectif principal de la lecture est de s'informer des connaissances déjà acquises sur son objet de recherche et d'y puiser des idées pour son propre travail. Cela implique que le lecteur soit capable de faire apparaître ces connaissances et ces idées, de les comprendre en profondeur et de les articuler entre elles de manière cohérente. Avec l'expérience cela ne pose généralement pas trop de problèmes. Mais cet exercice peut présenter des difficultés majeures pour ceux dont la formation théorique est faible et qui ne sont pas habitués au vocabulaire (certains diront au jargon) des sciences sociales.

Lire un texte est une chose ; le comprendre et en retenir l'essentiel en vue de sa propre recherche en est une autre, qui ne s'acquiert que par l'exercice. Cet apprentissage demande à être soutenu par une méthode de travail. La méthode ici proposée est stricte et précise, mais chacun pourra l'assouplir et l'adapter par la suite au fur et à mesure de sa formation et en fonction de ses propres projets. Elle comporte quatre étapes : a) le repérage du statut, du registre et du contexte du texte ; b) l'application d'une grille de lecture ; c) le résumé du texte ; d) la critique du texte.

a. Le statut, le registre et le contexte du texte

Pour cette première étape, on s'inspire directement du livre *Pratique de la lecture critique en sciences humaines et sociales* de N. Marquis, E. Lenel et L. Van Campenhoudt (Dunod, 2018) qui propose une formation progressive et appliquée à la lecture critique.

Avant de se lancer dans la lecture approfondie du texte, il convient donc de bien cerner son statut, le registre qui est le sien ainsi que le contexte dans lequel il s'inscrit. Au moment du choix du texte, vous aurez sans doute déjà recueilli pas mal d'informations sur ces trois points, mais il est conseillé de se les récapituler pour chacun des textes à lire, avant d'en entamer la lecture approfondie. Il peut être utile de procéder également ici à ce qu'on appelle une « lecture flottante » du texte, c'est-à-dire une lecture non approfondie ayant pour but de se faire une idée générale de ce dont il est question, et de recueillir des indications sur son statut, son registre et son contexte.

Le *statut* du texte dépend essentiellement de l'intention de l'auteur. Le texte propose-t-il un cadre de pensée pour comprendre un ensemble de phénomènes ? En d'autres mots, est-il à caractère théorique ou conceptuel ? Son intention est-elle plutôt de présenter les résultats d'une recherche en sciences sociales récemment effectuée ? Vise-t-il à nourrir le débat de société sur une question d'actualité ? Ou alors, relève-t-il d'un de ces statuts divers et variés (article de presse, résultat de sondage, archive historique, document administratif...) qui peuvent alimenter la phase exploratoire de votre recherche ? Seuls les textes relevant des deux premiers statuts peuvent être considérés comme scientifiques en eux-mêmes, mais les autres n'en peuvent pas moins être fort utiles.

Le *registre* du texte concerne la posture que l'auteur adopte par rapport au phénomène dont il traite. Adopte-t-il un registre *descriptif* en présentant la réalité telle qu'elle est selon lui (par exemple la situation en matière de criminalité dans un pays ou une ville), en fonction des méthodes et instruments qu'il a utilisés pour en rendre compte (rapports administratifs, statistiques, observations directes, témoignages...) ?

Ou adopte-il un registre *analytique* en tentant d'expliquer un phénomène (par exemple les causes d'un certain type de criminalité) ou de
comprendre ce qui conduit certains à adopter certains comportements
(par exemple criminels) ? Sa posture est-elle plutôt *critique*, attentive
à ce qui ne fonctionne pas correctement dans la société (par exemple
la manière dont le législateur détermine les comportements criminels ou celle dont les pouvoirs publics et la justice y réagissent et les
combattent) ? Ou enfin, son texte se situe-t-il dans le registre *politique*,
en proposant des solutions aux problèmes (par exemple pour mettre fin
à certains trafics prohibés) ?

Il importe également de prendre en compte le *contexte* dans lequel
l'auteur a écrit son texte et de saisir les raisons pour lesquelles il a
décidé d'étudier ce sujet-là dans ces circonstances-là et de cette façon-
là. Ce texte peut n'être qu'une partie d'une œuvre plus large dans
laquelle il occupe une place particulière qu'il importe de saisir. Il peut
prendre place dans une controverse intellectuelle ou être une réponse,
polémique ou non, à un texte d'un autre auteur. Il est possible qu'il
prenne sens par rapport à un ensemble de circonstances historiques
particulières qui ne sont plus d'actualité. Il faut toutefois être ici pru-
dent : ce n'est pas parce qu'un texte a été écrit dans un contexte particulier (par exemple étranger) ou ancien qu'il est automatiquement
non pertinent ou dépassé. Si le lecteur peut cerner ce qui, dans un
bon texte, tient à ce contexte, il peut en dégager des enseignements
qui restent intéressants concernant par exemple la manière de traiter une question ou de construire l'argumentation. Publié en 1897,
le texte de Durkheim étudié ci-après, en constitue un remarquable
exemple.

Une lecture flottante de ce texte vous permettra vite de constater
qu'il présente les résultats d'une recherche effectuée par l'auteur et qu'il
relève du registre analytique. Il a été écrit dans le contexte européen de
la fin du XIXᵉ siècle où le poids des religions (principalement le protestantisme et le catholicisme) sur la vie sociale est très important et où
l'empire allemand est composé de plusieurs États.

b. La grille de lecture

La grille de lecture proposée ici n'est pas la seule possible, mais elle a
fait ses preuves. Nous vous proposons de vous y exercer en l'appliquant
d'abord au texte de Durkheim sur le suicide et de comparer ensuite
votre travail à celui que nous avons nous-mêmes réalisé. Les consignes
d'utilisation de cette grille de lecture sont présentées dans le travail
d'application ci-dessous.

Travail d'application n° 3
Lecture d'un texte à l'aide d'une grille de lecture

Divisez une feuille de papier en deux colonnes : deux tiers à gauche, un tiers à droite. Intitulez la colonne de gauche « Idées-contenu » et la colonne de droite « Repères pour la structure du texte ».

Lisez le texte de Durkheim section par section. Une section est un paragraphe ou un ensemble de phrases constituant un tout cohérent. Après chaque section, écrivez dans la colonne de gauche de votre feuille l'idée principale du texte original. Donnez-lui le numéro d'ordre de la section lue. Continuez ainsi, de section en section sans vous préoccuper de la colonne de droite.

Ce travail terminé, vous disposez dans la colonne de gauche des principales idées du texte original. Relisez-les de manière à en saisir les articulations et à discerner la structure globale de la pensée de l'auteur : ses idées maîtresses, les étapes du raisonnement et la complémentarité entre les parties. Ce sont ces articulations qui doivent apparaître dans la colonne de droite : « Repères pour la structure du texte », en regard des idées résumées dans celle de gauche.

Arrivé au terme de l'exercice, comparez votre travail avec la grille de lecture qui suit le texte de Durkheim.

L'important n'est pas que vous ayez écrit les mêmes phrases que nous, mais bien d'avoir saisi les idées principales et leur structuration. En multipliant les exercices de ce genre, vous améliorerez considérablement votre aptitude à la lecture... même si votre premier essai n'est pas très concluant.

Texte de Durkheim (extraits[1])

(1) Si l'on jette un coup d'œil sur la carte des suicides européens, on reconnaît à première vue que dans les pays purement catholiques, comme l'Espagne, le Portugal, l'Italie, le suicide est très peu développé, tandis qu'il est à son maximum dans les pays protestants, en Prusse, en Saxe, en Danemark [...].

(2) Néanmoins, cette première comparaison est encore trop sommaire. Malgré d'incontestables similitudes, les milieux sociaux dans lesquels vivent les habitants de ces différents pays ne sont pas identiquement les mêmes. La civilisation de l'Espagne et celle du Portugal sont bien au-dessous de celle de l'Allemagne ; il peut donc se faire que cette infériorité soit la raison de celle que nous venons de constater dans le développement du suicide. Si l'on veut échapper à cette cause d'erreur et déterminer avec plus de précision l'influence du catholicisme et celle du protestantisme sur la tendance au suicide, il faut comparer les deux religions au sein d'une même société.

(3) De tous les grands États de l'Allemagne, c'est la Bavière qui compte, et de beaucoup, le moins de suicides. Il n'y en a guère, annuellement, que 90 par million d'habitants depuis 1874, tandis que la Prusse en a 133 (1871-1875), le duché de Bade 156, le Wurtemberg 162, la Saxe 300. Or, c'est aussi là que les catholiques sont le plus nombreux ; il y en a 713,2 sur 1 000 habitants. Si,

---

1. E. Durkheim, *Le Suicide*, Paris, PUF, 1983 (1930), p. 149-159.

d'autre part, on compare les différentes provinces de ce royaume, on trouve que les suicides y sont en raison directe du nombre des protestants, en raison inverse de celui des catholiques. Ce ne sont pas seulement les rapports des moyennes qui confirment la loi ; mais tous les nombres de la première colonne sont supérieurs à ceux de la seconde et ceux de la seconde à ceux de la troisième sans qu'il y ait aucune irrégularité.

Il en est de même en Prusse [...].

Provinces bavaroises (1867-1875)

Provinces à minorité catholique : moins de 50 %	Suicides par million d'habitants	Provinces à majorité catholique : 50 à 90 %	Suicides par million d'habitants	Provinces où il y a plus de 90 % de catholiques	Suicides par million d'habitants
Palatinat du Rhin	187	Basse-Franconie	157	Haut-Palatinat	64
Franconie centrale	207	Souabe	118	Haute-Bavière	114
Haute-Franconie	204			Basse-Bavière	49
Moyenne	192	Moyenne	135	Moyenne	75

(4) Contre une pareille unanimité de faits concordants, il est vain d'invoquer, comme le fait Mayr, le cas unique de la Norvège et de la Suède qui, quoique protestantes, n'ont qu'un chiffre moyen de suicides. D'abord, ainsi que nous en faisions la remarque au début de ce chapitre, ces comparaisons internationales ne sont pas démonstratives, à moins qu'elles ne portent sur un assez grand nombre de pays, et même dans ce cas, elles ne sont pas concluantes. Il y a d'assez grandes différences entre les populations de la presqu'île scandinave et celles de l'Europe centrale, pour qu'on puisse comprendre que le protestantisme ne produise pas exactement les mêmes effets sur les unes et sur les autres. Mais de plus, si, pris en lui-même, le taux des suicides n'est pas très considérable dans ces deux pays, il apparaît relativement élevé si l'on tient compte du rang modeste qu'ils occupent parmi les peuples civilisés d'Europe. Il n'y a pas de raison de croire qu'ils soient parvenus à un niveau intellectuel supérieur à celui de l'Italie, loin s'en faut, et pourtant on s'y tue de deux à trois fois plus (90 à 100 suicides par million d'habitants au lieu de 40). Le protestantisme ne serait-il pas la cause de cette aggravation relative ? Ainsi, non seulement le fait n'infirme pas la loi qui vient d'être établie sur un si grand nombre d'observations, mais il tend plutôt à la confirmer.

(5) Pour ce qui est des juifs, leur aptitude au suicide est toujours moindre que celle des protestants : très généralement, elle est aussi inférieure, quoique dans une moindre proportion, à celle des catholiques. Cependant, il arrive que ce dernier rapport soit renversé ; c'est surtout dans les temps récents que ces cas d'inversion se rencontrent [...]. Si l'on songe que, partout, les juifs sont en nombre infime et que, dans la plupart des sociétés où

ont été faites les observations précédentes, les catholiques sont en minorité, on sera tenté de voir dans ce fait la cause qui explique la rareté relative des morts volontaires dans ces deux cultes. On conçoit, en effet, que les confessions les moins nombreuses, ayant à lutter contre l'hostilité des populations ambiantes, soient obligées, pour se maintenir, d'exercer sur elles-mêmes un contrôle sévère et de s'astreindre à une discipline particulièrement rigoureuse. Pour justifier la tolérance, toujours précaire, qui leur est accordée, elles sont tenues à plus de moralité. En dehors de ces considérations, certains faits semblent réellement impliquer que ce facteur spécial n'est pas sans quelque influence [...].

(6) Mais, en tout cas, cette explication ne saurait suffire à rendre compte de la situation respective des protestants et des catholiques. Car si, en Autriche et en Bavière, où le catholicisme a la majorité, l'influence préservatrice qu'il exerce est moindre, elle est encore très considérable. Ce n'est donc pas seulement à son état de minorité qu'il la doit. Plus généralement, quelle que soit la part proportionnelle de ces deux cultes dans l'ensemble de la population, partout où l'on a pu les comparer au point de vue du suicide, on a constaté que les protestants se tuent beaucoup plus que les catholiques. Il y a même des pays comme le Haut-Palatinat, la Haute-Bavière, où la population est presque tout entière catholique (92 et 96 % et où, cependant, il y a 300 et 423 suicides protestants pour 100 catholiques. Le rapport même s'élève jusqu'à 528 % dans la Basse-Bavière où la religion réformée ne compte pas tout à fait un fidèle sur 100 habitants. Donc, quand même la prudence obligatoire des minorités serait pour quelque chose dans l'écart si considérable que présentent ces deux religions, la plus grande part en est certainement due à d'autres causes.

(7) C'est dans la nature de ces deux systèmes religieux que nous les trouverons. Cependant, ils prohibent tous les deux le suicide avec la même netteté ; non seulement ils le frappent de peines morales d'une extrême sévérité, mais l'un et l'autre enseignent également qu'au-delà du tombeau commence une vie nouvelle où les hommes seront punis de leurs mauvaises actions, et le protestantisme met le suicide au nombre de ces dernières, tout aussi bien que le catholicisme. Enfin, dans l'un et l'autre cultes, ces prohibitions ont un caractère divin : elles ne sont pas présentées comme la conclusion logique d'un raisonnement bien fait, mais leur autorité est celle de Dieu lui-même. Si donc le protestantisme favorise le développement du suicide, ce n'est pas qu'il le traite autrement que ne fait le catholicisme. Mais alors, si, sur ce point particulier, les deux religions ont les mêmes préceptes, leur inégale action sur le suicide doit avoir pour cause quelqu'un des caractères plus généraux par lesquels elles se différencient.

(8) Or, la seule différence essentielle qu'il y ait entre le catholicisme et le protestantisme, c'est que le second admet le libre examen dans une bien plus large proportion que le premier. Sans doute, le catholicisme, par cela seul qu'il est une religion idéaliste, fait déjà à la pensée et à la réflexion une bien plus grande place que le polythéisme gréco-latin ou que le monothéisme juif. Il ne se contente plus de manœuvres machinales, mais c'est sur les consciences qu'il aspire à régner. C'est donc à elles qu'il s'adresse et, alors

même qu'il demande à la raison une aveugle soumission, c'est en lui parlant le langage de la raison. Il n'en est pas moins vrai que le catholique reçoit sa foi toute faite, sans examen. Il ne peut même pas la soumettre à un contrôle historique, puisque les textes originaux sur lesquels on l'appuie lui sont interdits. Tout un système hiérarchique d'autorités est organisé, et avec un art merveilleux, pour rendre la tradition invariable. Tout ce qui est variation est en horreur à la pensée catholique. Le protestant est davantage l'auteur de sa croyance. La Bible est mise entre ses mains et nulle interprétation ne lui en est imposée. La structure même du culte réformé rend sensible cet état d'individualisme religieux. Nulle part, sauf en Angleterre, le clergé protestant n'est hiérarchisé ; le prêtre ne relève que de lui-même et de sa conscience, comme le fidèle. C'est un guide plus instruit que le commun des croyants, mais sans autorité spéciale pour fixer le dogme. Mais ce qui atteste le mieux que cette liberté d'examen, proclamée par les fondateurs de la réforme, n'est pas restée à l'état d'affirmation platonique, c'est cette multiplicité croissante de sectes de toute sorte qui contraste si énergiquement avec l'unité indivisible de l'Église catholique. [...]

(9) Ainsi, s'il est vrai de dire que le libre examen, une fois qu'il est proclamé, multiplie les schismes, il faut ajouter qu'il les suppose et qu'il en dérive, car il n'est réclamé et institué comme un principe que pour permettre à des schismes latents ou à demi déclarés de se développer plus librement. Par conséquent, si le protestantisme fait à la pensée individuelle une plus grande part que le catholicisme, c'est qu'il compte moins de croyances et de pratiques communes. Or, une société religieuse n'existe pas sans un *credo* collectif et elle est d'autant plus une et d'autant plus forte que ce *credo* est plus étendu. Car elle n'unit pas les hommes par l'échange et la réciprocité des services, lien temporel qui comporte et suppose même des différences, mais qu'elle est impuissante à nouer. Elle ne les socialise qu'en les attachant tous à un même corps de doctrines et elle les socialise d'autant mieux que ce corps de doctrines est plus vaste et plus solidement constitué. Plus il y a de manières d'agir et de penser, marquées d'un caractère religieux, soustraites, par conséquent, au libre examen, plus aussi l'idée de Dieu est présente à tous les détails de l'existence et fait converger vers un seul et même but les volontés individuelles. Inversement, plus un groupe confessionnel abandonne au jugement des particuliers, plus il est absent de leur vie, moins il a de cohésion et de vitalité. Nous arrivons donc à cette conclusion, que la supériorité du protestantisme au point de vue du suicide vient de ce qu'il est une Église moins fortement intégrée que l'Église catholique.

GRILLE DE LECTURE

Idées/contenu	Repères pour la structure du texte
1. Le suicide est peu développé dans les pays catholiques et à son maximum dans les pays protestants.	Projet : préciser l'influence des religions sur le suicide.
2. Cependant, le contexte socio-économique de ces pays est différent ; pour éviter toute erreur et préciser au mieux l'influence de ces religions, il faut comparer celles-ci au sein d'une même société.	Établissement des faits à l'aide de données statistiques :
3. Que l'on compare entre eux les différents États d'un même pays (Allemagne) ou les différentes provinces d'un même État (Bavière), on observe que les suicides sont en raison directe du nombre de protestants et en raison inverse de celui des catholiques	le protestantisme est la religion où l'on se suicide le plus.
4. La Norvège et la Suède semblent faire exception. Mais il y a trop de différences entre ces pays scandinaves et les pays d'Europe centrale pour que le protestantisme y produise les mêmes effets. Si l'on compare ces deux pays à ceux qui ont le même niveau de civilisation, par exemple l'Italie, on observe que l'on s'y tue deux fois plus. Ces deux « exceptions » tendent donc à confirmer la règle.	Fausse exception qui confirme la règle.
5. Chez les juifs, les suicides se situent au même niveau que chez les catholiques, parfois en dessous. Les juifs sont minoritaires. Dans les pays protestants, les catholiques le sont aussi. Le fait d'être minoritaire n'est donc pas sans influence.	Première explication possible : le caractère minoritaire de la religion.
6. Le fait d'être minoritaire n'explique qu'une partie de la différence d'influence des religions sur le suicide. En effet, lorsque les protestants sont minoritaires, ils se suicident plus que les catholiques majoritaires.	= explication insuffisante.
7. C'est dans la nature des systèmes religieux qu'il faut chercher l'explication, et non dans les principes concernant le suicide car ils sont identiques.	Deuxième explication : la nature des systèmes religieux.
8. La seule différence, c'est le libre examen. Tandis que le catholicisme dicte le dogme et exige une foi aveugle, le protestantisme admet que l'individu soit l'artisan de sa croyance. Cela favorise l'individualisme religieux et la multiplication des sectes.	Différence importante : le libre examen…
9. Issu de l'ébranlement des anciennes croyances et faisant plus de place à la pensée individuelle, le protestantisme compte en outre moins de croyances et de pratiques communes pour souder ses membres. C'est ce défaut d'intégration qui fait la différence et explique le niveau plus élevé de suicides chez les protestants.	… qui conduit à une plus faible intégration : ce qui favorise le suicide.

c. Le résumé

Faire le résumé d'un texte consiste à mettre en évidence ses idées principales et leurs articulations de manière à faire apparaître l'unité de la pensée de l'auteur. C'est le but premier des lectures exploratoires et c'est donc l'aboutissement normal du travail de lecture.

On entend dire parfois que certains ont l'esprit de synthèse, comme s'il s'agissait d'une qualité innée. C'est évidemment absurde. L'aptitude à rédiger de bons résumés est surtout affaire de formation et de travail. La qualité d'un résumé est directement liée à la qualité de la lecture qui l'a précédé. Bien plus, la méthode de réalisation d'un résumé devrait constituer la suite logique de la méthode de lecture. C'est en tout cas de cette manière que nous procéderons ici.

Revenons donc à notre grille de lecture et relisons le contenu de la colonne de gauche, qui porte sur les idées du texte. Mis bout à bout, ces neuf petits textes forment un résumé fidèle du texte de Durkheim. Mais, dans ce résumé, les idées centrales du texte ne sont pas distinguées des autres. Quelle que soit son importance relative, chacune bénéficie en quelque sorte du même statut que ses voisines. En outre, les articulations que Durkheim établit entre elles n'apparaissent pas clairement. Bref, il manque une structuration des idées qui seule permet de reconstituer l'unité de la pensée de l'auteur et la cohérence de son raisonnement. Le véritable travail de résumé consiste précisément à restituer cette unité en mettant l'accent sur les idées les plus importantes et en montrant les liens principaux que l'auteur établit entre elles.

Pour y parvenir, il faut considérer également le contenu de la colonne de droite dans laquelle nous avons explicitement noté des informations relatives à l'importance et à l'articulation des idées, par exemple : « Projet : … », « Établissement des faits », « Première explication possible », etc. À partir de ces indications, nous sommes en mesure de distinguer immédiatement les sections du texte où se trouvent les idées centrales de celles qui comportent les idées secondaires, les données illustratives ou les développements de l'argumentation. En outre, ces idées peuvent être facilement retrouvées et agencées grâce au contenu de la colonne de gauche où elles sont reprises sous une forme condensée.

Chacun peut faire ce travail par lui-même sans trop de difficulté car la grille de lecture en donne les moyens et oblige en même temps à s'imprégner véritablement du texte étudié. Il restera enfin à rédiger le résumé de manière assez claire pour que quelqu'un qui n'aurait pas lu le texte de Durkheim puisse s'en faire une bonne idée globale à la seule lecture du résultat de votre travail. Même si vous n'avez aucunement l'intention de le communiquer, cet effort de clarté est important.

Il constitue à la fois un exercice et un test de compréhension car, si vous ne parvenez pas à rendre votre texte compréhensible pour les autres, il y a de fortes chances qu'il ne le soit pas encore parfaitement pour vous.

Voici un exemple de résumé de ce texte, rédigé à la suite de l'exercice de lecture :

> Durkheim analyse l'influence des religions sur le suicide. Grâce à l'examen de données statistiques qui portent principalement sur les taux de suicide de différentes populations européennes de religions protestante et catholique, il aboutit à la conclusion que le penchant pour le suicide est d'autant plus fort que la cohésion de la religion est faible.
>
> En effet, une religion fortement intégrée comme le catholicisme, dont les fidèles partagent de nombreuses pratiques et croyances communes, les protège davantage du suicide qu'une religion faiblement intégrée comme le protestantisme, qui accorde une place importante au libre examen.

Une telle synthèse littéraire peut être avantageusement complétée par un schéma qui représente les relations causales que Durkheim établit entre les différents phénomènes considérés :

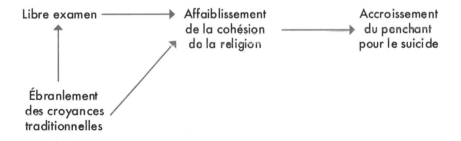

d. La critique

Grâce à ce travail de lecture approfondie et de résumé vous aurez acquis une compréhension correcte du texte, et vous pourrez, sans le trahir, en retirer les idées les plus intéressantes pour votre propre projet. Vous aurez adopté une attitude d'ouverture et d'humilité par rapport au texte, qui vous permettra d'y repérer les apports potentiellement les plus précieux pour votre propre travail. En procédant de cette manière, sans vous en rendre compte, vous aurez effectué la première étape d'une analyse critique du texte. En effet, procéder à la critique d'un texte ne consiste pas à lui opposer votre propre opinion sur le sujet traité, à chercher à le contredire à tout prix, voire à le « démolir » parce qu'il ne correspond pas à vos propres idées ou parce que cela vous apporte un certain plaisir. Dans l'activité scientifique, l'attitude critique consiste d'abord à s'approprier correctement, avec prudence et modestie, ce que l'on est censé critiquer, et donc à suspendre son jugement, du moins dans un premier temps.

Ensuite seulement, la critique consiste à discerner les limites du texte par rapport à votre projet, soit ce qu'il n'apporte pas et qu'il faudra chercher ailleurs, dans d'autres textes. Elle consiste aussi à s'interroger sur certaines caractéristiques voire certaines faiblesses du texte qui doivent éveiller votre prudence dans l'exploitation que vous envisagez d'en faire pour votre travail : les sources et les données sur lesquelles le texte s'appuie sont-elles fiables et robustes ? L'argumentation est-elle bien construite ? Les conclusions tirées par l'auteur sont-elles justifiées et suffisamment claires pour que l'on puisse s'en servir sans ambiguïté ?

Dans le cadre de la recherche concrète que vous effectuez, le travail de lecture (comprenant le choix des textes, la lecture proprement dite, le résumé et la critique) ne constitue pas un exercice académique ou scolaire comme vous avez à en réaliser – très utilement – dans le cadre de votre formation ; vous l'effectuez dans un but précis et c'est votre question de départ qui doit en constituer le fil conducteur, afin de ne pas vous égarer dans une masse de travail inutile.

Ce travail de lecture, de résumé et de critique présente un autre avantage non négligeable. Il permettra de comparer beaucoup plus aisément deux textes différents et de mettre en évidence leurs convergences et leurs divergences.

Bien entendu la méthode et le modèle de grille de lecture qui ont été présentés ici sont particulièrement précis et rigoureux. Ils demandent que l'on y consacre du temps et donc que les textes ne soient ni trop longs, ni trop nombreux. Dès lors, dans de nombreux cas, d'autres grilles de lecture plus souples et plus adaptées à chaque projet particulier doivent pouvoir être imaginées. Cependant, il faut se méfier des fausses économies de temps. Lire mal deux mille pages ne sert strictement à rien ; bien lire un bon texte de dix pages peut aider à faire véritablement démarrer une recherche ou un travail. Ici plus qu'ailleurs il faut se presser lentement et ne pas se laisser impressionner par les interminables bibliographies que l'on trouve à la fin de certains ouvrages.

Sans doute une longue habitude du travail intellectuel incite-t-elle à se dispenser d'utiliser une grille de lecture explicite, encore que les lecteurs chevronnés lisent rarement au hasard. Lorsque leurs lectures s'inscrivent dans le cadre d'une recherche, ils ont toujours une idée claire de leurs objectifs et lisent en fait avec méthode, même si cela n'apparaît pas formellement. En revanche, les lecteurs moins formés ont tout intérêt à modifier leurs habitudes et à lire mieux des textes choisis plus soigneusement.

La méthode présentée ci-dessus pour des articles ou des extraits convient-elle pour des ouvrages entiers ? Oui, avec de légères adaptations. D'une part, les sections de lecture peuvent être beaucoup plus longues lorsque le texte est « dilué » et comporte de nombreuses données et de multiples exemples. D'autre part, il est rarement nécessaire de procéder à une lecture systématique de tous les chapitres du livre. Compte tenu de vos objectifs précis, il est hautement probable que seules quelques parties devront être approfondies et qu'une simple lecture attentive suffira pour le reste.

Travail d'application n° 4
Résumés et critiques de textes

Il est temps maintenant de réaliser l'exercice complet de résumé et de critique sur les deux ou trois textes que vous aurez retenus pour constituer la première salve de votre programme de lecture. C'est un travail de longue haleine qui vous demandera quelques heures ou quelques jours selon que vous aurez choisi des articles ou des livres entiers. Au cours de ce travail, n'oubliez pas votre question de départ et soyez particulièrement précis sur les idées qui sont directement en rapport avec elle.

Effectuez ce double ou ce triple exercice avec beaucoup de soin. Peut-être déciderez-vous par la suite d'abandonner la méthode. Mais faites-vous la faveur de l'essayer sérieusement à partir de deux ou trois textes différents au moins. Après seulement, vous déciderez de vous en passer, de l'adapter de manière personnelle à vos propres projets ou de l'appliquer dorénavant systématiquement. Dans ce dernier cas et si vous ne vous laissez pas décourager par la première difficulté, vous ferez des pas de géant. Plus tôt que vous ne le pensiez, vous utiliserez cette grille sans qu'elle vous pèse et pratiquement sans vous en rendre compte.

De plus, vous aurez acquis ce fameux « esprit de synthèse » qui n'a jamais autant manqué qu'en cette période où chacun est bombardé d'une multitude de messages fragmentaires.

Lorsque cet exercice sera terminé, effectuez l'exercice suivant qui le complète et le conclut.

Travail d'application n° 5
Mise en dialogue des textes

Après avoir effectué les résumés et critiques des deux ou trois textes retenus, il est nécessaire de les comparer attentivement afin d'en retirer les éléments de réflexion et les pistes de travail les plus intéressants.

Pour mener ce travail à bien, vous pouvez procéder en deux temps : d'abord comparer les différents textes, ensuite dégager des pistes pour la poursuite de la recherche.

1. Comparaison des textes

Il s'agit de confronter les textes selon deux critères principaux divisés chacun en trois sous-critères.

1er critère : les points de vue adoptés

Comme nous l'avons vu, les phénomènes sociaux peuvent faire l'objet de divers points de vue. Par exemple, le problème du chômage peut faire l'objet d'une approche plutôt historique, plutôt macroéconomique ou plutôt sociologique notamment.

De même, dans le cadre d'une même discipline, plusieurs approches différentes peuvent encore être envisagées. Le sociologue peut étudier la place du chômeur dans la société ou les rapports de forces dans le monde du travail autour de l'enjeu de l'emploi notamment. Quels sont donc les points de vue adoptés par les auteurs retenus et comment se situent-ils les uns par rapport aux autres ?

Sous-critères

Pour confronter les points de vue avec ordre et clarté, mettez en évidence :

– les convergences entre eux ;

– les divergences entre eux ;

– leurs complémentarités.

Ce travail d'élucidation des points de vue sera approfondi au cours de l'étape 3 sur la problématique.

2e critère : les contenus

Qu'ils adoptent des points de vue comparables ou non, des auteurs peuvent défendre des thèses conciliables ou inconciliables. Bien plus, ils se critiquent parfois ouvertement entre eux.

Sous-critères

Pour confronter les contenus avec ordre et clarté, soulignez :

– les accords manifestes entre eux (s'ils existent) ;

– les désaccords manifestes entre eux (s'ils existent) ;

– les complémentarités.

2. Mise en évidence de pistes pour la poursuite de la recherche

Il s'agit ici de répondre aux deux questions suivantes :

– quelles sont les lectures les plus en rapport avec la question de départ ?

– quelles pistes ces lectures suggèrent-elles ?

L'objectif est de choisir le plus judicieusement possible les textes de la deuxième salve de lectures. Vous pourrez par exemple décider de rechercher de nouveaux textes qui approfondissent un point de vue qui vous intéresse, traitent en profondeur un problème sur lequel un désaccord est apparu, ou abordent votre objet de recherche sous un angle tout à fait différent qui a manqué dans la première salve.

Au terme de ces exercices, il est bon d'interrompre provisoirement la lecture de textes et de se donner le temps de la réflexion et de quelques échanges de vues. Cette pause peut être l'occasion de revoir votre question de départ et de la reformuler éventuellement d'une manière plus judicieuse au regard des enseignements du travail de lecture.

3. Les entretiens exploratoires

Lectures et entretiens exploratoires doivent aider à construire la problématique de recherche. Les lectures aident à faire le point sur les connaissances concernant le problème de départ. Grâce à un premier contact avec des acteurs concernés, les entretiens contribuent à découvrir les aspects du problème à prendre en considération, ils permettent de dégager de nouvelles pistes et élargissent ou rectifient le champ d'investigation des lectures. Les uns et les autres sont complémentaires et s'enrichissent mutuellement. Les lectures donnent un cadre aux entretiens exploratoires et ces derniers éclairent sur la pertinence du cadre. Les entretiens exploratoires n'ont donc pas pour fonction de vérifier des hypothèses préétablies, mais bien de trouver des idées d'hypothèses susceptibles de guider la suite du travail. Ils permettent en outre d'économiser des dépenses inutiles d'énergie et de temps en matière de lecture, de construction d'hypothèses et d'observation. Il s'agit en quelque sorte d'un premier tour de piste avant d'engager des moyens plus importants.

Pour cette raison, il est essentiel que l'entretien se déroule de façon très ouverte et très souple et que le chercheur évite de poser des questions trop nombreuses et trop précises, de manière à ne pas limiter *a priori* les aspects du problème à prendre en compte. Bien menés, les entretiens exploratoires devraient moins conforter le chercheur dans ses idées préconçues que l'amener à les remettre en cause.

L'entretien exploratoire peut rendre d'inestimables services, notamment celui d'éviter au chercheur de se lancer tête baissée sur une mauvaise piste ou de négliger des aspects essentiels du problème par manque de familiarité avec lui. L'entretien exploratoire permet toujours un gain de temps et une économie de moyens. En outre, et ce n'est pas son moindre attrait, il constitue une des phases les plus agréables et stimulantes d'une recherche : celle de la découverte, des idées qui jaillissent et des contacts humains les plus riches avec des personnes qui expérimentent concrètement, dans leur vie professionnelle, sociale ou personnelle, les phénomènes que la recherche entend étudier. Ces premiers contacts seront d'ailleurs souvent utiles plus tard et pourront, si nécessaire, être remobilisés.

Phase intéressante et utile donc, mais dangereuse si le chercheur débutant s'y engage en touriste. Le contact avec le terrain, l'expression du vécu et l'apparente convergence des discours (produits des stéréotypes socioculturels) l'amèneront très probablement à croire qu'il y voit bien plus clair que par ses lectures et que les idées, plus ou moins inconscientes, qu'il se faisait sur la question correspondent bien à ce qu'il découvre sur le terrain. C'est une tentation fréquente, à laquelle de nombreux débutants ne résistent pas, négligeant les lectures et engageant la suite de leur recherche sur des impressions semblables à celles d'un touriste qui a passé quelques jours dans un pays étranger. Emportés par l'illusion de la transparence, ils s'enfoncent dans l'impasse de la confirmation superficielle d'idées préconçues.

Pour remplir cette fonction de rupture et d'ouverture vers des perspectives de recherche valables, les entretiens exploratoires doivent respecter certaines conditions qui sont présentées à partir de réponses aux trois questions ci-dessous :

• Avec qui est-il utile d'avoir un entretien ?
• En quoi consistent les entretiens et comment y procéder ?
• Comment les exploiter pour qu'ils permettent de prendre du recul avec les idées préconçues et ouvrent des pistes de recherche les plus intéressantes possible ?

3.1 Avec qui est-il utile d'avoir un entretien ?

Trois catégories de personnes peuvent être des interlocuteurs utiles.

• D'abord, des chercheurs spécialisés et experts dans le domaine concerné. Nous avons déjà évoqué leur utilité à propos du choix des lectures. Ils peuvent aussi nous aider à améliorer notre connaissance du terrain en nous exposant non seulement les résultats de leurs travaux, mais aussi la démarche entreprise, les problèmes rencontrés et les écueils à éviter. Ce genre d'entretien ne demande pas de technique particulière, mais il sera d'autant plus fructueux que la question de départ sera bien formulée et permettra à votre interlocuteur de cerner avec précision ce qui vous intéresse.

  Pour ceux dont la question de départ serait encore hésitante, ce type d'entretien peut aussi aider à la clarifier, à condition que l'interlocuteur soit disposé à vous y aider, ce qui n'est pas courant.

• La deuxième catégorie d'interlocuteurs recommandés pour les entretiens exploratoires sont des témoins privilégiés. Il s'agit de personnes qui, par leur position, leur action ou leurs responsabilités ont une bonne connaissance du problème. Ces témoins peuvent appartenir au public sur lequel porte l'étude ou lui être extérieurs, mais largement concernés par ce public. Ainsi, dans une étude sur les valeurs des jeunes, on peut rencontrer des jeunes responsables d'organisations de jeunesse aussi bien que des adultes (éducateurs, enseignants, autorités religieuses ou philosophiques, travailleurs sociaux, juges des enfants) dont l'activité professionnelle les met en prise directe avec les problèmes de la jeunesse.

• Enfin, troisième catégorie d'interlocuteurs utiles et, le plus souvent, la plus importante, les personnes qui constituent le public directement concerné par l'étude, c'est-à-dire, dans l'exemple précédent, les jeunes eux-mêmes. Ici, il est essentiel que les entretiens couvrent la diversité du public concerné.

Les entretiens avec les interlocuteurs de la deuxième et de la troisième catégories comportent les plus grands risques de déviation par illusion de transparence. Engagés dans l'action, les uns et les autres sont généralement portés à expliquer leurs actions en les justifiant. Subjectivité, manque de recul, vision partielle et partiale sont inhérents à ce genre d'entretien. Une bonne dose d'esprit critique et un minimum de technique sont indispensables pour éviter les pièges qu'ils recèlent.

3.2 En quoi consistent les entretiens et comment y procéder ?

Les fondements méthodologiques de l'entretien exploratoire sont à rechercher principalement dans l'œuvre de Carl Rogers en psychothérapie. Nous en dirons tout d'abord quelques mots afin de bien saisir les principes et l'esprit de cette méthode et nous aborderons ensuite seulement les problèmes de son application dans la recherche en sciences sociales.

Ce qui suit s'applique principalement aux entretiens avec les deux dernières catégories d'interlocuteurs présentées ci-dessus.

a. Les fondements de la méthode

Rogers est un psychothérapeute. Son objectif pratique est donc d'aider ceux qui s'adressent à lui à résoudre leurs problèmes d'ordre psychologique. Cependant, la méthode proposée par Rogers se démarque de toutes celles qui attribuent au thérapeute un rôle plus ou moins important dans l'analyse du problème. Pour Rogers, l'analyse ne peut porter tous ses fruits que si elle est entièrement menée par le patient lui-même. En apprenant à se reconnaître lui-même à travers l'analyse de ses difficultés, ce dernier acquiert, selon Rogers, une maturité et une autonomie personnelle qui lui profitent bien au-delà du problème plus ou moins précis pour lequel il s'est adressé au thérapeute. Pour rencontrer cet objectif, Rogers a conçu et expérimenté une méthode thérapeutique axée sur la non-directivité, qui a fait sa célébrité et qu'il a appliquée par la suite à l'enseignement.

Le principe de cette démarche consiste à laisser au patient le choix du thème de l'entretien ainsi que la maîtrise de son déroulement. La tâche du thérapeute ou de l'« aidant » n'en est pas simple pour autant. Elle consiste à aider le patient à accéder à une meilleure connaissance et à une meilleure acceptation de lui-même, en fonctionnant en quelque sorte comme un miroir qui lui renvoie sans cesse sa propre image et lui permet par là de l'approfondir et de l'assumer. Cette méthode est expliquée de manière très détaillée par Rogers, dans *La Relation d'aide et la Psychothérapie* (Paris, ESF, 1980, [1942]). Cette version française est présentée en deux tomes. Le premier décrit la méthode et le second en présente une application réelle avec l'examen systématique des interventions de l'aidant et de son patient.

Depuis Rogers, de nombreux ouvrages sur l'entretien d'aide ont été publiés, chaque auteur essayant d'apporter l'une ou l'autre des améliorations suggérées par sa propre pratique ou d'adapter la méthode à des champs d'analyse et d'intervention plus larges. Cependant, chacun se réfère toujours explicitement ou implicitement à Rogers et au fondement même de sa démarche : la non-directivité. Toutefois et paradoxalement, c'est ce principe qui fait à la fois l'intérêt et l'ambiguïté de l'utilisation de cette méthode en recherche en sciences sociales.

b. L'application dans la recherche en sciences sociales

Dans son livre *L'Orientation non directive en psychothérapie et en psychologie sociale* (Paris, Dunod, 1970, p. 112), Max Pagès explique comme suit « la contradiction qui existe entre l'orientation non directive et l'emploi d'entretiens non directifs comme instruments de recherche sociale [...] : il est facile de la faire ressortir. Dans un cas, le but de l'interview est fixé par le patient lui-même et le thérapeute ne cherche pas à l'influencer. Dans l'autre, c'est l'interviewer qui fixe le but, quel que soit celui-ci : fournir des informations à un groupe quelconque, coopérer à une recherche, favoriser le développement commercial d'une firme, la propagande d'un gouvernement, etc. ».

En ce sens on ne peut donc jamais dire que les entretiens exploratoires en recherche sociale soient strictement non directifs et que l'interviewer puisse être totalement neutre. En effet, l'entretien est toujours demandé par le chercheur et non par l'interlocuteur. Il porte plus ou moins directement sur le thème imposé par le chercheur et non sur ce dont son interlocuteur désire parler. Enfin, son objectif est lié aux objectifs de la recherche et non au développement personnel de la personne interviewée. Cela fait beaucoup de différences et non des moindres. C'est pourquoi on parlera plutôt d'entretien semi-directif ou semi-structuré.

Cependant et sans s'abuser lui-même sur le caractère non directif des entretiens exploratoires qu'il sollicite, le chercheur en sciences sociales peut s'inspirer avec profit de certaines caractéristiques majeures de la méthode de Rogers et, à certains points de vue, calquer son comportement sur celui du psychothérapeute non directif. En effet, mis à part le fait qu'il évitera de laisser son interlocuteur parler longuement de sujets qui n'ont aucun rapport avec le thème prévu au départ, il s'efforcera d'adopter une attitude aussi peu directive et aussi « facilitante » que possible. Pratiquement, les traits principaux de cette attitude sont les suivants :

1. L'interviewer doit s'efforcer de *poser le moins de questions possible*. L'entretien n'est ni un interrogatoire, ni une enquête par questionnaire. L'excès de questions conduit toujours au même résultat : l'interviewé acquiert vite le sentiment qu'il lui est simplement demandé de répondre à une série de questions précises et se dispensera de communiquer le fond de sa pensée et de son expérience. Ses réponses deviendront de plus en plus brèves et de moins en moins intéressantes. Après avoir sommairement répondu à la précédente, il attendra purement et simplement la suivante comme s'il attendait une nouvelle instruction. Un bref exposé introductif sur les objectifs de l'entretien et sur ce qui en est attendu suffit généralement pour lui donner le ton général de la conversation libre et très ouverte.

2. Dans la mesure où un minimum d'interventions est toutefois nécessaire pour recentrer l'entretien sur ses objectifs, pour en relancer la dynamique ou pour inciter l'interviewé à approfondir certains aspects particulièrement importants du thème abordé, l'interviewer doit s'efforcer de *formuler ses interventions d'une manière aussi ouverte que possible*. Au cours des entretiens exploratoires, il importe que l'interviewé puisse exprimer sa propre « réalité », dans son propre langage, avec ses propres cadres de référence. Par des interventions trop précises et autoritaires, l'interviewer impose ses propres catégories mentales. L'entretien ne peut plus alors remplir sa fonction exploratoire car l'interlocuteur n'a plus d'autre choix que de répondre à l'intérieur de ces catégories, c'est-à-dire confirmer ou infirmer les idées auxquelles

le chercheur avait déjà pensé auparavant. En effet, il est rare que l'inter-locuteur rejette la manière dont le problème lui est posé : soit qu'il y réfléchisse pour la première fois, soit qu'il soit impressionné par le statut du chercheur ou par la situation d'entretien.

3. *A fortiori*, l'interviewer doit *s'abstenir de s'impliquer lui-même dans le contenu de l'entretien*, notamment en s'engageant dans des débats d'idées ou en prenant position à l'égard de propositions du répondant. Même l'acquiescement doit être évité car, si l'interlocuteur s'y habitue et y prend goût, il interprétera par la suite toute attitude de réserve comme le signe d'une désapprobation.

Bref, les caractéristiques principales de l'attitude à adopter au cours d'un entretien exploratoire sont les suivantes (pour ce point et les sui-vants, on s'appuie principalement sur D. Ruquoy, « Situation d'entre-tien et stratégie de l'interviewer » in L. Albarello *et al.*, *Pratiques et méthodes de recherche en sciences sociales*, Paris, Armand Colin, 1995, p. 59-82) :
- adopter une attitude de neutralité bienveillante ;
- être aussi peu directif que possible et donc poser le moins de ques-tions possible tout en veillant à poursuivre les objectifs de l'entretien ;
- reconnaître à l'interviewé une compétence réelle, lui montrer qu'on vient apprendre auprès de lui et le laisser maître du choix de ses pro-pos, bref le placer en « position haute » (voir P. Grell, « Les récits de vie », in D. Desmarais et P. Grell (dir.), *Les Récits de vie. Théorie, méthode et trajectoires types*, Montréal, éditions Saint-Martin, 1986, p. 151-176) ;
- accepter inconditionnellement ses propos comme une perception légitime des problèmes et des situations étudiées, sans lui imposer les catégories mentales de l'interviewer, ni prendre part à un débat d'idées avec lui.

On verra ci-dessous comment concrétiser ces principes généraux de l'entretien exploratoire.

c. Le contexte de l'entretien

Le contexte dans lequel se déroule l'entretien peut influencer considé-rablement son déroulement et son contenu.

Le *cadre spatio-temporel* doit favoriser l'expression de la personne interviewée, ce qui suppose qu'il convienne à l'objet d'étude et réponde à certaines exigences techniques comme l'isolement, le calme et la dis-crétion, de sorte que l'interviewé se sente à l'aise. Dans tous les cas, il s'agit de réduire autant que faire se peut les potentielles sources de distraction pour les interlocuteurs et d'éviter que des intrus puissent saisir les propos échangés, mais parfois il en va aussi des conditions nécessaires au respect de l'anonymat de l'interviewé. Le moment de l'entretien doit être bien choisi afin de disposer de suffisamment de temps. Il est important d'informer l'interviewé de ces exigences et de l'avertir de la durée probable de l'entretien, pour éviter d'être interrompu par des visites intempestives ou des coups de téléphone et de devoir précipiter les choses, faute de temps. Une interview exploratoire dure facilement une heure, souvent davantage. Il n'est d'ailleurs pas rare que, passionnée par son sujet et se trouvant bien avec l'interviewer, la personne interviewée accepte ou manifeste son désir de prolonger l'entretien au-delà de la limite convenue au départ.

Tout aussi important est *le rapport social entre l'interviewer et l'interviewé*. Surtout s'ils sont importants, les écarts en termes de classes sociales (par exemple si l'un est de classe bourgeoise et l'autre de classe populaire), de statut hiérarchique et de fonction (par exemple si l'un est un étudiant en gestion et l'autre un directeur de grande entreprise), de genre (par exemple si l'un est un homme et l'autre une femme entre lesquels s'instaure une attirance à sens unique ou à double sens), d'âge (par exemple si l'un des deux est jeune et l'autre âgé), de conviction philosophique (par exemple si l'un est croyant très engagé et l'autre un militant de la laïcité) affectent la relation d'entretien avec des effets potentiellement déterminants comme, entre autres, l'autocensure de l'interviewé ou au contraire son désir d'étaler avec complaisance sa vie personnelle, un profil bas ou au contraire l'envie de faire la leçon à l'interviewer. On ne peut qu'encourager le chercheur à s'interroger sur les relations de pouvoir, souvent asymétriques, mais pas à sens unique, qui pèsent sur les interactions. De même qu'on peut attendre de lui qu'il accorde une attention particulière aux populations vulnérables. Le chercheur doit être lucide à propos de ce que ces paramètres peuvent induire et s'efforcer de présenter à l'interviewé une attitude sereine d'écoute et de neutralité bienveillantes, favorable à l'instauration d'un climat de travail dans la confiance et la franchise. Plus l'écart entre l'interviewé et l'interviewer est grand, plus l'un et l'autre devront expliciter leurs pensées de manière à se faire bien comprendre (Ruquoy, *op. cit.*, p. 70-71).

Dernière dimension de contexte à prendre en compte : l'entretien représente une interaction inhabituelle et très particulière qui nécessite de créer un mode de communication adapté dans lequel la personne interviewée peut se sentir à l'aise. Deux questions pratiques se posent ici : celle de l'enregistrement et celle de la prise de notes.

L'enregistrement des entretiens est indispensable. À défaut, le chercheur perdrait vite la plus grande partie de leur contenu et n'aurait pas l'esprit disponible pour les conduire correctement, avec toute la concentration requise. Un petit enregistreur impressionne peu les répondants qui, après quelques minutes, n'y prêtent habituellement plus attention. L'enregistrement est bien entendu subordonné à l'autorisation préalable des interlocuteurs. Mais celle-ci est généralement accordée sans réticence lorsque les objectifs de l'entretien sont clairement présentés et lorsque l'interviewer s'engage, *primo*, à respecter leur anonymat, *secundo*, à conserver lui-même les enregistrements, à les garder dans un lieu sécurisé le temps nécessaire, et à les effacer dès qu'ils auront été analysés.

La prise de notes systématique en cours d'entretien nous semble en revanche à éviter autant que possible. Elle distrait aussi bien l'interviewer que l'interviewé, qui ne peut s'empêcher de considérer l'intensité de la prise de notes comme un indicateur de l'intérêt que son interlocuteur porte à sa conversation. En revanche, il est très utile et sans inconvénient de noter de temps à autre quelques mots destinés simplement à structurer l'entretien : points à éclaircir, questions sur lesquelles il faut revenir, thèmes qui restent à aborder, etc.

d. Le premier contact

La première difficulté rencontrée par le chercheur est de convaincre les interviewés potentiels d'accepter de se prêter à l'entretien et de vaincre leurs réticences éventuelles. Car il s'agit bien de convaincre et non de faire pression. Comme on l'a vu dans le point précédent, la distance culturelle et sociale entre le chercheur et la personne interviewée peut constituer d'emblée un obstacle difficile à franchir. Si la personne refuse, il est toujours utile de s'interroger sur ses raisons, qui peuvent relever de divers registres : antipathie ou méfiance à l'égard de l'interviewer, désintérêt pour le thème ou craintes à son égard, rumeurs circulant dans son milieu sur la recherche entamée par le chercheur... Ces indications peuvent se révéler précieuses pour la suite de la recherche, tant pour le succès des démarches méthodologiques ultérieures (notamment les entretiens suivants) que pour le contenu même du travail. En effet, les réactions des personnes sollicitées peuvent révéler des choses intéressantes et substantielles sur les phénomènes étudiés, par exemple sur les représentations des acteurs concernés ou sur les tensions entre eux (Ruquoy, *op. cit.*, p. 73-76). L'attention à ces indications et réactions relève de ce qu'on appelle « l'enquête sur l'enquête » sur laquelle nous reviendrons dans l'étape de conclusion.

D'une façon ou d'une autre, le chercheur doit présenter sa recherche à la personne qu'il contacte. S'il peut y avoir débat sur le degré de précision à adopter pour cette présentation – le risque de biais au niveau des données récoltées entrant en balance avec le droit des interviewés à être informés –, l'explicitation des objectifs de la recherche et de son dispositif méthodologique s'impose, sans quoi il ne peut tout simplement pas y avoir de consentement éclairé à la participation de la part de la personne interviewée. Lors de ce premier contact, le chercheur portera une attention particulière aux personnes vulnérables en raison de leurs capacités cognitives, de leur état psychologique, de leur situation de dépendance affective, relationnelle, économique ou sociale, du fait qu'elles sont disqualifiées socialement ou pour toute autre raison. Il devra s'assurer que l'interviewé comprend parfaitement les désagréments ou les risques éventuels à participer, sans nourrir d'attentes irréelles ou mal placées (comme une contrepartie à la participation).

Pour être convaincant, l'interviewer doit croire lui-même en l'intérêt de l'étude qu'il mène et le montrer. Il doit donner les raisons pour lesquelles la personne a été retenue parmi les interviewés et indiquer en quoi sa contribution est particulièrement précieuse. Il doit préciser l'utilisation qui sera faite des résultats et répondre aux éventuelles questions et objections de l'interviewé. Les interviewés ont en effet bien le droit d'avoir des réticences et de recevoir des explications claires et honnêtes sur la recherche en cours. C'est au cours de cet échange que seront précisées les modalités d'une éventuelle compensation financière ou autres, surtout dans les milieux où cette pratique tend à se diffuser, afin d'éviter tout quiproquo à ce sujet. Enfin, l'interviewer demandera l'autorisation d'enregistrer l'entretien en précisant bien l'usage qui sera fait de l'enregistrement. Bref, il doit susciter un climat de confiance.

Le chercheur augmentera ses chances de succès s'il prépare ses explications avec soin et sait se présenter et se comporter d'une manière qui traduit son impartialité et son respect pour l'interviewé potentiel, notamment en étant à l'heure au rendez-vous et en accueillant correctement la personne si l'interview se déroule dans son propre bureau (Ruquoy, *op. cit.*, p. 76).

e. La conduite de l'entretien

Ayant bien saisi les objectifs et les principes de l'entretien exploratoire, ayant réussi à convaincre l'interviewé potentiel d'accepter l'entretien, il reste maintenant à passer à l'action. L'entretien débutera par un rappel du cadre, c'est-à-dire des conditions qui, implicitement ou explicitement, ont été présentées, négociées, et acceptées lors du premier contact. À ce moment, le chercheur vérifiera une nouvelle fois que l'interviewé comprend parfaitement les termes de ce cadre relationnel et qu'il participe volontairement à l'entretien. De plus en plus d'instances nationales ou internationales, de même que des associations professionnelles imposent que le consentement soit consigné sur un formulaire présentant de façon détaillée les objectifs, le dispositif méthodologique et la façon dont la réglementation relative à la protection de la vie privée est prise en compte. Si une telle formalisation du consentement n'est pas exigée ou est impossible à obtenir dès lors qu'elle générerait une méfiance ruinant la relation d'entretien (pensons par exemple à une recherche menée auprès de personnes en situation illégale dans le pays), cela ne dispense nullement le chercheur de s'assurer que le consentement est libre et éclairé, et que la personne interviewée a bien compris qu'elle peut retirer ce consentement à tout moment sans conséquence négative pour elle et sans devoir se justifier.

Pour l'entretien proprement dit, le chercheur aura préalablement rédigé un guide d'entretien reprenant non pas des questions précises – nous avons vu pourquoi –, mais seulement l'ensemble des points à aborder. Ces points ne doivent pas être abordés dans un ordre préétabli puisque c'est en grande partie la personne interviewée qui pilotera son propre entretien. Au fil de ses propos, elle parlera spontanément de certains points sans que le chercheur ait à le lui demander. Le guide d'entretien est essentiellement un aide-mémoire pour l'interviewer, qui peut ainsi vérifier de temps à autre quels sont les points qui restent à aborder (Ruquoy, *op. cit.*, p. 76-78).

Comme il faut bien démarrer par une *première question*, celle-ci touchera au thème et/ou à la situation de la personne interviewée. Elle appellera d'emblée une « réponse » à caractère narratif et/ou qui implique quelques développements. Par exemple :

– « Pourriez-vous me parler de votre fonction dans cette association (ou entreprise ou institution) ? »

– « En quoi consiste votre travail, comment se déroulent vos collaborations avec vos collègues ? »

– « À quelle occasion avez-vous été confronté(e) pour la première fois à tel ou tel problème ? Pourriez-vous me raconter comment les choses se sont passées ? »

– « Quand les pouvoirs publics ont pris telle décision, quelles ont été les réactions dans votre quartier ? »

La question initiale détermine la suite de l'entretien et en donnera le ton. À partir d'elle, la personne interviewée percevra s'il est attendu d'elle qu'elle parle principalement de ses pratiques concrètes ou de ses idées, de la manière dont une situation peut être décrite objectivement ou de la manière dont elle est subjectivement vécue par ceux qui l'expérimentent (Ruquoy, *op. cit.*, p. 78).

Dès que l'entretien a démarré, les interventions suivantes de l'interviewer seront de nature à faciliter l'expression libre de l'interviewé. Pour cette raison, on les nomme couramment des « relances » :

— « Si je comprends bien, vous voulez dire que... », ou « Que voulez-vous dire exactement par... » (pour faire préciser une idée) ;
— « Hum... oui » (pour manifester l'attention et l'intérêt que l'on porte à ce que dit le répondant et pour l'inciter à poursuivre) ;
— « Vous me disiez tout à l'heure que..., pouvez-vous préciser ? (pour revenir sur un point qui mérite d'être approfondi) ;
— « Vous avez évoqué l'existence de deux aspects de ce problème. Vous avez développé le premier, quel est le second ? » (pour revenir sur un « oubli », volontaire ou non) ;
— « Nous n'avons pas encore parlé de... ; pouvez-vous me dire comment vous voyez... ? » (pour aborder un autre aspect du sujet).

Dans le même esprit, il ne faut pas craindre les silences. Ils effrayent toujours l'interviewer débutant, aux yeux de qui quelques secondes semblent une éternité. Quelques petites pauses dans un entretien peuvent permettre au répondant de réfléchir plus calmement, de rassembler ses souvenirs, de contrôler une émotion et, surtout, de se rendre compte qu'il dispose d'une importante marge de liberté. Vouloir combler frénétiquement le moindre silence est un réflexe de peur et une tentation aussi courante que néfaste car elle conduit à multiplier les questions et à étouffer l'expression libre. Ces silences ne sont pas des vides ; il s'y passe beaucoup de choses dans la tête de celui que l'on interviewe, surtout si le thème le touche de près et intimement. Bien souvent, il hésite à en dire davantage. Il convient alors de l'encourager par un sourire ou par toute autre attitude très réceptive, car ce qu'il dira juste après ce silence peut être essentiel (Ruquoy, *op. cit.*, p. 79).

Les silences sont aussi l'occasion, pour le chercheur lui-même, de réfléchir à ce qu'il a entendu précédemment, de se poser à lui-même de bonnes questions et de penser à l'une ou l'autre hypothèse qu'il cherchera à tester à la faveur de questions ultérieures, telles que les suivantes :

— « Si je résume votre point de vue, je dirais que... Vous ai-je bien compris ? »
— « Il me semble que tout à l'heure vous disiez autre chose que maintenant à ce sujet. Je ne comprends pas bien. N'y a-t-il pas une contradiction ? »

– « Il y a quelque chose qui m'échappe dans votre analyse, à savoir que…
Pourriez-vous m'éclairer davantage ? »

– « Je constate que votre analyse rejoint fortement celle de tel autre type
d'acteur et s'oppose tout aussi fortement à celle de tel autre type d'acteur. Y voyez-vous une explication ? »

Au fur et à mesure que l'entretien approche de son terme, le chercheur
doit consulter son guide d'entretien afin de vérifier si tous les points importants ont bien été abordés. Il doit également se demander si la personne
interviewée a pu s'exprimer comme elle l'entendait et, s'il a l'impression
que ce n'est pas le cas, redoubler d'inventivité pour qu'elle puisse le faire.

Si le chercheur a besoin d'informations factuelles plus concrètes ou
plus personnelles, portant par exemple sur l'âge de l'interviewé, ses pratiques religieuses éventuelles, ses revenus, ses convictions intimes ou sa
vie privée, mieux vaut poser en fin d'entretien les questions nécessaires
car elles apparaîtraient intrusives et pourraient embarrasser, voire bra-
quer l'interviewé si elles lui étaient posées en début d'entretien.

En fin d'entretien, une bonne habitude est de demander à l'interviewé s'il pense encore à un aspect du problème ou à une information
qui n'aurait pas été abordée. Après l'avoir remercié, on peut également
lui demander, si nécessaire, s'il accepterait, le cas échéant, une seconde
rencontre lorsque la recherche sera plus avancée (Ruquoy, *op. cit.*,
p. 80-81). On voit ici que le respect du cadre négocié lors du premier
contact par le chercheur lui-même, en plus de satisfaire une exigence
éthique, lui permet d'entretenir une bonne relation avec ses interlocuteurs, avec son terrain, ce qui en fait alors un outil méthodologique.

f. L'apprentissage de l'entretien exploratoire

L'apprentissage de la technique de l'entretien exploratoire doit obligatoirement passer par l'expérience concrète. Si votre intention est d'utiliser cette technique et de vous y former, le meilleur moyen consiste à
analyser vos premiers entretiens de manière détaillée, de préférence avec
quelques collègues qui porteront sur votre travail un regard moins par-
tial que le vôtre. Voici une manière de procéder à cette autoévaluation :

• Écoutez l'enregistrement et interrompez le déroulement de la bande
après chacune de vos interventions.

• Analysez chaque intervention : était-elle indispensable ? N'avez-vous
pas interrompu votre interlocuteur sans motif majeur alors qu'il s'était
bien engagé dans l'entretien ? N'avez-vous pas cherché à mettre un
peu trop vite un terme à un silence de quelques secondes seulement ?

• Après avoir discuté chaque intervention, poursuivez l'écoute de l'enregistrement pour examiner la manière dont votre interlocuteur a réagi

à chacune de vos interventions. Celles-ci l'ont-elles amené à approfondir ses réflexions ou son témoignage ou, au contraire, ont-elles
induit une réponse courte et technique ? Vos interventions n'ont-elles
pas suscité un débat d'idées entre votre interlocuteur et vous-même et
compromis, dès lors, les chances d'une réflexion et d'un témoignage
sincères de la part de votre interlocuteur ?

• Au terme de l'écoute, évaluez votre comportement général. Vos
interventions n'étaient-elles pas trop fréquentes ou trop directives ?
Avez-vous le sentiment d'un entretien souple, ouvert et riche sur le
plan du contenu ? Quel est finalement votre bilan global et quels sont,
dans votre pratique, les points faibles qui demandent à être corrigés ?

Vous observerez bien vite qu'un même comportement de votre part
face à des interlocuteurs différents ne conduit pas forcément au même
résultat. Le succès d'un entretien dépend de la manière dont fonctionne
l'interaction entre les deux interlocuteurs. Un jour votre interlocuteur
sera très réservé ; le lendemain il sera particulièrement bavard et vous
éprouverez toutes les peines du monde à l'empêcher de parler de n'importe quoi. Un autre jour, vous aurez beaucoup de chance et vous pen-
serez peut-être à tort que l'entretien exploratoire est une technique
que vous maîtrisez bien. En tout état de cause, ne rejetez pas trop vite
sur votre interlocuteur la responsabilité de la réussite ou de l'échec de
l'entretien.

Les recommandations qui ont été faites plus haut constituent des
règles générales qu'il faut s'efforcer de respecter. Mais chaque entretien n'en reste pas moins un cas d'espèce au cours duquel l'interviewer
doit adapter son comportement avec souplesse et à-propos. Seule la
pratique peut apporter le flair et la sensibilité qui font le bon interviewer. Enfin, il faut souligner qu'une attitude de blocage systématique
ou sélectif de la part de votre interlocuteur constitue souvent une indication en elle-même qui demande à être interprétée comme telle.

3.3 L'exploitation des entretiens exploratoires

Ici, trois points de vue sont à prendre en considération : le discours en
tant que source d'information, le discours en tant que processus et le
discours en tant qu'interaction.

a. Le discours en tant que source d'information

Les entretiens exploratoires n'ont pas pour fonction de vérifier des
hypothèses, ni de recueillir ou d'analyser des données précises, mais
bien d'ouvrir des pistes de réflexion, d'élargir les horizons de lecture

et de les préciser, de prendre conscience des dimensions et des aspects d'un problème auxquels le chercheur n'aurait sans doute pas pensé spontanément, à partir de la connaissance et des représentations qu'ont les acteurs des phénomènes étudiés. Ils permettent aussi de ne pas se lancer dans de faux problèmes, produits inconscients de nos préjugés et prénotions. Les divergences de points de vue entre les interlocuteurs sont toujours intéressantes et faciles à repérer. Elles peuvent faire apparaître des enjeux insoupçonnés au départ et donc aider le chercheur à élargir son horizon et à poser le problème aussi judicieusement que possible. Les divergences et contradictions s'imposent à nous comme des données objectives. Nous ne les inventons pas.

Dès lors, on comprendra que l'exploitation des entretiens exploratoires peut être menée de manière très ouverte, sans utilisation de grille d'analyse précise. La meilleure manière de s'y prendre consiste sans doute à écouter et à réécouter les enregistrements les uns après les autres, à noter les pistes et les idées, à mettre en évidence les contradictions internes et les divergences de points de vue, et à réfléchir à ce qu'ils pourraient bien révéler. Au cours de ce travail, il faut être attentif au moindre détail qui, mis en relation avec d'autres, peut mettre au jour des aspects cachés mais importants du problème.

b. Le discours en tant que processus

L'entretien non directif vise à amener l'interlocuteur à exprimer son vécu ou la perception qu'il a du problème auquel le chercheur s'intéresse. Ce dernier doit chercher à saisir aussi finement que possible les représentations des personnes interviewées ainsi que les ressorts de leurs actions et comportements. Souvent, c'est la première fois que le répondant est amené à s'exprimer sur le sujet. Il devra donc réfléchir, rassembler ses idées, y mettre de l'ordre et trouver les mots (plus ou moins) adéquats pour, finalement, exprimer son point de vue. Les uns y arrivent assez facilement parce qu'ils sont habitués à ce genre d'exercice ; pour d'autres, ce sera plus difficile. Ils commenceront des phrases qu'ils n'achèveront pas pour de multiples raisons : manque de vocabulaire, points de vue contradictoires qui s'affrontent dans leur esprit, informations qu'ils croient dangereuses de révéler, sentiment que l'interviewer ne comprend pas ou réagit négativement, etc. Dans ce cas, la réponse sera chaotique, décousue et parfois marquée par des virages que la logique a bien du mal à suivre, mais qui peuvent être révélateurs. Ceci nous amène à considérer la communication résultant de l'entretien comme un processus (plus ou moins pénible) d'élaboration d'une pensée et non comme une simple donnée.

« Le discours n'est pas la transposition transparente d'opinions, d'attitudes, de représentations existant de manière achevée avant la mise en forme langagière. Le discours n'est pas un produit fini, mais un moment dans un processus d'élaboration avec tout ce que cela comporte de contradictions, d'incohérences, d'inachèvements. Le locuteur s'exprime avec toute son ambivalence, ses conflits de base, l'incohérence de son inconscient, mais en la présence d'un tiers, sa parole doit subir l'exigence de la logique socialisée. Elle devient alors discours, "tant bien que mal" » (L. Bardin, *L'Analyse de contenu*, Paris, PUF, coll. Quadrige, 2007, p. 224).

Il existe des méthodes d'analyse de contenu spécialement conçues pour l'analyse du discours en tant que processus, notamment l'« analyse de l'énonciation » (L. Bardin, *op. cit.*, p. 223-242). Elle présente l'avantage d'être bien adaptée à l'entretien exploratoire, souple et accessible sans formation spécifique poussée. La plupart des lecteurs pourront toutefois se contenter de s'interroger sur ce que révèlent les récurrences et les transformations observables dans la forme des réponses : changements de style, d'humeur ou de ton, retours constants sur les mêmes propos quasi obsessionnels, contradictions entre différentes phases du discours, etc. À défaut d'en obtenir des enseignements sûrs, le chercheur pourra noter ce qui le surprend et en retirer de bonnes questions pour la suite de son travail.

c. Le discours en tant qu'interaction

Ce processus du discours se déroule dans une interaction entre deux personnes : la personne interrogée et le chercheur. Ce dernier n'est pas un élément neutre qui enregistrerait les propos de son interlocuteur comme le ferait une machine. Le discours du répondant ne serait pas exactement le même s'il avait affaire à un autre chercheur, avec une autre personnalité et sans doute d'autres réactions. Même s'il veille à rester aussi respectueux et aussi neutre que possible, le chercheur qui mène l'entretien reste fondamentalement intéressé. Il fera de son mieux pour que l'entretien se déroule dans une bonne atmosphère, aille jusqu'à son terme, apporte les informations attendues et lui permette d'avancer dans son propre projet de recherche. Au fur et à mesure de l'entretien, en écoutant son interlocuteur, il se posera de nouvelles questions, élaborera silencieusement des hypothèses, envisagera des pistes auxquelles il n'avait pas songé plus tôt, il lancera des ballons d'essai et cherchera à attirer son interlocuteur sur les sujets qui lui sembleront les plus féconds pour sa propre recherche.

Son interlocuteur le lui rendra bien lorsqu'il tentera d'amener l'entretien sur son propre terrain, celui où il se sentira le plus à l'aise, voire valorisé. Parfois, il cherchera à faire plaisir au chercheur en lui disant ce qu'il croit que ce dernier aimerait entendre. Ou encore, en quête de compréhension pour ses problèmes personnels, le répondant pourra se comporter avec le chercheur comme avec un confident bienveillant à qui il peut livrer son désarroi. Ou enfin, se sentant en position de force, il pourra chercher à « en imposer » à son interlocuteur, à lui en mettre plein la vue et à le rallier à ses propres convictions et intérêts.

Un entretien d'enquête est un processus d'interaction complexe. Derrière l'apparence d'une aimable conversation se joue souvent, entre les interlocuteurs, une partie riche de jeux d'influence et de pouvoir, de séduction et de répulsion, de désirs et de peurs, de malentendus aussi.

Pratiquement, ceci signifie que le chercheur ne peut analyser le contenu et le déroulement d'un entretien sans tenter de décrypter ce qui s'est joué et ce qui s'est passé dans son interaction avec le répondant. Pour être au clair avec autrui, il faut être au clair avec soi-même. C'est sans doute ici que le travail d'équipe prend tout son intérêt, car les collègues peuvent, souvent mieux que l'interviewer lui-même, saisir avec le recul nécessaire ce qui s'est joué dans une interaction dans laquelle ils n'étaient pas eux-mêmes impliqués et en dégager des enseignements précieux sur l'objet même de la recherche.

Il faut toutefois garder à l'esprit que, dans la phase exploratoire d'une recherche, l'analyse de contenu a une fonction essentiellement heuristique, c'est-à-dire qui sert à la découverte d'idées et de pistes de travail (qui seront concrétisées plus loin par les hypothèses). Elle aide le chercheur à éviter les pièges de l'illusion de la transparence et à découvrir ce qui se dit derrière les mots, entre les lignes et à travers les stéréotypes. Elle lui permet de dépasser, au moins dans une certaine mesure, la subjectivité de ses propres interprétations.

Toutes les recherches exploratoires ne nécessitent pas une analyse de contenu systématique, loin s'en faut. De plus, il n'existe pas de méthode d'analyse de contenu qui convienne pour tous les types de recherches. Selon l'objet de l'étude, l'entretien produira des discours ou communications dont les contenus peuvent être tellement différents que leur exploitation exigera des méthodes différentes. L'essentiel ici est de ne pas oublier que nous proposons les entretiens comme moyen de rupture et comme ressource pour construire la problématique de recherche, mais qu'ils peuvent aussi bien conduire au renforcement des préjugés s'ils sont effectués « en touriste » et exploités superficiellement. Il est donc vital, pour la recherche, de féconder les entretiens par des lectures et réciproquement, car c'est de leur complémentarité que résultera la problématique de recherche.

Travail d'application n° 6
Réalisation et analyse d'entretiens exploratoires

Cet exercice consiste à préparer, à réaliser et à exploiter quelques entretiens exploratoires liés à votre propre projet.

1. Préparation

• Définissez clairement les objectifs des entretiens. Pour rappel, il s'agit moins de rassembler des informations précises que de mettre en lumière les aspects importants du problème, d'élargir les perspectives théoriques, de trouver des idées, de se rendre compte de la manière dont le problème est vécu, etc.

• Mettez au point les aspects pratiques du travail : les personnes ou les types de personnes à rencontrer, leur nombre (très peu pour une première phase, par exemple entre trois et cinq), la manière de vous présenter, le matériel (carnet de bord, enregistrement...).

• Préparez le contenu du travail : les préoccupations centrales des entretiens, la manière de les engager et d'en présenter les objectifs aux personnes que vous rencontrerez, le guide d'entretien.

2. Réalisation

• Effectuez le travail en veillant à conserver vos enregistrements dans de bonnes conditions et à noter au plus vite vos observations complémentaires éventuelles.

3. Exploitation

• Écoutez et réécoutez tous vos enregistrements en prenant des notes (c'est fou ce que vous découvrirez encore à chaque écoute supplémentaire !).

• Si possible, faites écouter vos enregistrements par l'un ou l'autre de vos collègues. Racontez-leur vos expériences et demandez-leur de réagir à vos idées.

• Étudiez ce que les entretiens vous apportent en tant que source d'information, en tant que processus et en tant qu'interaction.

• Essayez, pour conclure, d'articuler ces idées les unes aux autres. Dégagez les idées principales. Regroupez les idées complémentaires. Bref, structurez les résultats de votre travail.

4. La place des méthodes exploratoires dans le processus de recherche

La lecture et l'entretien exploratoire sont les deux principaux dispositifs exploratoires. Dans le schéma classique du processus de recherche, ils doivent précéder les étapes consacrées à l'investigation plus approfondie et systématique de l'objet de recherche. Il s'agit en effet de ne pas se lancer tête baissée dans la mise en œuvre des tâches suivantes, comme le choix d'un échantillon, la mise en route d'un dispositif méthodologique plus lourd et le recueil d'un matériau empirique nettement plus important. Avec certaines méthodes, comme l'enquête par questionnaire, dès que le dispositif est lancé, il est impossible de faire marche arrière, et les erreurs ou oublis se paient cher.

L'approche consistant à distinguer nettement la phase exploratoire des étapes suivantes de la recherche et à lui associer des lectures et des entretiens doit être nuancée sur deux points.

4.1 Les méthodes exploratoires complémentaires

Dans la pratique, il est rare que les entretiens exploratoires ne soient pas accompagnés d'un travail d'observation ou d'analyse de documents. Par exemple, lors d'un travail sur la situation des musées à Bruxelles et en Wallonie, l'un d'entre nous a été amené à rencontrer de nombreux conservateurs. Comme les entretiens se déroulaient généralement dans les musées mêmes, il n'a évidemment pas manqué de les visiter et d'y revenir afin de se rendre compte par lui-même de leur atmosphère, de leur conception didactique ou de la manière dont les visiteurs du moment s'y comportaient. De plus, ses interlocuteurs institutionnels lui ont remis des documents sur leur propre musée ou sur le problème général qui les préoccupait.

Bref, entretiens, observations et consultations de documents divers vont souvent de pair au cours du travail exploratoire. Dans les trois cas, les principes méthodologiques sont fondamentalement les mêmes : laisser courir son regard sans s'obstiner sur une piste unique, écouter tout autour de soi sans se contenter d'un seul message, se laisser pénétrer par les ambiances, et chercher à discerner les dimensions essentielles du problème étudié, ses facettes les plus révélatrices et, par suite, les modes d'approche les plus éclairants. L'exploitation de ce travail consiste alors à lire et à relire les notes prises au fur et à mesure afin d'en dégager les pistes d'investigation les plus intéressantes.

Nous reviendrons plus loin sur les méthodes d'observation. L'intérêt de conjuguer plusieurs méthodes est de faire des liens entre les faits ou propos que chacune apporte, et de les croiser en vue de dégager les perspectives de recherche les plus intéressantes.

4.2 Continuité entre la phase exploratoire et les étapes suivantes

Dans une démarche déductive, telle que présentée ici, l'exploration constitue une étape en tant que telle, qui a une consistance certaine et dont on ne peut pas faire l'économie, surtout si l'on envisage de mettre en œuvre par la suite un dispositif de recherche où il est difficile de revenir en arrière, par exemple appuyé sur une enquête par questionnaire.

Dans une démarche inductive, cette étape tend à se limiter au strict minimum (quelques lectures préalables, une ébauche d'échantillonnage, quelques entretiens en guise de tests...), de façon à ce que le chercheur s'engage le plus vite possible dans le cœur de son travail. Une telle option pose évidemment moins de problèmes lorsque le dispositif méthodologique est souple et réversible, par exemple dans l'entretien compréhensif, tel que conçu par J.-C. Kaufmann (*L'Entretien compréhensif*, Paris, Nathan, 1996, p. 38-39). C'est pourquoi cet auteur suggère de ne pas trop prolonger la phase exploratoire.

La recherche de Howard Becker sur les musiciens de jazz et les fumeurs de marijuana (*Outsiders, Études de sociologie de la déviance*, Paris, Métailié, 1985) est un exemple classique de démarche inductive où il n'y a pas, à proprement parler, de phase exploratoire. Becker y applique ce qu'il appelle l'induction analytique (p. 67). Cette méthode consiste à formuler, après quelques entretiens individuels, une hypothèse capable de rendre compte des phénomènes observés (par exemple les changements qui s'effectuent dans l'expérience des apprentis fumeurs et qui les conduisent à persévérer ou non). Chaque fois qu'un nouveau cas, apparu dans un nouvel entretien, ne confirme pas l'hypothèse, Becker la reformule pour qu'elle concorde avec ce nouveau cas problématique. Il y a donc un aller-retour constant et une intégration étroite entre le travail empirique (les entretiens) et le travail théorique (les hypothèses).

D'autres auteurs qui optent également pour une démarche inductive (notamment R. Sauvayre, *Les Méthodes d'entretien en sciences sociales*, Paris, Dunod, 2013) insistent néanmoins sur l'importance des entretiens exploratoires pour diverses raisons : la nécessaire familiarisation avec le terrain, l'entraînement à la pratique de l'entretien, le test de pistes de recherches, l'élaboration progressive de la problématique...

Nous reviendrons plus loin sur les scénarios de recherche non linéaire et en donnerons un exemple dans la seconde application concrète en fin de volume.

La décision de donner ou non une place importante à l'exploration dépend également, pour une large part, de l'expérience du chercheur. Au moment où il entame une nouvelle recherche, un chercheur aguerri démarre à un stade très différent de celui d'un chercheur débutant ; il maîtrise parfaitement un ensemble de ressources théoriques, il a lu énormément au cours de sa carrière, il a déjà réalisé des centaines d'entretiens… il a, comme on dit, « du métier », ce qui lui permet plus facilement de se dispenser éventuellement d'une étape exploratoire consistante. Ceci n'est pas vrai pour un chercheur débutant, qui entame sa recherche fort désarmé. Lui conseiller de procéder prudemment, de s'informer correctement, de prendre un premier contact avec son terrain s'il le connaît peu au départ, de procéder à un premier tour de piste, de réfléchir à sa problématique et d'évaluer cette expérience avant d'engager plus avant toutes ses forces et ressources dans l'aventure n'est certainement pas un luxe et lui évitera peut-être d'aller d'emblée au casse-pipe.

Enfin, les enseignements de la phase exploratoire peuvent être déterminants pour le choix des méthodes de collecte et d'analyse des informations mises en œuvre dans les étapes suivantes. Dans de nombreux cas en effet, une exploration préalable du sujet évite d'opter trop vite et exclusivement pour une méthode, comme l'entretien compréhensif, qui n'est pas forcément la plus adéquate, ni suffisante à elle seule (voir les étapes 5 et 6).

Bref, dans un manuel de formation, pour des raisons tant pédagogiques que pratiques, nous préférons nous en tenir à une forme de « classicisme méthodologique » en distinguant clairement entre les différentes étapes, et en insistant sur l'importance de ne pas bâcler la phase exploratoire. Ce n'est qu'après avoir appris à maîtriser les différentes étapes et les règles de base que le chercheur pourra prendre, à ses risques et périls, une plus grande liberté à leur égard.

Résumé de la 2ᵉ étape
L'exploration

Le projet de recherche ayant été provisoirement formulé sous la forme d'une question de départ, il s'agit ensuite d'atteindre une certaine qualité d'information sur l'objet étudié et de trouver les meilleures manières de l'aborder. C'est le rôle du travail exploratoire. Celui-ci se compose de deux parties qui sont souvent menées parallèlement : d'une part un travail de lecture et d'autre part des entretiens ou d'autres méthodes appropriées.

Les lectures préparatoires servent d'abord à s'informer des recherches déjà menées sur le thème du travail et à situer la nouvelle contribution envisagée par rapport à elles. Grâce à ses lectures, le chercheur pourra en outre mettre en évidence la perspective qui lui paraît la plus pertinente pour aborder son objet de recherche. Le choix des lectures demande à être fait en fonction de critères bien précis : liens avec la question de départ, dimension raisonnable du programme, éléments d'analyse et d'interprétation, approches diversifiées, plages de temps consacrées à la réflexion personnelle et aux échanges de vues. De plus, la lecture proprement dite doit être effectuée à l'aide d'une grille de lecture appropriée aux objectifs poursuivis.

Enfin, des résumés correctement structurés permettront de dégager les idées essentielles des textes étudiés et de les comparer.

Les entretiens exploratoires complètent utilement les lectures. Ils permettent au chercheur de prendre conscience d'aspects de la question auxquels sa propre expérience et ses seules lectures ne l'auraient pas rendu sensible. Les entretiens exploratoires ne peuvent remplir cette fonction que s'ils sont peu directifs car l'objectif ne consiste pas à valider les idées préconçues du chercheur, mais bien à en imaginer de nouvelles. Les fondements de la méthode sont à rechercher dans les principes de la non-directivité de Carl Rogers, adaptés en vue d'une application dans les sciences sociales.

Trois types d'interlocuteurs intéressent ici le chercheur : les spécialistes de l'objet étudié, les témoins privilégiés et les personnes directement concernées.

L'exploitation des entretiens est triple. D'abord, les propos entendus peuvent être abordés directement en tant que source d'information ou de contenus ; ensuite, chaque entretien peut être décodé en tant que processus au cours duquel l'interlocuteur exprime sur lui-même une vérité plus profonde que celle qui est immédiatement perceptible ; enfin, chaque entretien peut être analysé comme une interaction révélatrice entre la personne interviewée et le chercheur.

Les entretiens exploratoires sont souvent mis en œuvre en même temps que d'autres méthodes complémentaires, telles que l'observation et l'analyse de documents.

Au terme de cette étape, le chercheur peut être amené à reformuler sa question de départ d'une manière qui tienne compte des enseignements de son travail exploratoire.

Travail d'application n° 7
Reformulation de la question de départ

Cet exercice consiste à revoir la question de départ et à l'adapter éventuellement au développement de votre réflexion et aux caractéristiques principales de votre questionnement. Procédez comme suit :

- Sous sa première formulation, votre question de départ traduit-elle bien votre intention telle qu'elle vous apparaît au terme du travail exploratoire ? Peut-elle continuer à vous servir de fil conducteur ? Si oui, pourquoi ? Si non, pourquoi ?
- Si non, formulez votre projet revu et corrigé sous forme d'une nouvelle question de départ. Veillez à ce que cette nouvelle question réponde aux critères présentés dans la 1re étape.

S'il est important qu'elle traduise aussi justement que possible vos intentions, elle n'en doit pas moins conserver les qualités qui la rendent opérationnelle. Ne cherchez donc pas à y exprimer toute la profondeur et toutes les nuances de votre pensée. Un itinéraire n'est pas un guide touristique, même s'il s'en inspire directement.

Cet exercice est bien entendu à refaire après chaque salve de travail exploratoire.

La problématique

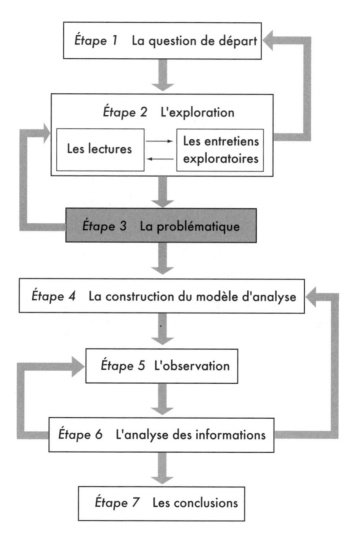

Les étapes de la démarche

1. Objectifs

À l'étape précédente, nous avons vu comment procéder à l'exploration. Il s'agit maintenant de prendre du recul ou de la hauteur par rapport aux informations recueillies et de maîtriser les idées rassemblées afin de préciser les grandes orientations de la recherche et de définir une problématique en rapport avec la question de départ.

La problématique est l'approche ou la perspective théorique qu'on décide d'adopter pour traiter le problème posé par la question de départ. Elle est l'angle sous lequel les phénomènes vont être étudiés, la manière dont on va les interroger. Les pistes théoriques qu'elle définit devront être opérationnalisées de manière précise dans l'étape suivante de construction du modèle d'analyse. À ce stade-ci, c'est le type de regard porté sur l'objet qui importe, pas encore la mécanique et les outils précis de ce regard. À ce titre, la problématique représente une étape charnière entre la rupture et la construction. Elle va souvent conduire à reformuler la question de départ qui, réélaborée en cours de travail, deviendra progressivement la question effective de la recherche.

Il ne s'agit pas de plaquer de manière artificielle et dogmatique sur le phénomène étudié une théorie toute faite apprise dans un enseignement théorique de sociologie, d'anthropologie, de sciences politiques, de science de la communication ou de toute autre discipline que ce soit. L'élaboration d'une problématique de recherche prend sa source dans l'exploration et se poursuit dans sa continuité. Au fur et à mesure des salves de lecture, les contenus des différents textes et les points de vue qu'ils retiennent ont en effet été comparés. Les entretiens ont complété les lectures en permettant au chercheur de prendre conscience d'aspects du problème auxquels il n'était pas forcément sensible au départ. Lectures et entretiens l'amènent à aborder le problème sous un certain angle, qui lui paraît le plus intéressant et le plus pertinent au regard de ses propres objectifs. C'est cet angle qu'on appelle la problématique.

Pour en saisir la nature et pour la construire, nous procéderons en trois temps. Dans un premier temps, nous expliquerons en quoi consiste une problématique à partir de plusieurs exemples concrets. Dans un second temps, nous montrerons en quoi les concepts constituent les ressources principales pour l'élaboration d'une problématique. Dans un troisième temps, nous proposerons des repères pour s'y prendre concrètement, de manière efficace.

2. Exemples de problématiques

Le premier exemple illustre le fait que, pour étudier une même question de départ, différentes problématiques sont envisageables, qu'il faut donc commencer par les découvrir et ensuite faire des choix en connaissance de cause. Il est important d'en prendre ici connaissance car il servira de base à une des principales applications illustrant l'étape suivante, consacrée à la construction du modèle d'analyse.

2.1 Les comportements sexuels face au risque du Sida

À partir des années quatre-vingt, le Sida est devenu un problème de santé publique de niveau planétaire. Près de 40 millions de personnes dans le monde vivent avec le VIH, le virus responsable du Sida, et près de 35 millions en sont déjà décédées (estimations de l'OnuSida). Pour lutter contre cette maladie encore très mal connue à l'époque, de vastes programmes de recherche furent lancés, tant dans le domaine des sciences biologiques et médicales que dans celui des sciences sociales. Les premières cherchaient à comprendre la nature de la maladie, les processus biologiques à l'œuvre dans les organismes touchés par le virus ainsi que ses modes de transmission, et à mettre au point des réponses médicales. Dès qu'il fut clair que, outre la transmission mère-enfant, le VIH se transmettait essentiellement par injections intraveineuses et par les relations sexuelles, les sciences sociales furent également mobilisées pour mieux comprendre les comportements à risque, en vue de les éviter. C'est en grande partie sur la base de ces travaux que des campagnes de prévention ont été lancées dans de nombreux pays, en particulier au cours des années quatre-vingt-dix.

La question de départ porte ici uniquement sur les comportements sexuels et peut être dès lors formulée comme suit : qu'est-ce qui fait que, dans leurs pratiques sexuelles, les partenaires prennent ou non des risques de contamination par le VIH ?

L'étude de la prise de risque dans les pratiques sexuelles s'est heurtée à une double difficulté : d'une part, au cours des années précédant l'apparition du Sida, la question de la sexualité de la population avait été longuement délaissée par les sciences sociales, et on ne disposait pas d'enquêtes récentes et de grande envergure sur ce sujet ; d'autre part, le Sida représentait une réalité nouvelle qui touchait aux représentations de la sexualité, de l'amour et de la mort notamment, aux valeurs et aux sensibilités les plus profondément ancrées. On partait donc quasiment de zéro sur un sujet complexe et difficile à traiter. Mais il fallait bien se lancer. C'est pourquoi, au niveau européen (auquel on se limitera ici, sans inconvénient car l'essentiel est de bien comprendre en quoi consiste une problématique), plusieurs dizaines de chercheurs en psychologie sociale, en sociologie, en épidémiologie, en anthropologie et en économie notamment, représentant une douzaine de pays différents, se sont concertés pour échanger leurs approches théoriques, leurs méthodes de recherche et les résultats de leurs travaux, en vue de produire des connaissances fiables sur le sujet à partir d'enquêtes quantitatives et qualitatives. Cette expérience collective a constitué un exercice grandeur nature de problématisation dont nous reprendrons ici quelques-uns des principaux repères, qui permettront au lecteur de bien saisir en quoi consiste cette étape. Dans la suite de l'ouvrage, plusieurs applications seront reprises de certains volets de cette expérience de recherche.

a. Connaissances, croyances et attitudes

La plupart des toutes premières enquêtes réalisées ont adopté une problématique qui semblait s'imposer par le bon sens. Elle reposait sur l'idée que l'individu se comporte de manière rationnelle, en fonction de ses intérêts. S'il a une *connaissance* correcte du risque et des modes de transmission, s'il adopte une *attitude* responsable (ne pas s'exposer inutilement à des situations à risque pour la santé) et s'il n'a pas de *croyances* naïves dangereuses (par exemple que sa foi en Dieu le protégera de tout risque), il va forcément adopter des *pratiques* conformes à son intérêt, comme se limiter à un(e) partenaire sûr(e) ou utiliser un préservatif. Connaissance, attitudes, croyances et pratiques... en anglais *Knowledge, Attitudes, Beliefs and Practices*, c'est la raison pour laquelle on a appelé ces enquêtes KABP. La problématique s'inscrit dans ce qu'on appelle le « paradigme » (c'est-à-dire dans le cadre de pensée) de l'individu rationnel. Les enquêtes inspirées de cette problématique ont pour objectif d'appréhender les connaissances, les attitudes et les croyances censées expliquer les comportements (ou les pratiques) et de saisir les profils des individus qui les adoptent (âge, sexe, catégorie professionnelle, mode d'habitat, etc.). La prévention consiste alors à informer le mieux possible la population, en ciblant tout particulièrement ses composantes les plus vulnérables, comme les jeunes adultes qui ont plusieurs partenaires en même temps ou à la suite les un(e)s des autres.

Le raisonnement semble imparable et la problématique de pur bon sens. Pourtant, les choses ne sont pas aussi simples. En effet, les enquêtes ont montré que, dans certaines circonstances particulières (comme au début d'une nouvelle relation, après une rupture, lors d'une rencontre occasionnelle...), de nombreuses personnes bien au fait des risques de contamination n'en encouraient pas moins en connaissance de cause. Les campagnes de prévention générale, qui consistaient essentiellement à fournir une information correcte sur les modes de transmission du VIH à l'ensemble de la population, semblaient n'avoir que peu d'impact sur les comportements des personnes aux conduites considérées comme les plus à risque, et qui en étaient en principe les premières cibles. Certains défenseurs de cette approche, convaincus de sa pertinence, ont refusé de la remettre en question et préféré mettre les comportements à risque qui ne cadraient pas avec leur vision des choses sur le compte d'une faiblesse passagère ou, s'ils se renouvelaient, d'une situation de crise des repères moraux (que Émile Durkheim a appelée anomie) chez certains individus considérés comme très minoritaires et « irrécupérables ». C'était toutefois un peu court.

En effet, les enquêtes ont révélé que, parmi celles et ceux qui encouraient régulièrement ou occasionnellement des risques, on comptait nombre de personnes aux propos et aux réponses très sensés, qui semblaient avoir de bonnes raisons personnelles de se comporter de manière à encourir un risque de contamination jugé par elles acceptable. Un certain nombre d'observations ont également surpris les chercheurs, comme le fait que les comportements d'une même personne face au risque pouvaient varier du tout au tout selon le stade où elle se trouvait dans sa trajectoire de vie, selon le partenaire à qui elle avait affaire et selon le stade où en était leur relation. Tout cela ne cadrait pas très bien avec l'image de l'individu rationnel.

b. La trajectoire de vie

C'est pourquoi, constatant l'instabilité des comportements face au risque chez une même personne, certains chercheurs ont pensé qu'il était impossible de la comprendre sans prendre en considération sa trajectoire de vie ainsi que certaines circonstances de la vie au cours desquelles l'individu est particulièrement vulnérable (notamment D. Peto, J. Remy, L. Van Campenhoudt, M. Hubert, *Sida : l'amour face à la peur*, Paris, L'Harmattan, 1992 ; F. Delor et M. Hubert, « Revisiting the concept of "vulnerability" », *Social Science and Medecine*, 2000, n° 50, p. 1557-1570). Il s'agit par exemple de phases de la vie intime ou de circonstances où l'individu découvre la sexualité, débute une nouvelle relation, éprouve une rupture douloureuse, vit une situation affective très instable pour diverses raisons, est en situation de crise existentielle, se voit imposer une relation ou des pratiques sexuelles par un partenaire dominateur et/ou violent, ou est en pleine phase de *coming out* au cours de laquelle une personne homosexuelle décide d'assumer ouvertement son homosexualité.

Les enquêtes de ces chercheurs ont alors consisté à identifier précisément ces situations critiques, à saisir le mieux possible ce qui s'y jouait pour les personnes concernées et en quoi ces situations étaient problématiques du point de vue du risque. Par exemple, au cours de leur première rencontre, des jeunes gens très amoureux l'un de l'autre peuvent renoncer à utiliser un préservatif par crainte que ce ne soit interprété par leur partenaire comme un manque d'amour et de confiance.

Cette problématique de la trajectoire de vie sera reprise dans une application à la fin de cet ouvrage.

c. La dynamique de la relation

L'exemple ci-dessus montre bien la faiblesse d'une problématique qui tenterait d'expliquer les comportements sexuels en oubliant que ces derniers s'inscrivent dans une relation, qu'un individu n'agit pas seul, qu'il est impliqué dans un lien, intime de surcroît, avec une autre personne. En principe, dans une relation, les partenaires ont tous deux leur mot à dire et ils engagent bien plus que leur seule raison : des espoirs (par exemple que la relation dure éternellement, ou qu'elle ne soit qu'éphémère), des appréhensions (par exemple de ne pas faire bonne figure), des émotions (comme du désir, de l'amour, de la passion), etc.

À travers leurs comportements, les partenaires échangent des messages par lesquels ils construisent (ou détruisent) leur relation. Par exemple, pour certains, renoncer à utiliser un préservatif lors d'une nouvelle relation peut être une marque de confiance et d'amour. À leurs yeux, y a-t-il plus belle preuve d'amour que de courir des risques, voire de risquer sa vie, par amour ? *A contrario*, celui ou celle qui tient à conquérir le cœur de l'autre peut craindre que la volonté de lui imposer le préservatif ne soit interprétée comme un manque de confiance et une marque de distance. Ces exemples montrent que, loin de n'être que des conséquences de causes extérieures à la relation elle-même (comme les connaissances et les croyances), les comportements sont constitutifs de la relation. La problématique consiste alors à considérer les comportements face au risque comme des « accomplissements relationnels » dont il s'agit de déceler le sens, par exemple vouloir séduire, plaire, s'attacher l'amour de l'autre, lui apporter du plaisir, faire bonne figure ou ne pas être rejeté.

C'est pourquoi, les chercheurs ont tenté d'élaborer des problématiques au cœur desquelles se trouvait la relation entre les partenaires.

d. Le réseau social des partenaires

Si chaque relation intime possède ses caractéristiques et sa dynamique propres, elle n'est pas totalement indépendante, loin s'en faut, de l'ensemble des relations des deux partenaires, ou encore de leurs réseaux sociaux respectifs. L'influence du réseau des proches est décisive, notamment sur les opportunités de rencontre, le choix des partenaires avec qui une relation durable est envisagée et les normes de comportement en matière de sexualité. Sur ce dernier point, plusieurs recherches ont clairement montré que les individus tendaient à adopter pour eux-mêmes les normes de conduite effectivement en vigueur dans leur réseau de proches. Dès lors, pour comprendre les comportements des individus face au risque de contamination par le VIH, il faut étudier en quoi leur modèle de sexualité est influencé par les normes en vigueur dans ces réseaux et par le contrôle social qui y est exercé. On trouvera un développement de ces idées dans J. Marquet, Ph. Huynen et A. Ferrand, « Modèles de sexualité conjugale. De l'influence normative du réseau social », *Population*, 6, 1997, 1401-1438. Cette problématique de l'influence normative du réseau des proches sera retenue pour une des applications qui servira d'exemple dans les trois étapes suivantes.

e. La dimension symbolique de la sexualité

Aux relations sexuelles sont associées un ensemble de représentations (sur les images et les rôles respectifs de l'homme et de la femme, sur le corps, sur ce qui est bien et sur ce qui est mal, sur ce qui est beau et sur ce qui est laid, sur ce qui est permis et sur ce qui est interdit, sur la vie et sur la mort...) qui varient selon les cultures et sous-cultures. C'est ce qu'on appelle la dimension symbolique de la sexualité. À ces représentations sont liés un ensemble d'émotions, de sentiments, de fantasmes qui incitent à certains comportements, éventuellement à risque. Cette dimension symbolique de la sexualité a été particulièrement étudiée par les anthropologues (voir par exemple I.L. Reiss, « A sociological journey into sexuality », *Journal of Marriage and the Family*, 1986, n° 48, 233-242).

Ces représentations de la sexualité sont associées à des positions inégales plus ou moins légitimes ou illégitimes et à des rapports de forces (entre l'homme et la femme, entre personnes mariées et célibataires, entre l'adulte et le jeune, entre l'adulte et la personne âgée, entre les hétérosexuels et les homosexuels, entre classes sociales...) ainsi que, par conséquent, à des processus de contrôle social explicites ou implicites. On parlera alors de domination symbolique.

Ces processus symboliques peuvent avoir une grande influence sur les comportements, et notamment pour ce qui nous intéresse ici, les comportements face au risque de contamination par le VIH, et favoriser la prise de risque. Quelques exemples parmi beaucoup d'autres possibles : dans un contexte social et culturel de domination masculine, les femmes peuvent se voir imposer des rapports sans protection par des hommes qui multiplient les partenaires ; si des autorités religieuses influentes condamnent l'utilisation du préservatif en tablant sur une fidélité conjugale plus qu'incertaine, le risque de rapports non protégés peut augmenter ; un contrôle social sévère, voire un climat de répression à l'égard de l'homosexualité peuvent encourager les pratiques clandestines non protégées. C'est pourquoi, certains chercheurs ont choisi pour problématique l'impact de ces processus symboliques sur les comportements à risque.

Bref, il est possible d'étudier les comportements face au risque de contamination par le VIH dans les relations sexuelles à partir des connaissances et croyances des individus ou à partir des phases successives et des situations, plus ou moins problématiques, qu'ils traversent au cours de leur trajectoire de vie, ou à partir de la dynamique de la relation entre les partenaires sexuels, ou à partir de l'influence normative de leur réseau de proches, ou encore à partir des processus symboliques, notamment de domination, qui incitent à adopter soi-même ou à subir du partenaire certains comportements et certaines pratiques. Cette liste des problématiques possibles n'est pas exhaustive.

Confronté à la multiplicité des problématiques envisageables, comment faire un choix ? La première chose à faire est de prendre connaissance des problématiques possibles. C'est en principe la fonction de la phase exploratoire. Dans à peu près tous les domaines de la recherche, il existe des ouvrages et des articles qui synthétisent les approches existantes (par exemple, pour ce qui concerne notre question : L. Van Campenhoudt, M. Cohen, G. Guizzardi, D. Hausser, Eds, *Sexual Interaction and HIV-Risk. New Conceptual Perspectives in European Research*, London, G.-B., and Bristol, USA, Taylor & Francis, 1997).

Il faudra ensuite retenir, parmi les problématiques possibles, la plus susceptible d'apporter un éclairage intéressant et utile sur le phénomène étudié (c'est-à-dire ici sur les comportements face au risque) en tenant compte du contexte concret et des raisons pour lesquelles on veut mener cette recherche. Par exemple, il n'est pas indifférent d'étudier les comportements de l'ensemble d'une population ou d'un groupe particulier (comme des jeunes adultes célibataires), en général ou dans une situation particulière (par exemple après une rupture), dans tel ou tel contexte particulier (par exemple au cours d'un festival ou sur un campus universitaire). La problématique doit être adaptée à la situation concrète et aux objectifs de chaque projet particulier.

On peut également bricoler sa propre problématique à partir d'éléments repris dans plusieurs autres. Par exemple, dans la deuxième application retenue comme illustration de la démarche à la fin de cet ouvrage, les chercheurs ont combiné trois problématiques, celle de la trajectoire individuelle des partenaires, celle de l'interaction entre eux et celle de leur réseau social.

Dans le contexte particulier du début des années quatre-vingt-dix, la prévention du risque de contamination par le VIH nécessitait une connaissance approfondie et rigoureuse de la sexualité de l'ensemble des citoyens car cette connaissance de base manquait, en Europe notamment. Certes, dans certaines revues ou dans certains ouvrages, on parlait beaucoup de sexualité, de pratiques sexuelles et même, à partir des années soixante, de libération sexuelle, mais aucune enquête sérieuse et portant sur l'ensemble de la population n'avait été réalisée au cours des dernières années. Une connaissance de la sexualité de la population devenait soudain urgente et préalable à toute politique préventive à la fois systématique et bien ciblée. Il fallait donc rapidement combler cette lacune. La plupart des pays européens ont alors engagé les moyens nécessaires pour réaliser des enquêtes sur les comportements sexuels de la population générale. En France notamment, une vaste enquête a été menée dès le début des années quatre-vingt-dix par une importante équipe de chercheurs (A. Spira, N. Bajos, Groupe ACSF, *Les Comportements sexuels en France*, Paris, La Documentation française, 1993). Si l'enquête portait sur les comportements sexuels en tant que tels et d'une manière générale, A. Giami (« Le questionnaire de l'enquête ACSF. Influence d'une représentation épidémiologique de la sexualité », *Population*, 5, 1993, 1229-1256), un des chercheurs ayant participé à l'enquête, a montré que les problématiques liées au Sida avaient profondément influencé la conception et l'élaboration du questionnaire. Dans une perspective épidémiologique, ce sont principalement les pratiques susceptibles d'exposer au risque qui ont intéressé les chercheurs. De plus, certaines pratiques sexuelles n'ont été que superficiellement étudiées parce que leur exploration aurait pu paraître inconvenante aux yeux de certains répondants. Finalement, la rédaction du questionnaire résulte d'un ensemble de compromis : scientifique (entre les chercheurs qui avaient, dans une certaine mesure, des intérêts scientifiques différents), politique (selon ce qui semblait politiquement acceptable et pouvait servir aux campagnes de prévention), économique (selon les coûts de certaines investigations, notamment concernant la constitution de l'échantillon) et psychologique (en fonction de la sensibilité des répondants telle qu'anticipée).

Tout cela peut parfaitement se comprendre ; il fallait que le questionnaire soit non seulement efficace d'un point de vue technique, mais encore acceptable socialement et psychologiquement. Il fallait également convaincre ceux qui décidaient de l'attribution du budget que le problème du Sida y était effectivement pris en compte. Cet exemple montre bien qu'une problématique de recherche ne se détermine pas seulement en fonction de critères scientifiques. Il importe dès lors que le chercheur soit au clair avec les choix qu'il pose, explicitement ou implicitement, et qu'il mesure bien les limites que ces choix imposent à sa recherche et à ses résultats.

Dans l'étape suivante (La construction du modèle d'analyse), on repartira de cet exemple des comportements face au risque du VIH.

2.2 Les attentes des citoyens à l'égard de la justice

Ce second exemple vise à montrer comment des chercheurs élaborent pas à pas une problématique à partir de l'exploration (étape 2), tout en procédant à une rupture avec les interprétations courantes du phénomène étudié. Ce travail réel a été effectué en équipe et dans des conditions idéales, dont ne dispose pas un étudiant ou un jeune chercheur ; il est néanmoins exposé ici car il permet de bien comprendre la logique du processus de construction d'une problématique.

Nous sommes en Belgique, à la fin des années quatre-vingt-dix. L'affaire Dutroux, qui s'était rendu coupable de l'enlèvement, du viol et de l'assassinat de plusieurs jeunes filles, a bouleversé le pays et connu une répercussion mondiale. À la même époque, d'autres affaires criminelles ont touché la Belgique, notamment celle, non résolue jusqu'ici, des « tueurs du Brabant », une bande de criminels qui ont semé la terreur et assassiné une quarantaine de personnes dans plusieurs grandes surfaces commerciales. Ces affaires et quelques autres de moindre importance, relevant notamment de la délinquance ordinaire, avaient jeté le trouble sur le fonctionnement de la justice, de la gendarmerie et de la police, sévèrement critiquées pour ce qu'on a appelé leurs « dysfonctionnements ».

Dans ce contexte, de nombreux sondages ont été réalisés et publiés dans les médias sur les opinions des citoyens à l'égard de la justice. Les questions portaient essentiellement sur son fonctionnement, sur

la manière et la vitesse avec lesquelles elle traitait les dossiers ainsi que sur son impartialité, comme :
- *La justice dysfonctionne.*
- *La justice est trop lente.*
- *La justice protège les puissants.*

  Êtes-vous tout à fait d'accord, plutôt d'accord, plutôt pas d'accord, pas du tout d'accord ?

Le moins qu'on puisse dire est que, dans l'atmosphère ambiante, les réponses étaient « téléphonées ». Quand on ne cesse de répéter sur toutes les ondes et dans tous les journaux que la justice dysfonctionne, qu'elle est trop lente, qu'elle protège sans doute les puissants... qui va marquer son désaccord avec de telles propositions, sinon une petite minorité de citoyens ? Les réponses à de telles questions superficielles ne peuvent être elles-mêmes que superficielles, chacun ne faisant que répéter les mêmes banalités. De plus, les opinions qu'elles expriment sont trop directement influencées par l'actualité immédiate et donc éphémères. Par ailleurs, les notions utilisées sont floues : qu'est-ce qu'un « dysfonctionnement » ? Qu'est-ce qui serait trop lent dans le fonctionnement de la justice : les retards dans la prise en charge des dossiers à cause de leur accumulation, ou leur traitement à partir du moment où ces dossiers sont pris en charge ? Autre problème, la justice est ici jugée comme un tout homogène, alors qu'elle comporte de nombreuses composantes. Enfin, de telles questions n'apprennent rien sur ce qui fait que les citoyens ont telle ou telle opinion, pensent ceci ou cela. Ces sondages (et ces questions) ne font que reprendre des idées toutes faites, des stéréotypes, en leur donnant le statut d'objets soi-disant scientifiques. Il n'y a pas de véritable « problématique » et pas la moindre rupture.

Face à la multiplication des sondages superficiels et tendancieux, sur injonction du Gouvernement belge, les Services fédéraux de la recherche scientifique ont demandé à une équipe de chercheurs de concevoir un projet d'enquête rigoureuse sur les attentes des citoyens à l'égard de la justice. À ce stade, il ne s'agissait pas encore de réaliser effectivement l'enquête, mais de la concevoir idéalement.

La question de départ a été formulée comme suit : « Quelles sont les attentes des citoyens à l'égard de la justice ? » La phase exploratoire a été effectuée par une petite équipe pluridisciplinaire, mise sur pied pour la circonstance, et composée de spécialistes en sociologie, en philosophie du droit, en droit et en criminologie. Ensuite, le relais a été pris par des sociologues spécialisés en méthodologie qualitative et quantitative.

La phase exploratoire a comporté trois parties, menées en parallèle :

- Tout d'abord, un examen des principaux travaux historiques, philosophiques et sociologiques portant sur la justice et ses relations avec la société, sur les rapports entre les citoyens et la justice, de manière à mettre le problème en contexte et à prendre en compte les évolutions longues de la société. Face à l'abondance de travaux disponibles, il a fallu sélectionner ceux qui présentaient une vue synthétique et qui étaient les plus pertinents compte tenu du contexte et de l'objectif poursuivi. Cet examen a permis de prendre toute la mesure de phénomènes qu'il était important de prendre en compte. Citons notamment, sans prétention à l'exhaustivité :
  - le recours de plus en plus systématique au droit et à la justice pour réguler les échanges et résoudre des conflits qui se réglaient auparavant autrement (ce qu'on a appelé la juridicisation des relations interpersonnelles) ;
  - la pluralité des modèles de justice : justice d'imposition où la décision est l'application d'une norme justifiée *a priori*, justice communicationnelle où la décision juste se construit à partir du savoir des acteurs, justice distante ou justice de proximité, justice rendue sur la base de procédures légales et administratives formelles ou sur base de modes de gestion informels comme la transaction... ;
  - la désacralisation des institutions en général (voir notamment l'ouvrage de F. Dubet, *Le Déclin de l'institution*, Paris, Le Seuil, 2002) envers lesquelles le citoyen a de plus en plus une attitude de consommateur et qu'il ressent comme de plus en plus éloignées de son propre vécu ;
  - l'importance des enjeux de reconnaissance (voir A. Honneth, *The Struggle for Recognition*, Cambridge, Polity Press, 1995), notamment comme victime, le pénal faisant fonction de grand restaurateur symbolique ;
  - l'influence des médias (y compris de la fiction) et des *leaders* d'opinion (hommes politiques, journalistes, intellectuels...) qui élaborent et proposent aux citoyens des représentations de la justice abondamment diffusées dans l'espace public.
- Ensuite, un recueil des principales données disponibles sur l'organisation, le fonctionnement et le travail concret de la justice, notamment des statistiques sur l'activité de la justice dans ses différentes instances (le civil, le pénal...). Il s'agissait d'être attentif à la manière dont l'organisation et le fonctionnement de la justice conditionnent les expériences que les citoyens en ont et donc leurs représentations et leurs attentes, d'identifier les principaux enjeux qui mettent le citoyen

en relation avec l'institution judiciaire (par exemple, plainte pour vol et agression, transaction pour excès de vitesse et stationnement, régimes matrimoniaux, mariages et divorces, filiation et adoption, affaires patrimoniales, biens et propriétés, successions, relations et opérations commerciales, faillites, contrats, travail, assurances, sécurité sociale, infractions commises par des mineurs, appel, crimes jugés en Cour d'Assises)… Par exemple, selon que l'on s'en sorte gagnant ou perdant, reconnu ou non comme victime, la représentation de la justice variera ; elle sera elle-même jugée juste ou injuste, partiale ou impartiale, sévère ou laxiste, etc., et ces représentations-là seront sans doute relativement durables et solidement ancrées. Il s'agissait donc ici de prendre en compte la diversité des enjeux et des expériences de la justice au sein de la population, qui mettent en œuvre une pluralité de modèles de justice, plutôt que de demander des avis sur la justice en général.

- Enfin, un relevé de ressources théoriques de la sociologie et de la psychosociologie sur la manière dont les représentations s'élaborent dans les interactions sociales. En effet, les individus (ici les justiciables) ne sont pas des atomes isolés les uns des autres ; ils communiquent entre eux, discutent avec leur entourage, s'influencent mutuellement. Par exemple, pour la théorie dite *two-step flow of communication* (ou « communication à double étage », développée par E. Katz et P. Lazarsfeld, dans *Influence personnelle*, Paris, Armand Colin, 2008 [1955]), les messages des médias n'ont d'impact sur les opinions des individus qu'après avoir été relayés par les groupes de proches où certaines personnes exercent un *leadership*.

Bref, pour rendre compte des représentations durables et profondes de la justice, et non des opinions éphémères et superficielles, les chercheurs ont élaboré une problématique qui tienne compte, *primo*, du contexte macrosocial et de ses transformations, notamment l'évolution des liens entre la justice, la société et les citoyens ; *secundo*, des expériences concrètes que les citoyens ont de la justice, en lien avec le fonctionnement de cette institution ; *tertio*, des interactions microsociales entre les citoyens eux-mêmes. Loin de se limiter à prendre acte des opinions comme si elles tombaient du ciel, ils ont voulu étudier comment les représentations et les attentes se construisaient, se transformaient et évoluaient dans les expériences concrètes de la vie.

Le résultat de ce travail consiste en un rapport : A. Franssen, J.-L. Genard., L. Van Campenhoudt, Y. Cartuyvels, J. Marquet, 2000, *La Justice en questions. Concept d'enquête sur les attentes des citoyens à l'égard de la Justice*, Bruxelles, Services fédéraux des affaires scientifiques, techniques et culturelles. C'est sur cette base qu'une vaste enquête a été réalisée plus tard.

2.3 L'exposition de soi sur Internet

Les problématiques de recherche évoluent avec les transformations de la société, notamment les transformations technologiques et leurs conséquences sur les échanges sociaux. Ces problématiques nouvelles ont des implications sur les méthodes de récolte des données. C'est ce que vise à montrer ce troisième exemple.

Dès son émergence, Internet a soulevé des prises de position critiques, et même fréquemment alarmistes, relativement aux risques d'une exposition de soi sur la Toile. Les dangers qui menacent les usagers du Web seraient légion : perte d'intimité, élargissement du contrôle social tant institutionnel que privé, harcèlement, vol, falsification et usurpation d'identité, utilisation malveillante d'informations personnelles et atteintes à la réputation, pérennité des informations et incapacité d'effacement, et donc d'oubli...

Ces réactions rappellent les mouvements de « panique morale » qui semblent avoir accompagné l'essor des nouveaux médias comme ce fut le cas pour les romans-feuilletons, la photographie ou le téléphone au XIXᵉ siècle, le cinéma, la télévision, le téléphone portable ou les jeux vidéo au XXᵉ siècle. Parmi ces précédents, si l'on se focalise sur la question de l'exposition de soi, le cas de la photographie est sans doute celui qui se rapproche le plus de celui des sites de réseaux sociaux sur Internet (*Social Network Sites – SNS*). En effet, il suscite des inquiétudes quant à la publication de photographies de tout un chacun dans la presse, et aux usages qui pourraient s'ensuivre. Il pose déjà clairement le problème de la protection de la vie personnelle face à la visibilité et à la publicité croissantes de cette dernière. Un chercheur un tant soit peu sérieux ne peut cependant se contenter ni d'une posture morale de condamnation fondée sur une répartition des usagers entre victimes et coupables, ni d'une lecture imputant aux technologies elles-mêmes la responsabilité des travers dénoncés.

Certaines enquêtes sur les modalités de mise en scène de soi sur les sites du Web 2.0 vont montrer au contraire toute la diversité des stratégies déployées par les usagers. L'enquête *Sociogeek*, du nom du collectif (consultants de *Faber Novel*, experts de la Fondation Internet Nouvelle Génération, sociologues du Laboratoire des sciences sociales d'Orange Labs) qui l'a menée, s'inscrit dans cette perspective (C. Aguiton *et al.*, « Does showing off help to make friends ? Experimenting a sociological game on self-exhibition and social networks », International Conference on Weblog and Social Media '09, San José, California, 17 au 20 mai 2009[1]). Elle a principalement porté sur les formes de visibilisation de soi

---

1. http://sociogeek.admin-mag.com/resultat/Show-off-an-social-networks-ICWSM09.pdf

acceptées par les usagers, sur leurs usages d'Internet et des SNS, sur leurs pratiques de sociabilité et sur leurs stratégies de sélection d'amis sur le Web.

Cette recherche met en évidence une pluralité de façons de se mettre en scène et de construire son identité numérique sur les sites de sociabilité : sélection de photos renvoyant à des situations très conventionnelles (repas, vacances…) ou sur lesquelles les visages sont peu reconnaissables ; exposition de photos fortement ritualisées dans la photographie amateur, comme les photos de famille ou de mariage ; publication de photos de nus, érotiques ou à caractère sexuel ; choix de photos présentant une vision théâtralisée de soi, dans des situations qui sortent de l'ordinaire ; exhibition de photos *trash* qui ont pour but premier de provoquer.

Tous les usagers ne mettent donc pas en évidence sur le Net la même facette d'eux-mêmes ; de toute évidence, ils sélectionnent les traits identitaires qu'ils choisissent d'exposer ou de dissimuler. Cette recherche montre aussi que ces diverses modalités d'exposition de soi renvoient à des caractéristiques sociodémographiques spécifiques. Ainsi, à titre d'exemple, les femmes et les catégories fortement diplômées sont sur-représentées parmi ceux qui privilégient les clichés en rapport avec les thèmes ritualisés (mariage, naissance…) de longue date en photographie. Les différentes formes de présentation de soi sont aussi diversement distribuées selon le nombre d'amis sur les réseaux sociaux, la préférence pour une sociabilité tournée vers des personnes que l'on rencontre dans la vie réelle ou vers des inconnus, le type de plateforme mobilisée par les usagers…

Les modes de sélection d'amis du Web sont tout aussi variés : les critères mobilisés pour ce faire diffèrent, l'ordre et l'importance de ceux-ci sont variables, certaines stratégies de sélection sont en affinité avec des variables sociodémographiques spécifiques (hommes/femmes, orientation homo/hétérosexuelle, niveau de diplôme élevé/moins élevé…), mais aussi avec les façons de s'exposer personnellement sur Internet. En ce sens, la présentation de soi apparaît comme un élément de définition des autres avec lesquels il s'agit de nouer des relations.

Cette recherche montre des usagers hautement stratégiques, faisant preuve de réflexivité sur leurs pratiques, sélectionnant avec soin les informations qu'ils livrent d'eux-mêmes en fonction de la façon dont ils se projettent dans ces espaces où se joue une part de leur identité, en fonction des visées relationnelles qui sont les leurs. On le voit, cette optique rend aux usagers un statut d'acteurs, ce qui permet dès lors d'appréhender les enjeux sociaux et culturels de ces pratiques nouvelles.

En anticipant quelque peu sur la suite, cette recherche permet également de bien comprendre que la problématique se joue aussi au niveau du mode de récolte des données ; elle a ceci d'original qu'elle porte sur Internet, qu'elle mobilise Internet comme instrument de récolte des données, mais aussi qu'elle s'inscrit résolument dans la culture de ce média en adoptant ses éléments de communication essentiels, l'image et le jeu notamment. Cette option ne relève pas du hasard ou d'une simple préférence pour cette culture émergente qui serait partagée par le groupe de recherche, mais découle d'enjeux de recherche identifiés comme primordiaux. Ainsi, en contraste avec l'entretien individuel ou le questionnaire standardisé qui induisent un engagement sur le mode du sérieux, le jeu sociologique suggère une posture ludique dont les concepteurs de l'enquête font le pari qu'elle est susceptible d'élargir fortement la base des répondants.

En remplacement des classiques séquences de questions-réponses orales ou textuelles, les chercheurs peuvent demander aux répondants de classer des photographies. De cette manière, la verbalisation est mise à distance ; les répondants ne sont pas obligés d'expliquer ni de justifier explicitement des choix parfois confus et peu conscients, et sont placés dans un cadre de jugement plus proche des situations de la vie quotidienne. Il s'agit de se rapprocher, tant que faire se peut, des expériences et des usages concrets d'Internet. La posture adoptée s'écarte donc de la perspective qui appréhende les acteurs sociaux comme des individus conscients et rationnels capables de rendre compte de leurs actes en toutes circonstances. Elle redonne une place significative à l'observation des pratiques.

La question de départ d'une telle recherche peut être formulée comme suit : « Quelles sont les stratégies d'exposition de soi déployées par les utilisateurs sur les sites d'échange sur Internet ? » Des concepts comme sociabilité, présentation de soi, réseau social (au sens sociologique du terme), acteur réseau, actant, échange social et système sociotechnique pourraient être mobilisés.

2.4 Le suicide

Clôturons cette série d'exemples de problématique par celui du suicide, tel que conçu par Durkheim, dans le texte qui a servi d'exercice d'application de la grille de lecture dans l'étape précédente. Cet exemple nous servira encore dans l'étape suivante de construction du modèle d'analyse.

Nous avons vu que Durkheim parvenait à considérer son objet de recherche d'une manière qui sort résolument des sentiers battus.

En faisant le point sur les informations tirées de son exploration statistique, Durkheim a constaté des régularités qui lui ont donné l'intuition que le suicide avait non seulement une dimension individuelle mais aussi une dimension sociale. Là où on le concevait comme l'aboutissement d'un processus de déstructuration psychologique potentiellement lié à un sentiment oppressant de culpabilité, Durkheim a vu le symptôme et le produit d'un affaiblissement de la cohésion de la société, dont les membres sont moins solidaires et plus individualistes. Il a choisi en fait comme objet de recherche non pas le suicide conçu comme la conclusion malheureuse d'un processus de désespoir, mais bien comme un « fait social » spécifique. À ses yeux le taux de suicide ne pouvait être expliqué par la somme des suicides individuels répondant chacun à des mobiles propres, mais bien par ce qui constituait leur substrat social profond : l'état de la société, dont la cohésion était influencée pour une large part à son époque par le système religieux qui l'animait. La question de départ assez générale « Quelles sont les causes sociales du suicide ? » pourrait être reformulée de manière plus précise et « reproblématisée » comme suit : « Dans quelle mesure et comment le niveau de cohésion sociale (en particulier religieuse) d'une société influence-t-il le taux de suicide ? »

Bien entendu, ceci ne signifie pas que le suicide ne puisse être valablement étudié sous un angle psychologique, mais c'est à cette manière sociologique inédite de poser le problème que Durkheim va s'attacher. Certes, la notion de problématique est présentée ici d'une manière qui correspond pratiquement (pour Durkheim tout au moins) à l'approche spécifique d'une discipline (la sociologie) par opposition à une autre (la psychologie), mais les exemples précédents montrent que des problématiques différentes peuvent être envisagées au sein d'un même champ disciplinaire.

Avant de pousser plus avant et plus systématiquement, dégageons déjà à ce stade quelques enseignements importants que nous apportent ces exemples. Pour parvenir à définir une problématique intéressante, il n'y a ni secret ni miracle : il faut se donner le temps de lire, de consulter des personnes qualifiées, d'ouvrir les yeux durant la phase exploratoire ; il faut être curieux et désireux de découvrir les pistes les plus intéressantes.

Pour y parvenir, il importe d'être au clair avec soi-même, avec ses propres motivations et idées préconçues sur le phénomène étudié. Il faut éviter de laisser sa propre réflexion s'emprisonner dans des catégories de pensée qui semblent aller de soi tant elles sont devenues des évidences et d'adopter trop vite par des mots couramment utilisés comme « résilience », « dysfonctionnement », « intégrisme », « intégration », « gouvernance », « exclusion sociale », « crise », etc., sans être lucide et critique sur ce qu'implique le fait de les utiliser. Lorsqu'on étudie des opinions, des représentations ou des pratiques, il faut éviter de les étudier pour elles-mêmes, comme si elles tombaient du ciel ; il importe au contraire de les resituer dans leur contexte, de les saisir dans leur genèse et leurs fonctions, de montrer comment elles sont liées à des positions sociales, à des rapports de forces et à des intérêts spécifiques notamment. Il ne faut pas associer trop vite un type de comportement ou d'opinion à une catégorie qui serait substantifiée en tant que telle, indépendamment de l'inscription des personnes et des groupes concernés dans un système et une dynamique d'actions et de relations plus larges.

Les exemples qui viennent d'être développés montrent que si une problématique de recherche se détermine d'abord en fonction de critères scientifiques, elle doit aussi souvent composer avec des aspects tels que sa recevabilité sociale et la possibilité qu'elle soit identifiée comme une priorité à mettre à l'agenda, en particulier pour les recherches financées par des bailleurs de fonds. Toute recherche, dès lors qu'elle capte des ressources humaines et matérielles qui ne pourront être mobilisées pour une autre recherche ou pour un tout autre projet, est susceptible d'être interpellée à partir de la question de la pertinence, notamment en matière de justice sociale. Et il en est de même de toute problématique qui, optant pour un angle d'analyse spécifique, va immanquablement en laisser d'autres dans l'ombre. Dans les années soixante-dix et quatre-vingt, les auteurs d'analyses en termes de classes sociales, très présentes à l'époque, affichaient leur soupçon à l'égard de l'origine sociale des chercheurs ; ils leur intimaient de répondre à la question suivante : « D'où parles tu ? » Aujourd'hui, un autre positionnement tend à s'affirmer : « Pas sur nous, sans nous ! » Ces deux aphorismes renvoient à des lectures de l'ordre social, de justice sociale aussi, avec des prescriptions en matière de recherche. Les enjeux de connaissance ne sont jamais totalement déliés des enjeux politiques, sociaux et éthiques.

3. Le concept comme outil de problématisation

Expliquer un phénomène consiste à le mettre en relation avec autre chose. Par exemple, pour expliquer les comportements face au risque de contamination par le VIH, les chercheurs ont proposé de les mettre en relation avec, pour les uns, les connaissances et croyances des individus, pour les autres, leur trajectoire de vie, pour d'autres encore, la dynamique de la relation entre les partenaires, etc. Dans le projet d'enquête sur les attentes des citoyens à l'égard de la justice, ces attentes sont mises en relation avec les expériences concrètes de la justice vécues par les citoyens. Durkheim explique le taux de suicide en le mettant en relation avec la cohésion sociale. On pourrait multiplier les exemples. Au sens large du terme, expliquer un phénomène consiste donc à établir un lien entre ce phénomène et autre chose qui est censé intervenir dans le fait qu'il soit advenu. Il peut s'agir des caractéristiques individuelles, d'un ensemble de phénomènes antérieurs, d'une dynamique relationnelle, d'un mode d'organisation, des fonctions assurées par le phénomène en question, du système de valeurs ou des intérêts des individus concernés, des jeux stratégiques ou quoi que ce soit. Le phénomène est ainsi tiré « hors de son immédiateté et de l'isolement qu'elle implique » (J. Ladrière, « La causalité dans les sciences de la nature et dans les sciences humaines », in R. Franck, dir., *Faut-il chercher aux causes une raison ? L'explication causale dans les sciences humaines*, Paris, Institut interdisciplinaire d'études épistémologiques, 1994, p. 248-274). Ce avec quoi le phénomène est mis en relation est, au sens large, une *cause* ; celle-ci participe donc à la phénoménalisation, c'est-à-dire au processus qui aboutit à ce phénomène. C'est cette mise en relation qui rend le phénomène intelligible. Les théories consistent en des ensembles structurés de concepts et d'hypothèses qui permettent de concevoir et de construire ces liens et donc d'expliquer les phénomènes étudiés, chacune proposant une certaine « conception » du phénomène dans ses liens avec cet « autre chose ».

Dans les sciences sociales, on distingue plusieurs niveaux de théories.

Au niveau théorique le plus général, ce qu'on appelle les « paradigmes » (comme le fonctionnalisme, l'interactionnisme ou la sociologie de l'action) proposent un ensemble de concepts généraux et d'hypothèses générales censés pouvoir être utilisés avec fruit pour l'étude de tout phénomène social quel qu'il soit. Les paradigmes constituent, en quelque sorte, les points cardinaux de la théorie générale. Les théories plus spécifiques, comme la théorie des champs telle que développée notamment par Pierre Bourdieu, gardent un caractère général car leur terrain d'application n'est pas limité à un type d'objet empirique particulier (elles peuvent s'appliquer aussi bien, par exemple, au monde économique que judiciaire, scolaire, scientifique, artistique...). Elles relèvent généralement d'un paradigme ou d'une combinaison de paradigmes. Moins ambitieuses, les « théories de moyenne portée » (R.K. Merton,

Éléments de théorie et de méthode sociologique, Paris, Armand Colin, 1997 [1953]) sont conçues pour expliquer certains ordres particuliers de phénomènes (par exemple la théorie de la bureaucratie chez Weber, Blau ou Crozier, ou la théorie de la déviance chez Merton ou Becker). Pour Merton, ces théories permettent d'établir un lien plus étroit entre les hypothèses et les données d'observation. Cherchant avant tout à être aussi pertinentes que possible par rapport à l'objet (la bureaucratie ou la déviance dans nos exemples), elles combinent souvent plusieurs paradigmes.

Au stade de la problématisation, la structuration interne des théories (qui peut être très sophistiquée) ne nous intéresse pas encore ; ce sera l'objet de l'étape suivante. Pour le moment, ce qui nous intéresse, c'est la manière spécifique avec laquelle une théorie « pose le problème », interroge les phénomènes, permet de se poser à leur propos des questions de recherche qui prolongeront la question de départ. L'explication dont il est question ci-dessus doit, à ce stade, se limiter à et prendre la forme d'un « questionnement » : avec quoi vais-je mettre le phénomène en lien afin de le rendre intelligible ? Au niveau à la fois le plus simple et le plus fondamental (qui nous suffit à ce stade) de la problématique, théoriser consiste tout simplement à se poser de bonnes questions à l'aide de concepts bien choisis. C'est pourquoi on utilise parfois, précisément, le terme de *questionnement* comme synonyme de problématique, tout en distinguant bien ce questionnement tant de la question de départ (par rapport à laquelle il est plus élaboré théoriquement) que des questions précises posées dans une enquête (par rapport auxquelles il est bien plus large).

La plupart des théories s'organisent autour d'un concept central qui en constitue le pivot. En effet, un concept est bien plus qu'une simple définition ou qu'une simple notion ; il implique une *conception* particulière de la réalité étudiée, une manière de la considérer et de l'interroger et donc de la « problématiser ». C'est pourquoi une manière efficace de définir la problématique de sa recherche consiste à préciser le ou les concepts clés qui pourraient orienter le travail.

Pour le montrer, nous partirons ici d'une question de départ concrète portant sur la manière dont la justice et la médecine psychiatrique collaborent dans le traitement judiciaire des dossiers de justiciables souffrant de troubles mentaux et, plus particulièrement, sur les rapports de pouvoir ou les rapports de forces entre les professionnels qui interviennent dans ce traitement. Cet exemple s'inspire d'une recherche collective sur cette question (I. Brandon et Y. Cartuyvels, (dir.), *Judiciaire et thérapeutique : quelles articulations ?*, Bruxelles, La Charte, 2004).

Lorsque la justice a affaire à des prévenus ou à des justiciables qui souffrent de troubles mentaux, le juge doit faire appel à des psychiatres qui devront établir de quelle pathologie souffre la personne, quel impact cette pathologie a sur ses comportements et quel est son degré de responsabilité. Cette expertise médicale permettra au juge de prendre ses décisions en connaissance de cause, et de décider quel type de peine et/ou de soin doivent être envisagés. Dans les faits, les choses ne sont pas aussi simples. Magistrats et médecins ne sont pas forcément sur la même longueur d'onde. Les systèmes de référence de leurs métiers sont différents et pas toujours aisément compatibles. De plus, en interaction plus ou moins étroite avec le juge et le psychiatre, d'autres professionnels interviennent dans le traitement judiciaire des justiciables souffrant de troubles mentaux : avocats, travailleurs sociaux, psychologues, responsables d'institutions pénitentiaires ou de soins notamment. Entre ces différents intervenants s'instaurent des rapports de pouvoir, formels et informels, qui ne sont pas sans effets sur le sort qui sera réservé au justiciable.

Quels concepts pourraient aider le chercheur à problématiser cette question des rapports de pouvoir, plus précisément entre la justice et la médecine, dans le cas qui nous occupe ? Ces concepts sont ici retenus car ils peuvent aisément être transposés dans d'autres situations.

3.1 Interaction

Ce concept a déjà été superficiellement évoqué dans l'exemple sur les comportements face au risque de contamination par le VIH. Un étudiant ou un chercheur qui a étudié des auteurs comme Becker ou Goffman aura déjà pu se rendre compte de l'intérêt du concept d'interaction. Strictement parlant, une interaction est une situation de face-à-face où les individus impliqués s'influencent dans un processus dynamique qui se transforme dans le temps. Chaque comportement de l'un (par exemple le juge) induit un comportement de l'autre (par exemple le psychiatre) et ainsi de suite. L'angle est microsociologique. Utiliser ce concept revient à considérer la situation étudiée, ici le traitement des justiciables et les rapports de forces entre professionnels, comme le résultat non déterminé à l'avance des interactions entre l'ensemble des protagonistes, y compris les justiciables concernés. Au cours de ces interactions, ces protagonistes apprennent les uns des autres, se découvrent des affinités ou développent des animosités, et réélaborent constamment leur perception des choses. Il en découle une grande variété de résultats en fonction de la manière dont ces interactions se déroulent.

Le chercheur déterminera d'abord quels sont les intervenants qui « interagissent » dans ces dossiers, il s'interrogera sur la façon dont se déroulent les interactions entre eux et sur la manière dont elles produisent les situations qui détermineront le sort des justiciables.

3.2 Zone d'incertitude

Si le chercheur a été introduit à l'analyse stratégique des organisations telle qu'élaborée par M. Crozier et G. Friedberg (*L'Acteur et le système. Les contraintes de l'action collective*, Paris, Seuil, 1977), il estimera sans doute que le concept de zone d'incertitude présente un intérêt. En effet, dans leurs interactions, certains professionnels qui maîtrisent des enjeux importants pour d'autres trouvent une source de pouvoir sur les autres dans l'incertitude où ils les laissent. Par exemple, le juge maîtrise une zone d'incertitude importante pour le justiciable, portant sur le fait que celui-ci ignore si le magistrat décidera de le condamner ou non et de lui infliger ou non une privation de liberté, en prison ou en institution psychiatrique. Pour les avocats des différentes parties et pour le justiciable, le médecin psychiatre maîtrise une zone d'incertitude importante portant sur la conclusion de son expertise : la responsabilité ou l'irresponsabilité du justiciable aux yeux de la médecine. Pour le médecin, le juge maîtrise une zone d'incertitude dans la mesure où ce dernier est libre de suivre ou non la conclusion de l'expert.

Dans un jeu de pouvoir, une zone d'incertitude correspond donc à un enjeu relativement important pour un protagoniste, mais qui est contrôlé par un autre dont le pouvoir réside précisément dans l'incertitude qu'il laisse planer pour le premier. Le chercheur qui construira sa problématique autour de ce concept cherchera à déceler, pour chaque protagoniste, ses différentes zones d'incertitude et à identifier quels autres protagonistes les contrôlent. À partir de là, il tentera de reconstituer le jeu des rapports de forces, avec les contraintes et les ressources de chacun, avec les alliances et les stratégies possibles.

3.3 Système

Poursuivant sa réflexion, notre chercheur sera sans doute frappé par le fait que les comportements de chaque professionnel impliqué ont un impact direct ou indirect sur les comportements de l'ensemble des autres, de sorte qu'à chaque changement dans le comportement de l'un d'entre eux c'est, de manière plus ou moins sensible, l'ensemble du

« système » qui se réajuste. Il constatera qu'à force de travailler en interaction, ces professionnels ont progressivement élaboré, formellement ou informellement, un « système » de collaboration qui fonctionne suffisamment bien et auquel ils se sont suffisamment habitués pour avoir tendance à vouloir le protéger des perturbations extérieures, qu'elles viennent des justiciables, d'autres institutions ou d'autres professionnels. Tout nouveau venu qui veut y prendre place comprendra d'ailleurs assez vite à quel « système » il a affaire et comment s'y conformer.

Étudier des phénomènes sociaux à partir du concept de système revient donc à s'interroger sur les liens d'interdépendance et d'ajustements constants entre les différentes composantes du système (ici le traitement des justiciables en question) ainsi que sur la manière dont il régule ses liens avec son environnement. Dans cette perspective, le pouvoir est une propriété du système lui-même, non de ceux qui y prennent part, même si certains d'entre eux sont dans des positions plus stratégiques au niveau de ses régulations.

3.4 Champ

La vision systémique permet de rendre compte de certains processus, mais prend peu en compte les rapports de forces entre les intervenants. Pour la théorie des champs, telle qu'élaborée par Pierre Bourdieu, au contraire, les agents forment ensemble un espace social de positions inégales (un champ) – par exemple, le juge est dans une position plus haute que l'huissier de justice, le médecin spécialiste en position plus haute que l'infirmier dans un hôpital – en raison de la distribution inégale des capitaux (c'est-à-dire des ressources économiques, sociales, culturelles et/ou symboliques que chacun peut mobiliser) valorisés dans ce champ (en l'occurrence les diplômes universitaires et les compétences spécialisées notamment). Les agents du champ sont en lutte pour maintenir leur position dans le champ ou pour en conquérir une meilleure avec les avantages associés à ces positions.

Si l'on considère l'espace social où se traitent judiciairement les cas de justiciables souffrant de troubles mentaux comme un sous-champ spécifique du champ de la justice, ses agents sont les magistrats, les psychiatres, les psychologues, les avocats, etc., qui interviennent dans ce traitement. Pour y étudier les relations de pouvoir, le chercheur s'intéressera alors aux conditions d'accès et de reconnaissance dans ce champ (par exemple les compétences juridiques et médicales prévalent sans doute sur les compétences psychologiques ou sociales), au moyen d'actions spécifiques de ce champ (comme les types d'arguments valorisés dans le champ, les moyens de pression, les habilitations à prendre des décisions importantes...), aux instances de contrôle et de sanction propres au champ (comme les autorités judiciaires supérieures), etc.

Mais si l'on considère que ce traitement judiciaire des justiciables souffrant de troubles mentaux met en relation des agents de champs différents (la justice, la médecine, le travail social, l'aide psychologique...), les rapports de forces entre les professionnels seront étudiés par le biais des rapports de forces qui s'établissent entre ces différents champs. Le chercheur s'interrogera alors sur le degré d'autonomie de chaque champ, qui dépend notamment de sa capacité de refuser ou non les demandes provenant des champs voisins (par exemple les médecins peuvent-ils se permettre de décliner une demande d'expertise par un juge ? Inversement, les juges peuvent-ils se permettre de ne pas suivre les avis des psychiatres ?). Une analyse en termes de champ fait l'hypothèse d'une relative autonomie des différents champs, même lorsque leurs agents respectifs sont censés coopérer, et présente les rapports de forces en termes de positions respectives et de luttes de positions.

3.5 Réseau d'acteurs sociaux

Une des caractéristiques actuelles de l'action publique, sociale et culturelle est qu'elle tend à transgresser les frontières entre les champs traditionnels. Le mot d'ordre est le travail en réseau. On passerait d'un modèle axé sur la différenciation entre les institutions à un modèle axé sur la dédifférenciation. Contrats de ville, de quartier ou de sécurité, médiation en justice, médiation de dettes... font partie de ces multiples « dispositifs » où des professionnels de champs différents (le social, l'éducation, la prévention, la santé...) sont censés collaborer étroitement. Cette tendance touche également le traitement judiciaire des dossiers de justiciables souffrant de troubles mentaux et le chercheur s'en sera aperçu au cours des entretiens exploratoires. Il se dira alors qu'un autre concept est également susceptible d'être utilisé avec fruit : celui de réseau d'acteurs sociaux.

Un réseau d'acteurs sociaux consiste en un ensemble de flux ou de communications (de messages, d'individus, d'objets...) entre personnes interconnectées. À partir du concept de réseau, on peut étudier le traitement judiciaire des dossiers de justiciables souffrant de troubles mentaux comme un système de flux (de demandes d'expertise, de rapports d'expertise, de diagnostics, de comptes rendus, de messages téléphoniques, de courriels, d'informations diverses...) entre les différents professionnels intervenant dans un même dossier. Le chercheur se posera essentiellement trois questions : Qu'est-ce qui circule ? Entre qui et qui ? Et selon quelles logiques ?

Le pouvoir respectif des professionnels intervenant dépendra alors de leurs positions structurelles respectives dans ce réseau. Sont-ils en contact avec beaucoup ou peu d'autres intervenants ? Sont-ils des passages obligés pour certaines communications ? Ont-ils la capacité de bloquer une information ou de la diffuser selon leur bon vouloir ? Sont-ils en mesure de mobiliser les autres professionnels et peuvent-ils ou non refuser de se laisser mobiliser lorsque cela ne leur convient pas ? Voilà quelques questions que peut se poser un chercheur qui aborde ce sujet d'étude à partir du concept de réseau.

3.6 Fonction

Ce ne sont pas que des documents qui circulent dans le réseau des professionnels, ce sont aussi des justiciables souffrant de troubles mentaux qui passent de main en main : un jour chez le juge, la semaine suivante chez le psychiatre, quelques jours plus tard chez le médecin et les infirmiers d'un hôpital psychiatrique pour une mise en examen, un peu après au parloir avec le thérapeute, le travailleur social ou l'avocat, à leur sortie chez le psychologue pour un suivi thérapeutique, avant de se retrouver devant le médecin et devant le juge, sans oublier peut-être quelques passages devant des policiers et peut-être aussi en prison. À partir de cette observation, le concept de fonction peut également trouver un intérêt. En sociologie, la fonction est la contribution objective d'un élément du système social (par exemple une coutume, un mode de fonctionnement habituel ou, en l'occurrence, un mode de traitement judiciaire) à la stabilité et à la reproduction de ce système et, au bout du compte, de la société. C'est une conséquence effective de la présence ou de l'action de cet élément. Le fonctionnalisme part de l'idée que si une institution ou une pratique répétée existent et perdurent, c'est qu'elles sont fonctionnelles.

Pour étudier le traitement judiciaire des dossiers de justiciables souffrant de troubles mentaux, un chercheur qui s'inspirera du concept de fonction se posera la question suivante : quelle est la fonction ou quelles sont les fonctions de ce mode de traitement consistant à traiter un cas en le faisant circuler constamment entre une multiplicité de professionnels et d'institutions ? En s'inspirant de l'œuvre de Robert K. Merton, il s'intéressera surtout aux fonctions dites « latentes », c'est-à-dire qui ne sont ni voulues ni perçues. On imagine plusieurs réponses possibles qu'il s'agirait alors de creuser : éviter les coûts (humains, sociaux et financiers) d'un internement, fournir du travail à une série de professionnels, redonner une possibilité de réinsertion sociale à des personnes en difficulté psychologique, médicaliser des problèmes sociaux et de déviance, gérer les individus dont la société ne sait que faire en les faisant circuler comme on fait circuler une « patate chaude ». Encore faudra-t-il, par la suite, donner une consistance empirique et parvenir à opérationnaliser de telles pistes.

3.7 Épreuve

D'aucuns estimeront à raison que cette approche fonctionnaliste ne prend pas en compte la réalité concrète de la vie quotidienne des acteurs sociaux et des relations entre eux. La vie quotidienne des magistrats et des médecins psychiatres impliqués dans le traitement judiciaire des justiciables souffrant de troubles mentaux est une succession d'épreuves au cours desquelles ils doivent résoudre de multiples problèmes et sont confrontés aux choses (comme les routines bureaucratiques et les limites en matière de ressources), aux justiciables (qui les sollicitent, les craignent, les utilisent...), aux autres professionnels (qui ont d'autres points de vue, d'autres responsabilités, d'autres soucis et d'autres intérêts) et aussi, d'une certaine façon, à eux-mêmes, avec les tensions (comme les conflits de rôles) qui les habitent.

En permanence, ils doivent réévaluer les situations auxquelles ils sont confrontés, en visant à faire en sorte que la vie puisse se poursuivre le mieux ou le moins mal possible, en fonction d'objectifs *pragmatiques*. Dans ce processus, les actions des acteurs ne sont pas les produits de déterminations antérieures (comme les appartenances de classes ou la structure des champs), mais des accomplissements pratiques effectués en interaction avec d'autres, qui reconstruisent en permanence la vie collective.

C'est au travers de ces épreuves que des compromis (toujours fragiles) s'élaborent, que les conflits se résolvent (toujours provisoirement), que des solutions (toujours instables) se trouvent, que les acteurs eux-mêmes apprennent et se socialisent en permanence. Dans ces *disputes*, pour justifier leurs prétentions (décider de telle sanction, proposer tel soin, examen complémentaire ou mise à l'épreuve du justiciable, préconiser telle mesure d'accompagnement...), les acteurs (en l'occurrence le magistrat ou le médecin psychiatre) se réfèrent à une conception du bien commun (la tradition, la compétence, l'efficacité, la démocratie...) que les théoriciens de la *sociologie pragmatique* appellent des *cités* (L. Boltanski et L. Thévenot, *De la justification. Les économies des grandeurs*, Paris, Gallimard, 1991).

Ils recommandent donc d'étudier l'acteur en situation, dans le cours des épreuves qui font son quotidien, sans *a priori*, l'influence des structures sociales devant à chaque fois être vérifiée et évaluée dans le cours plutôt qu'en amont du processus.

3.8 Action collective

Dans les domaines de l'action publique et sociale, comme le traitement judiciaire des justiciables souffrant de troubles mentaux, il n'est pas rare que des groupes d'acteurs s'organisent et se mobilisent de manière formelle ou informelle pour tenter de peser sur la manière de gérer les problèmes. Ces groupes peuvent réunir des professionnels d'une même corporation (par exemple des magistrats progressistes militants) ou fédérer des représentants de métiers différents, mais partageant les mêmes valeurs (comme l'égalité d'accès de tous à la justice et à la santé) ou les mêmes intérêts (par exemple les intérêts d'une institution locale). L'action de ces groupes est susceptible de peser sur le traitement des problèmes, souvent de manière informelle, du moins s'ils constituent des réseaux fortement mobilisés dont les membres sont très solidaires.

Dans ce cas, on ne peut parler de mouvement social (au sens où Alain Touraine a théorisé ce concept, notamment dans *La Voix et le Regard*, Paris Seuil, 1978), mais on pourrait utiliser adéquatement des concepts tels que *groupe de pression* ou *microcontexte de mobilisation*. Un groupe de pression réunit des personnes qui visent à « faire pression » sur les décideurs pour parvenir à leurs fins. Ils sont parfois tellement puissants qu'ils participent de fait quasi formellement à la décision (comme les associations patronales et syndicales, les grands lobbies industriels et certaines organisations non gouvernementales). Considérés comme les atomes sociaux de base de toute action collective, les microcontextes de mobilisation représentent « toute situation en petit groupe dans laquelle des processus d'attribution collective sont combinés avec des formes rudimentaires d'organisation pour produire une mobilisation pour une action collective » (McAdam, McCarthy et Zald, « Social movements », in N.J. Smelser (éd.), *Handbook of Sociology*, Newsbury Park, London, New Dehli, Sage, 1988, 695-737, p. 709). L'attribution collective consiste à imputer une situation, comme des conditions de vie précaires ou un traitement pénible, non aux individus concernés mais à une cause collective, comme une injustice sociale ou une discrimination générale dans la société. Les formes rudimentaires d'organisation comportent tout ce qui permet à un groupe de militants de travailler : une planification des réunions et des actions, un partage du travail, des règles de collaboration, des modes de décision... De tels concepts entraînent la problématique sur le terrain des valeurs et idéologies partagées, de la manière dont les groupes se situent dans des systèmes d'action (par rapport à quels enjeux et à quels adversaires) et aux modalités d'action collective notamment.

Certains de ces concepts avaient déjà été évoqués plus haut, dans les exemples de problématiques proposés. Parmi les problématiques envisagées pour étudier les comportements face au risque de contamination par le VIH, les concepts d'interaction, de système social et de réseau avaient été utilisés. Ceci montre que ces concepts peuvent être exploités utilement pour étudier une diversité de phénomènes et que le chercheur débutant a donc intérêt à bien les maîtriser.

Gérard Mauger a montré qu'une grande partie des travaux de Pierre Bourdieu (notamment sur la culture, sur le monde académique ou sur celui de l'art) reposait sur trois concepts principaux qui constituent ensemble l'ossature de sa théorie : les concepts de capital (économique, social, culturel ou symbolique), de champ et d'habitus (c'est-à-dire un ensemble de dispositions à penser, à ressentir et à agir lié à la position sociale). C'est à partir d'eux qu'il a pu formuler un ensemble cohérent de questions de recherche qui forment sa problématique (G. Mauger, « Champ, habitus et capital » dans P. Bourdieu, *Les Champs de la critique*, Paris, BPI/Centre Pompidou, 2004, p. 61-74.) À partir du concept de champ, Mauger propose des questions portant notamment sur la genèse d'un champ et la façon dont il s'est autonomisé au fil du temps, sur sa position par rapport aux autres champs et son degré d'autonomie, sur la structure des relations entre les positions en concurrence au sein du champ, sur les conditions d'accès à ce champ ou sur les stratégies développées par les agents de ce champ pour y améliorer leur position.

La liste est longue des concepts avec lesquels l'exercice pourrait être poursuivi, par exemple socialisation, hiérarchie de crédibilité, interdépendance, statut et rôle, violence symbolique, adaptation secondaire, bureaucratie, carrière morale, contradiction, contrôle social... Certains sont des concepts centraux d'une discipline (dans nos exemples, la sociologie), d'autres ont été développés au sein d'une théorie particulière d'une discipline.

Il est essentiel de comprendre que chaque concept s'inscrit le plus souvent dans une théorie qui ne se réduit pas à lui seul, même s'il y occupe une place essentielle. Comme nous venons de le voir, le concept de champ s'inscrit, chez Bourdieu mais pas forcément chez d'autres auteurs, dans une théorie où il est relié aux concepts de capital et d'habitus. Autre exemple, le concept de zone d'incertitude s'inscrit dans l'analyse stratégique des organisations de Michel Crozier, où il est relié à d'autres notions comme la rationalité limitée des acteurs. Il ne faut donc pas utiliser un concept isolément, comme une clé magique qui ouvrirait à elle seule la porte de la connaissance, mais bien dans le contexte théorique qui est le sien.

Enfin, on devine déjà que les options méthodologiques vont partiellement dépendre des problématiques. Par exemple une problématique construite autour du concept d'interaction appellera généralement une démarche qualitative permettant de bien saisir la subtile réalité des processus concrets d'interaction, tandis qu'une problématique construite autour du concept de fonction, du moins telle qu'envisagée dans l'exemple ci-dessus, impliquera de répertorier un ensemble de flux de dossiers et de justiciables circulant entre les professionnels. Mais, après le choix de la problématique et avant celui des méthodes de recueil des informations, il faudra d'abord construire le modèle d'analyse. Ce sera l'objet de l'étape suivante, nous n'en sommes pas encore là. Le problème qui se pose d'abord à ce stade est de savoir comment s'y prendre concrètement pour déterminer la problématique de sa propre recherche.

4. Les deux temps d'une problématique

La problématique se construit progressivement, à partir de l'étape exploratoire. Au fur et à mesure des lectures et des entretiens, le chercheur prend des notes, les compare, organise ses réflexions de sorte que les lignes de force de son investigation se dessinent pas à pas. Les connaissances théoriques étudiées par ailleurs peuvent être mobilisées. Soudain il se rend compte que des auteurs et des théories étudiés de manière quelque peu abstraite au cours des études s'avèrent utiles pour formuler une problématique intéressante. Toutefois, il peut être utile à ce stade de formaliser davantage la manière de procéder au terme de la phase exploratoire pour aider le chercheur qui débute à organiser au mieux ses idées. Cette procédure comporte deux temps.

4.1 Le premier temps : faire le point et élucider les problématiques possibles

Ce premier temps consiste à mettre à plat et à comparer les différentes approches du problème telles qu'elles se sont manifestées à partir de la phase exploratoire, comme nous l'avons fait plus haut dans l'exemple des comportements sexuels face au risque du VIH. Cette mise à plat peut révéler quelques lacunes dans l'exploration, notamment en matière de lectures à caractère théorique. Un petit complément de travail exploratoire pourra alors être effectué pour combler ces lacunes.

Pour organiser de manière ordonnée les pistes mises au jour dans l'étape exploratoire, l'étudiant ou le chercheur peut se référer tout d'abord aux repères conceptuels fournis plus haut et s'aider, s'il a la possibilité d'aller plus loin, des cours ou des ouvrages théoriques auxquels il a accès.

Pour pouvoir servir à tous les lecteurs quel que soit leur sujet, les repères théoriques proposés ci-dessus revêtent un caractère général. Mais ses lectures exploratoires auront forcément conduit le chercheur vers une littérature spécifique au domaine particulier qui l'intéresse, par exemple la sociologie de la famille, la psychosociologie des entreprises ou l'analyse de la participation politique.

Par exemple, le chercheur débutant qui se lance dans une recherche sur l'échec scolaire découvrira vite que ce sujet a déjà été abordé à partir de diverses problématiques, notamment : les mécanismes de reproduction des inégalités, liés aux ressources financières et culturelles des parents ; l'écart plus ou moins important entre la culture de l'école (ses valeurs, ses normes comportementales, son langage...) et la culture du milieu social de l'élève ; la remise en question de l'autorité de l'institution scolaire qui peine à obtenir la loyauté et la confiance de certains milieux sociaux ; la montée en puissance de nouvelles sources d'information et de nouveaux espaces de socialisation (comme Internet) et leur télescopage avec l'école comme source traditionnellement dominante de savoirs ; les défauts d'organisation et de fonctionnement du système éducatif, avec ses rigidités et sa tradition bureaucratique ; le décalage entre le projet de l'école et celui des jeunes qui peuvent décider délibérément de se faire renvoyer pour marquer leur refus de l'école et poursuivre un autre projet ; les interactions entre jeunes qui s'encouragent mutuellement dans leurs attitudes par rapport à l'école et aux adultes. La liste n'est pas exhaustive.

Au cours de la phase exploratoire, le chercheur devra donc s'informer des principales orientations de la recherche dans ce domaine et être capable de situer son travail par rapport à elles et dans la continuité des débats sur le sujet. Sa question de départ pourra alors se préciser. Par exemple, la question trop générale « Quelles sont les causes de l'échec scolaire ? » pourra être remplacée par « En quoi l'organisation interne d'une école a-t-elle une influence sur la réussite ou l'échec de ses élèves ? » ou encore « Quelle est la vision des élèves sur l'institution scolaire, et quels en sont les effets sur la réussite ou l'échec ? ».

En revanche, certains phénomènes sociaux sont relativement nouveaux et les recherches qui s'en occupent peuvent être considérées comme pionnières car elles abordent un domaine peu exploré et partent quasiment de zéro. C'est le cas de l'exemple sur la présentation de soi sur le Net. Mais même dans ce cas, il faut s'assurer que des travaux intéressants n'existent pas déjà et, le cas échéant, en prendre connaissance.

Lorsqu'on aborde une question dans le cadre d'un travail de fin d'études ou d'une recherche, le minimum est de s'informer des grandes lignes du champ scientifique dans lequel ce travail ou cette recherche s'inscrit. Le champ des possibilités d'une discipline comme la sociologie, la science politique, la communication, l'anthropologie, la psychologie sociale ou l'économie (avec leurs multiples domaines spécialisés) est très étendu et aucun chercheur ne peut le maîtriser dans son entièreté. Mais on peut demander à ceux qui s'engagent dans un travail de recherche d'être capables de situer les limites de l'approche qu'ils envisagent de retenir. Le propre du scientifique, censé avoir été formé à la systématique et aux fondements de sa discipline, n'est pas de tout savoir de cette discipline ou de cette sous-discipline mais de ne pas ignorer l'existence de ce qu'il ne maîtrise pas et de pouvoir dès lors situer correctement son approche dans l'espace des approches possibles.

4.2 Le deuxième temps : se donner une problématique

Qu'il s'agisse de l'investigation de théories générales ou de théories appliquées à un champ particulier, il faut se garder de vouloir aller « trop loin » sur le plan théorique. Il n'est pas rare que des étudiants, chercheurs ou doctorants perfectionnistes qui veulent explorer et maîtriser le fin fond des approches théoriques possibles, voire une seule d'entre elles qui les passionne, s'enferment dans une réflexion purement théorique dont ils ne parviennent jamais à sortir parce qu'ils n'en sont jamais satisfaits. À la lecture de chaque nouveau livre ou article intéressant, ils remettent en cause tout leur travail antérieur et ne parviennent jamais à se décider. Combien de thèses inachevées dorment ainsi dans le bureau de chercheurs trop anxieux et trop perfectionnistes auxquels il manque une qualité essentielle : savoir trancher à un moment donné, limiter ses ambitions et aller de l'avant ?

Trancher ne signifie pas s'enfermer dans une vision obtuse. Tout ce qui a été lu, entendu et vu au cours de l'étape exploratoire sera tôt ou tard exploité, d'une manière ou d'une autre. Les perspectives théoriques non explicitement retenues pour la problématique ne seront pas oubliées pour autant ; elles resteront comme au repos, en réserve, dans les notes et dans le cerveau, prêtes à être réactivées le moment venu. Mais on ne peut pas tout prendre en compte de toutes les manières possibles ; un fil conducteur est nécessaire pour donner sens et cohérence au travail. Il est tissé de la question de départ d'abord, de la problématique ensuite, des hypothèses de recherche enfin... qui s'entrelacent dans la continuité.

■ *Quels critères retenir pour choisir sa problématique ?*

Cinq critères essentiellement.

1. *Les arguments de raison.* Si différentes approches sont mises à plat et comparées, ce n'est pas pour en rester à un relativisme stérile selon lequel toutes les approches se vaudraient. Le champ scientifique est un champ conflictuel constitué de courants de pensée concurrents voire rivaux et qui sont mis en discussion. Cela fait sa fécondité. S'il n'existe pas plus d'approche théorique idéale qu'il n'existe de vérité absolue, toutes les approches ne se valent pas, certaines sont dépassées voire franchement néfastes (comme le darwinisme social qui justifie la loi du plus fort). La cohérence du champ scientifique procède de la dynamique même du débat interne au champ. Il faut donc choisir une problématique qui résiste au débat et à la faveur de laquelle des arguments forts peuvent être avancés. Parmi ces arguments, on peut par exemple citer le fait que la problématique retenue permette de prendre en compte des aspects particulièrement importants du problème, ou qu'elle implique dans l'analyse la plupart des acteurs concernés et les rapports entre eux, ou encore qu'elle accorde une place à la dimension historique du phénomène étudié. Tout dépend bien évidemment de l'objet d'étude et des objectifs de la recherche. Par exemple, dans certains cas, la dimension historique est essentielle, dans d'autres moins.

2. Un argument de raison mérite une attention particulière. Étudier pour la énième fois un phénomène déjà analysé sous toutes ses coutures n'a pas beaucoup d'intérêt. Qu'est-ce que la problématique retenue mettra en lumière et que l'on n'aurait sans doute pas vu

aussi bien sans elle ? Telle est la question à se poser. Sans rechercher l'originalité pour elle-même et à tout prix, il importe que le travail constitue un apport nouveau par rapport aux connaissances déjà acquises. On attend d'ailleurs des chercheurs expérimentés et maîtrisant bien le champ scientifique dans leur propre domaine, notamment de ceux qui se lancent dans une thèse de doctorat, que leur travail comble des lacunes dans les connaissances et dans la littérature scientifique.

3. Si les arguments de raison doivent évidemment prévaloir, ils ne constituent pas le seul critère à prendre en compte. *La pertinence par rapport aux propres objectifs du chercheur* est elle aussi importante. La recherche appartient d'abord à celui ou à celle qui la réalise. La perspective adoptée doit d'abord l'intéresser et avoir du sens par rapport à ses objectifs. On ne fait bien que ce à quoi on trouve sens, intérêt voire plaisir. Les objectifs du chercheur peuvent correspondre à des enjeux sociétaux lorsqu'il souhaite que son travail ait une utilité sociale. C'est tout à son honneur de vouloir conjuguer intérêt scientifique et bénéfice social. Nombre de recherches s'inscrivent d'ailleurs dans une optique d'amélioration de la société et dans une perspective militante. C'est sans inconvénient si les exigences de scientificité sont rencontrées. Ce choix peut même lui donner un surcroît de motivation. Il arrive toutefois qu'un chercheur opte pour un sujet et pour une problématique pour des raisons personnelles discutables, comme un enthousiasme insuffisamment contrôlé pour un courant de pensée à l'égard duquel il aurait perdu tout sens critique, ou comme l'admiration à l'égard d'un maître dont la théorie se verrait conférer le statut de dogme, ou comme la volonté de devenir le héros d'une cause, ou comme le désir de s'imposer comme le pionnier dans son domaine, ou comme le désir non maîtrisé d'exorciser une expérience personnelle douloureuse. Dans tous les cas, le chercheur doit rester lucide sur ses propres motivations.

4. *Le réalisme par rapport aux ressources* doit être pris en compte. Le critère indiqué pour la question de départ vaut ici encore. S'engager dans un travail qui dépasse ses propres limites en temps, en moyens matériels, en compétences intellectuelles et en expérience du métier ne peut conduire qu'au découragement et à un résultat de qualité médiocre.

5. Sans confondre cette étape avec la suivante, il peut être utile de prendre également en compte *les perspectives de la problématique en termes d'opérationnalisation*. Certaines approches très alléchantes

intellectuellement peuvent ne pas se prêter facilement à la construction précise d'un modèle d'analyse opérationnel. Le risque est alors soit d'en rester à des considérations abstraites, soit de ne pas parvenir à articuler correctement des spéculations théoriques et des observations de terrain effectuées de manière confuse.

Concrètement, il y a deux manières de s'y prendre :

- la première consiste à retenir une approche théorique existante, adaptée au problème étudié et dont on a bien saisi les concepts clés. Par exemple, on peut étudier les positions respectives des principaux partis politiques sur une question d'actualité à partir du concept de champ en s'inspirant directement des notions utilisées par P. Bourdieu et qu'on trouvera soit dans des ouvrages pédagogiques qui exposent sa théorie, soit dans une de ses propres œuvres, en l'occurrence *Propos sur le champ politique* (Lyon, Presses universitaires de Lyon, 2000). Autre exemple, on peut étudier des problèmes rencontrés dans des organisations ou des entreprises (comme un conflit portant sur la mise en place d'un nouvel organigramme ou d'une innovation technologique) à l'aide des outils conceptuels et des hypothèses de l'analyse stratégique des organisations développée par Crozier et Friedberg *(L'acteur et le Système, op. cit.)*. Autre exemple encore : pour étudier la propagation d'une information dans une collectivité, on peut mobiliser l'analyse des réseaux sociaux et tenter de reconstituer les flux d'information et les différents relais par lesquelles elle est passée. Ou encore, pour étudier les conduites de révolte dans les quartiers populaires, on peut travailler à partir de l'approche de l'acteur social telle que développée par Dubet dans *La Galère. Jeunes en survie* (Paris, Le Seuil, 1987). Pour étudier comment se forme une action collective, on peut utiliser le cadre conceptuel élaboré par McAdam *et al. (op. cit.)* dont le concept clé est celui de contexte de micro-mobilisation. Ce premier scénario consiste donc à exploiter sans rigidité des outils théoriques qui ont déjà fait leurs preuves en y apportant les adaptations ou corrections qui les rendront plus appropriés au nouvel objet d'étude ;
- la seconde manière de s'y prendre consiste à se bricoler une problématique *ad hoc* à partir d'éléments (concepts, hypothèses, questions de recherche) puisés dans différentes approches théoriques existantes. On en trouvera plus loin plusieurs illustrations.

Comme on le constate, formulation de la question de départ, lectures et entretiens exploratoires, et enfin explicitation de la problématique sont en étroite interaction. Ces étapes se font constamment écho dans un processus qui est davantage circulaire ou en spirale que strictement linéaire. Si ce processus a été décomposé en étapes distinctes, c'est pour la clarté de l'exposé et pour la progressivité de la formation, non parce qu'elles seraient autonomes. Les boucles de rétroaction qui, dans le schéma suivant, remontent d'une étape à la précédente représentent ce processus circulaire.

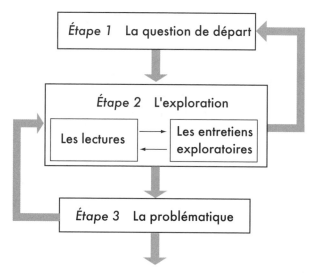

L'interaction qui se manifeste entre ces trois premières étapes se retrouve aussi dans les étapes suivantes. Ainsi, en aval, la problématique n'arrive réellement à terme qu'avec la construction du modèle d'analyse (étape 4). La construction se distingue de la problématisation par son caractère opérationnel car cette construction doit servir de guide à l'observation (étape 5).

Ces interactions entre les différentes étapes de la recherche impliquent que la problématique reste ouverte durant tout le processus de recherche. Elle donne une orientation sans laquelle le chercheur ne saurait où aller et confère une cohérence intellectuelle à son travail, elle invite à explorer des aspects du phénomène auxquels il n'aurait sans doute pas prêté attention. Même dans les recherches qui adoptent une démarche inductive où l'on part d'observations pour généraliser (ou théoriser) pas à pas (voir plus loin la *field research*), le chercheur a inévitablement au départ une idée, même relativement imprécise, de la manière dont il pose le problème, et donc au moins des bribes de problématique. Autant les expliciter. Dans tous les cas, la problématique n'est jamais vraiment close car, au fil des observations et analyses, sa pertinence sera constamment éprouvée, chaque information nouvelle apportera de nouveaux enseignements qui généreront de nouvelles interrogations, et la problématique définie au cours de la présente étape s'en trouvera affinée, parfois même sérieusement bousculée. C'est fort bien ainsi car une recherche est une recherche, pas une démonstration.

Résumé de la 3e étape
La problématique

La problématique est l'approche ou la perspective théorique qu'on décide d'adopter pour traiter le problème posé par la question de départ. Elle est une manière d'interroger les phénomènes étudiés. Construire sa problématique revient à répondre à la question : sous quel angle vais-je aborder ce phénomène ? Concevoir une problématique peut se faire en deux temps.

• Dans un premier temps, on fait le point sur les problématiques possibles, on en élucide les caractéristiques et on les compare. Pour cela, on part des résultats du travail exploratoire. À l'aide de repères fournis par les cours théoriques et/ou par des ouvrages et articles de référence, on tente de mettre au jour les perspectives théoriques qui sous-tendent les approches rencontrées et on peut en découvrir d'autres.

• Dans un deuxième temps, on choisit et on explicite sa propre problématique en connaissance de cause. Choisir, c'est adopter un cadre théorique qui convient bien au problème et qu'on est en mesure de maîtriser suffisamment. Pour expliciter sa problématique, on redéfinit le mieux possible l'objet de sa recherche en précisant l'angle sous lequel on décide de l'aborder et en reformulant la question de départ de manière à ce qu'elle devienne la question centrale de la recherche.

Formulation de la question de départ (devenue au fil du travail la question centrale de la recherche), lectures, entretiens exploratoires et problématisation constituent en fait les composantes complémentaires d'un processus en spirale où s'effectue la rupture et où s'élaborent les fondements du modèle d'analyse qui opérationnalisera la perspective choisie.

Travail d'application n° 8
Le choix et l'explicitation d'une problématique

Cet exercice consiste à appliquer à votre recherche les opérations relatives à la construction d'une problématique.

• Quelles sont les différentes approches du problème révélées par vos lectures et par les entretiens exploratoires ?

• Quels concepts semblent particulièrement prometteurs et comment définir une problématique à partir d'eux ?

• À la lumière de cette élucidation, quelles sont les différentes perspectives possibles pour votre travail ? Comparez-les.

• Quelles problématiques jugez-vous les plus adaptées à votre projet et pourquoi ? Prenez en compte les critères exposés plus haut.

• Dans quel contexte de recherche cette problématique a-t-elle déjà été exploitée ? Quels sont les problèmes conceptuels et méthodologiques éventuellement rencontrés dans des recherches antérieures qui s'en inspirent ?

• Comment expliciteriez-vous votre problématique ? Quels en sont les concepts et les idées clés ?

• Comment reformuleriez-vous la question centrale de votre recherche ainsi que, le cas échéant, les sous-questions de recherche ?

La construction du modèle d'analyse

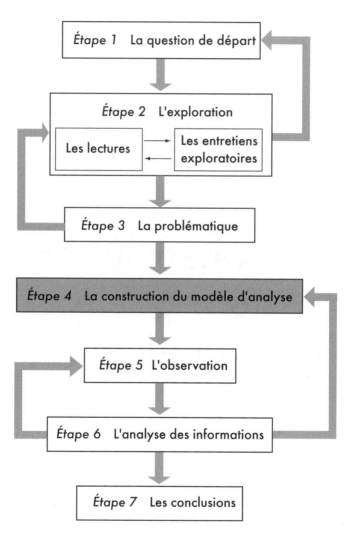

Les étapes de la démarche

1. Objectifs

Le travail exploratoire a pour fonctions d'élargir les perspectives d'analyse, de prendre connaissance avec la pensée d'auteurs dont les recherches et les réflexions peuvent inspirer celles du chercheur, de mettre au jour des facettes du problème auxquelles il n'aurait sans doute pas pensé par lui-même et, au bout du compte, d'opter pour une problématique appropriée.

Cependant, ces perspectives et ces idées nouvelles doivent pouvoir être exploitées au mieux pour comprendre et étudier de manière précise les phénomènes concrets qui intéressent le chercheur, sans quoi elles ne servent pas à grand-chose. Il faut donc les traduire dans un langage et sous des formes qui les rendent propres à guider le travail systématique de collecte et d'analyse de données d'observation qui doit suivre. Tel est l'objet de cette phase de construction du modèle d'analyse.

L'exposé de cette étape se fera ici en trois temps :

1. Dans un premier temps, on verra en quoi consiste un modèle d'analyse. On montrera comment élaborer les concepts en vue de les rendre opérationnels pour les recherches concrètes. On examinera également les fonctions des hypothèses dans le processus de recherche. Comme toujours, nous partirons d'exemples concrets : d'une part, la recherche d'Émile Durkheim sur le suicide ; d'autre part, un travail de théorisation du pouvoir à partir d'une approche en termes de réseau d'acteurs sociaux.

2. Dans un deuxième temps, on indiquera deux voies possibles pour construire le modèle d'analyse de sa propre recherche. La première consiste à emprunter à une théorie existante ses concepts et hypothèses générales, tout en les adaptant avec pertinence au phénomène étudié. Cette première voie est généralement en affinité avec une démarche déductive. La seconde voie, davantage en affinité avec une démarche inductive, consiste à « bricoler » ses propres concepts et hypothèses.

3. Enfin, dans un troisième temps, on montrera comment le modèle d'analyse a été construit, tantôt à partir de concepts empruntés, tantôt à partir de concepts bricolés, dans des recherches réelles portant sur deux questions concrètes : celle des comportements face au risque de contamination par le VIH et celle de la signification de la participation de citoyens à une action collective. Ces deux applications seront reprises dans les deux étapes suivantes : l'observation (étape 5)

et l'analyse (étape 6), de manière à permettre au lecteur de saisir le processus de recherche dans son ensemble et dans sa continuité, en percevant bien les articulations entre les différentes étapes.

2. En quoi consiste le modèle d'analyse ?

Pour expliquer en quoi consiste un modèle d'analyse, partons de deux exemples. Après les avoir exposés, nous en retirerons un certain nombre d'enseignements essentiels sur la construction des concepts d'abord, sur la formulation et les fonctions des hypothèses ensuite.

2.1 Le suicide

Comme nous l'avons vu plus haut, Durkheim voit dans le suicide un phénomène social lié notamment à l'état de cohésion de la société. Selon lui, chaque société prédispose fortement ou faiblement ses membres au suicide, même si ce dernier reste également un acte volontaire et, le plus souvent, individuel. Pour géniale qu'elle soit, cette intuition n'en demande pas moins à être développée et confrontée à la réalité.

Cela nécessite d'abord que les notions de suicide et de taux de suicide soient définies de manière précise. C'est ce que fait Durkheim dans l'introduction de son ouvrage : « On appelle suicide tout cas de mort qui résulte directement ou indirectement d'un acte positif ou négatif, accompli par la victime elle-même et qu'elle savait devoir produire ce résultat. »

Par cette définition précise, Durkheim entend éviter les confusions qui conduiraient à prendre en compte ce qui ne doit pas l'être, par exemple les cas de personnes se donnant accidentellement la mort, et à omettre ce qui doit être pris en compte, par exemple les cas de personnes qui recherchent et acceptent leur propre mort sans la provoquer matériellement elles-mêmes, comme le soldat qui se sacrifie volontairement sur un champ de bataille ou le martyr qui refuse d'abjurer sa foi jusque dans la mort. En réduisant au maximum les risques de confusion, cette définition de la notion de suicide permettra à Durkheim de comparer valablement les taux de suicide de différentes régions d'Europe. Quant au taux de suicide, il est égal au nombre de cas correspondant à cette définition qui apparaissent au cours d'une année dans une société donnée, pour un million ou cent mille habitants.

Ces deux notions représentent plus que de simples définitions comme on peut en trouver par milliers dans les dictionnaires. Elles s'inspirent d'une idée théorique (ici, la dimension sociale du suicide) qu'elles transposent dans un langage précis et opérationnel permettant, dans le cas qui nous occupe, de rassembler et de comparer des données statistiques. Reliées à la même idée centrale, ces deux notions sont de plus complémentaires ; avec la notion de cohésion sociale, elles expriment une problématique et délimitent clairement l'objet de la recherche. En outre, celle de taux de suicide procure l'unité d'analyse des données recueillies dans ces limites. Ces qualités de transposition d'une idée théorique, de complémentarité et d'opérationnalité que possèdent ces notions justifient le fait qu'on les distingue nettement des simples définitions en leur attribuant le statut de *concept*.

L'élaboration des concepts est appelée *conceptualisation*. Elle constitue une des dimensions principales de la construction du modèle d'analyse. Sans elle, en effet, on ne peut imaginer un travail qui ne se perde dans le flou, l'imprécision et l'arbitraire.

Grâce aux concepts de suicide et de taux de suicide, Durkheim sait quelles catégories de phénomènes il prend en considération. Mais, en eux-mêmes, ces concepts ne lui disent rien sur la manière d'étudier ces phénomènes. Cette fonction importante est assurée par les *hypothèses*. Celles-ci se présentent sous forme de propositions de réponse aux questions que se pose le chercheur. Elles constituent en quelque sorte des réponses provisoires et relativement sommaires qui guideront le travail de recueil et d'analyse des données et devront en revanche être testées, corrigées et approfondies par lui. Pour bien comprendre ce qu'elles sont et à quoi elles servent, revenons à notre exemple.

Dans un premier temps, Durkheim se pose la question des causes du suicide et exprime son intuition selon laquelle ce phénomène serait lié à l'état de la société elle-même. Il recherche donc les causes sociales du suicide. Ce faisant, il définit la problématique de sa recherche.

Dans un deuxième temps, il fait l'hypothèse que le taux de suicide d'une société est lié au degré de cohésion de cette société : moins la cohésion sociale est forte, plus le taux de suicide doit être élevé. Cette proposition constitue une hypothèse ; elle se présente en effet sous forme d'une proposition de réponse à la question des causes sociales du suicide. Cette hypothèse permettra d'inspirer la sélection et l'analyse des données statistiques et, en revanche, ces dernières permettront de la vérifier et de la nuancer.

Mais avant d'en arriver là, nous constatons que cette hypothèse établit une relation entre deux concepts : celui de taux de suicide qui a déjà été défini, et celui de cohésion sociale qui demande à être précisé.

Le degré de cohésion d'une société peut en effet être étudié sous divers angles et estimé en fonction de multiples critères. À un tel niveau de généralisation, on ne voit pas encore exactement quels types de données peuvent être retenus pour tester une telle hypothèse.

Comme critère pour estimer le degré de cohésion d'une société, Durkheim retiendra d'abord la religion. La fonction de la religion en matière de cohésion sociale lui semble en effet incontestable au cours du dix-neuvième siècle. On dira dès lors que la cohésion religieuse constitue une *dimension* de la cohésion sociale. Durkheim retiendra également une autre dimension : la cohésion familiale. Mais, pour ce qui nous concerne ici, nous nous limiterons à la cohésion religieuse.

Celle-ci peut être assez aisément estimée à l'aide de ce qu'on appelle des *indicateurs*. En effet, l'importance relative de la solidarité ou au contraire de l'individualisme des fidèles se manifeste concrètement, selon Durkheim, par la place du libre examen dans la religion considérée, par l'importance numérique du clergé, par le caractère légal ou non de nombreuses prescriptions religieuses, par l'emprise de la religion sur la vie quotidienne ou encore par la pratique de nombreux rites en commun. Grâce à ces indicateurs qui constituent des traits facilement observables, Durkheim rend le concept de cohésion sociale opérationnel. Par suite, son hypothèse pourra être confrontée à des données d'observation.

Les relations entre les éléments dont il vient d'être question peuvent être représentées dans la figure qui suit.

Dans ce premier exemple, on observe que :

1. Cette hypothèse établit une relation entre deux concepts : d'une part celui de taux de suicide, et d'autre part celui de cohésion sociale. Chacun de ces concepts correspond à un *phénomène*, c'est-à-dire à quelque chose qui se manifeste, se donne à voir (ou à entendre, à sentir…) et peut donc faire l'objet d'une observation : respectivement, d'une part, le fait que des personnes se donnent bel et bien la mort et que ces suicides soient plus ou moins nombreux dans la société et, d'autre part, le fait que les membres d'une société soient plus ou moins individualistes.

2. Ce sont les indicateurs qui permettent cette observation. Associés à leurs indicateurs, les deux concepts qui constituent l'hypothèse sont présentés de telle sorte que l'on perçoive facilement le type d'informations qu'il faudra récolter pour la tester. Le taux de suicide constitue en effet son propre indicateur tandis que la cohésion sociale (ici étudiée à partir de sa dimension de cohésion religieuse) pourra être estimée grâce aux cinq indicateurs retenus.

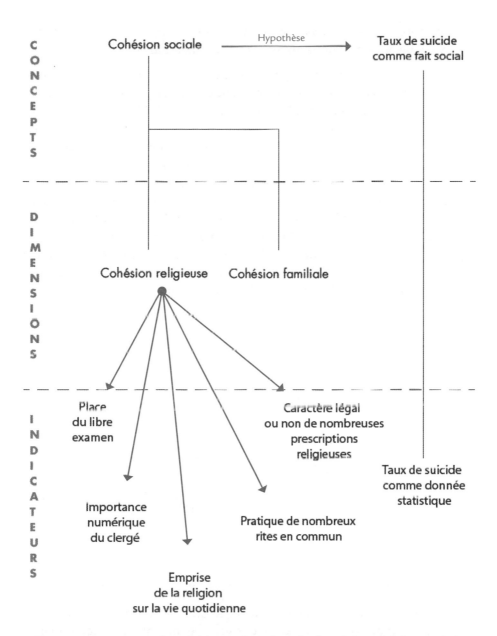

Figure 4.1 – Le taux de suicide est fonction du degré de cohésion sociale

3. Grâce aux indicateurs et à la mise en relation des deux concepts par une hypothèse, il sera possible d'observer si les taux de suicide de différentes sociétés varient bien avec leur degré de cohésion sociale. Ainsi mis en relation et opérationnalisés, le taux de suicide et la cohésion sociale pourront être appelés, pour cette raison, des variables.

(On notera qu'en analyse de données, il est fréquent de désigner par « variable » ce que nous appelons ici « indicateur ».)

La cohésion sociale dont, par hypothèse, les variations sont censées expliquer les variations du taux de suicide, sera appelée *variable explicative ou indépendante*, tandis que le taux de suicide dont, par hypothèse, les variations sont censées dépendre des variations de la cohésion sociale, sera appelé *variable dépendante*. Cette relation est symbolisée par la flèche horizontale sur le schéma précédent.

Dans les chapitres suivants de son ouvrage, Durkheim formule une autre hypothèse. À côté du suicide lié à une faible cohésion sociale, qu'il appelle le suicide égoïste, il considère qu'inversement, une très forte cohésion sociale peut également favoriser le suicide. C'est le cas lorsque, dans certaines sociétés, les vieillards s'abandonnent à la mort ou se la donnent eux-mêmes pour ne pas encombrer leurs cadets d'un poids inutile et, par-là, pensent-ils, pour terminer leur vie dans la dignité. Durkheim parlera alors de suicide altruiste.

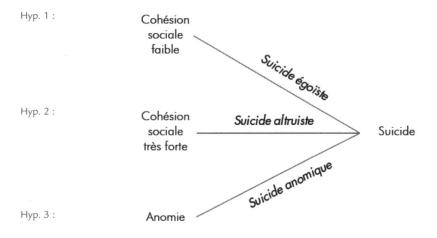

Figure 4.2 – Le système d'hypothèses de Durkheim

Il envisage enfin une troisième forme, le suicide anomique, qui résulterait d'un affaiblissement de la conscience morale qui accompagne souvent les grandes crises sociales, économiques ou politiques ou les périodes d'essor très rapide. Dans de tels contextes en effet, l'écart se creuse entre les finalités que l'on se fixe ou que la société valorise (comme améliorer sa condition matérielle) et les ressources dont on peut légitimement disposer pour les atteindre. Dans ces conditions, les règles morales ne fonctionnent plus comme repères pour structurer les conduites des individus. Ce déséquilibre entre les ambitions et les moyens pour les satisfaire provoque inévitablement de graves conflits internes pouvant conduire au suicide.

Cet ensemble structuré et cohérent composé de concepts, avec leurs dimensions et leurs indicateurs, et d'hypothèses articulées les unes aux autres constitue ce qu'on appelle le modèle d'analyse d'une recherche. Le construire revient donc à élaborer un système cohérent de concepts et d'hypothèses opérationnels.

2.2 Pouvoir et réseau social

On a vu plus haut que les rapports de pouvoir entre professionnels intervenant dans des dispositifs de gestion d'une série de problèmes (comme le traitement judiciaire des justiciables souffrant de troubles mentaux, le surendettement, la délinquance ou l'échec scolaire) pouvaient être étudiés à partir d'une problématique fondée sur le concept de réseau d'acteurs sociaux. C'est également valable pour une série d'autres phénomènes, liés aux enjeux les plus variés, aussi bien par exemple la circulation de notes de cours entre les élèves d'une classe d'école que les relations de voisinage, les relations de pouvoir au sein d'un parti politique ou même au sein de l'ensemble du monde politique, au niveau local ou national. Il ne faut évidemment pas confondre, d'une part, le concept de réseau d'acteurs sociaux, qui est un outil d'analyse sociologique potentiellement utilisable pour l'étude d'une infinité de phénomènes sociaux et de situations sociales caractérisés par de multiples échanges horizontaux, et d'autre part, ce qu'on désigne par le terme « réseau » ou « réseau social » dans le langage courant (comme Facebook ou un réseau de trafic de clandestins), qui sont des « objets » susceptibles d'être étudiés à l'aide de différents concepts, pas seulement celui de réseau d'acteurs sociaux.

Cependant, aborder l'étude d'un certain nombre de phénomènes à partir du concept de réseau d'acteurs sociaux peut avoir une pertinence particulière dans des situations où se multiplient les échanges horizontaux, formellement peu hiérarchisés, dans un contexte de développement rapide des technologies de l'information et de la communication. L'étude des phénomènes de pouvoir est tout particulièrement intéressante dans la mesure où, dans les réseaux d'acteurs sociaux, le pouvoir passe à travers les multiples mailles du réseau et est dès lors moins apparent, voire occulté sous un flot de termes à connotation consensuelle (comme partenariat, synergie, participation, communication, gouvernance, etc.) qui accompagnent souvent une vision d'un monde en réseau (ou encore « connexionniste »). Loin de considérer que le pouvoir s'affaiblirait, une analyse sociologique fondée sur ce concept de réseau doit au contraire partir de l'idée, fortement exprimée par le philosophe français Michel Foucault, que « plus le pouvoir est caché, plus il est efficient ».

En sociologie, ce qu'on appelle l'« analyse des réseaux sociaux » (souvent exprimée par sa dénomination anglaise : *Social Network Analysis*) consiste d'abord et surtout en un ensemble d'outils méthodologiques visant à rendre compte rigoureusement de la structure des échanges entre différents acteurs sociaux interconnectés. Ces outils font notamment appel à la théorie des graphes et au calcul matriciel. Toutefois, il existe de nombreux travaux qui adoptent une approche des phénomènes sociaux en termes de réseau sans faire nécessairement appel à des formalisations mathématiques plus ou moins avancées.

La question posée est la suivante : comment fonctionne le pouvoir un sein d'un réseau d'acteurs sociaux ? Par pouvoir, on entend, dans un sens très large, la capacité de peser efficacement sur les actions des autres. On se limitera ici à un modèle d'analyse de portée limitée, qui combine un petit nombre d'hypothèses et de concepts. (Pour un développement plus élaboré, voir L. Van Campenhoudt, « Pouvoir et réseau social : une matrice théorique », *Cahiers du CIRTES*, n° 2, Presses universitaires de Louvain, p. 5-31, 2010.)

Chacun pourra appliquer le modèle à une situation qu'il envisage d'étudier, par exemple un groupe d'étudiants actifs au sein de sa faculté, un ensemble de responsables politiques et institutionnels proches d'un parti politique, une association de chefs d'entreprise et de cadres qui partagent les mêmes valeurs et se réunissent régulièrement ou un groupe de voisins actifs dans leur quartier.

La délimitation du périmètre d'un réseau peut parfois sembler arbitraire. S'il est facile de délimiter qui fait partie d'une classe d'école et qui n'en fait pas partie, il est moins simple de délimiter qui fait partie ou non d'un groupe de connaissances, d'une association culturelle ou d'un quartier. La décision résulte toujours d'une prise en compte conjointe, d'une part, de la réalité du terrain et de ce qu'elle impose (on ne peut pas faire n'importe quoi même si les limites d'un ensemble social sont floues ou changeantes) et d'autre part, de l'objectif et de la problématique de la recherche. De plus les « données » du problème changent souvent en cours de recherche, au fur et à mesure que le chercheur découvre des acteurs et des relations entre eux auxquels il ne pouvait songer en commençant. Ce problème de la délimitation de l'objet se rencontre avec tout concept destiné à représenter des ensembles sociaux, par exemple ceux de champ ou de système. Avec le concept de réseau, il est sans doute encore plus aigu dans la mesure où, *a priori* et sauf exception, un réseau est ouvert et extensible, par exemple les affiliés à un parti politique ou les réseaux tissés sur le Net.

La question posée est abordée selon une distinction théorique classique en sociologie : la dimension structurelle et la dimension actancielle. La première concerne la manière dont les acteurs concernés sont reliés les uns aux autres. La seconde concerne la capacité des acteurs à se mobiliser au sein du réseau. Chacune de ces dimensions fera l'objet d'une hypothèse.

Tableau 4.1 – Le pouvoir dans le réseau : hypothèses

Dimension structurelle	Dimension actantielle
Hypothèse 1 : le pouvoir dépend de la position de centralité dans le réseau.	Hypothèse 2 : le pouvoir dépend de la capacité de mobiliser les autres et de ne pas se laisser mobiliser soi-même par les autres.

Développons la *première hypothèse*, qui concerne la dimension structurelle du pouvoir dans le réseau. Dans la conception classique du pouvoir, initiée par Max Weber, le pouvoir est une relation binaire inégale entre deux parties, A et B, où A possède la capacité de faire agir B à l'encontre de ses propres intérêts et malgré sa résistance. En revanche, dans une approche en termes de réseau, A et B sont impliqués avec C, D, E, etc., dans un ensemble d'échanges multidirectionnels où ils occupent chacun une position plus ou moins avantageuse ou désavantageuse dont dépend leur capacité de peser sur les actions des autres. Pour étudier les relations de pouvoir, on ne peut se contenter d'étudier les relations entre deux personnes prises deux à deux ; il faut plutôt décrire l'agencement de l'ensemble des échanges entre elles (c'est-à-dire la structure du réseau) et comparer les positions respectives des unes et des autres dans cet agencement.

Freeman propose de saisir cette position structurelle du pouvoir à partir de la notion de *centralité* (pour une explication détaillée, avec les références, voir Mercklé, *Sociologie des réseaux sociaux*, Paris, La Découverte, 2004). Il distingue trois formes fondamentales de centralité qui correspondent à autant de sous-dimensions, ou encore composantes :
– la centralité de degré correspondant au nombre de contacts d'un acteur, disons A ;
– la centralité de proximité correspondant à la distance entre un acteur, disons A, et les autres acteurs du réseau B, C, D, E, etc. ;
– la centralité d'intermédiarité correspondant au fait, pour un acteur A, d'être un passage obligé entre d'autres acteurs, par exemple entre C et E, qui ne peuvent entrer en contact qu'en passant par A.

L'hypothèse selon laquelle le pouvoir dépend de la position de centralité dans le réseau peut dès lors être formulée d'une manière plus opérationnelle : le pouvoir d'un acteur au sein d'un réseau est d'autant plus grand qu'il a de nombreux contacts, que ces contacts lui sont proches, et qu'il est un passage obligé entre ces contacts qui doivent passer par lui pour entrer en relation.

Pour chacune de ces sous-dimensions, des indicateurs peuvent être aisément définis. Ils seront repris dans le tableau de la page 139.

Cette approche de Freeman n'épuise certainement pas l'explication du pouvoir, mais elle apporte un éclairage simple et efficace, relativement facile à transposer dans un travail d'observation. Elle met au jour et permet de saisir des « mécanismes » du pouvoir, qui n'opèrent pas verticalement, de haut en bas, mais bien horizontalement. Une théorie structurelle du pouvoir dans le réseau expliquera le pouvoir d'un dirigeant, par exemple un ministre, non par sa position supérieure dans la hiérarchie, mais bien par sa position de centralité. Elle montre surtout en quoi un acteur qui n'a pas forcément un pouvoir formel, institué, à forte visibilité, par exemple un membre du Cabinet de ce ministre, peut avoir un important pouvoir effectif parce que tout ou presque passe par lui et qu'il est un passage obligé pour ceux qui veulent prendre contact avec le ministre qu'il sert.

La seconde hypothèse trouve une de ses inspirations dans la conception « positive » du pouvoir telle que conçue par Michel Foucault (*Dits et écrits IV*, 1980-1988, Paris, Gallimard, 1994, « Les mailles du pouvoir », p. 182-201, et « Le sujet du pouvoir », p. 222-243). Dans une conception « négative », le pouvoir consiste à interdire et à contraindre, par exemple à travers une loi pénale. Dans une conception positive, le pouvoir consiste à « faire faire », il mobilise. L'intérêt d'un chef d'entreprise consiste moins à imposer une sévère discipline à son personnel (conception négative) qu'à lui faire produire des biens ou des services (conception positive), bref de la valeur. Dans une conception positive du pouvoir, l'action sur l'autre ne s'exerce pas directement sur la personne elle-même, mais bien sur son action, laissant à cette personne une gamme de réponses possibles. Par exemple, un professeur qui impose un travail à ses étudiants ne peut et ne veut généralement pas contrôler quand et où ils s'y mettront, pendant combien de temps et avec quelle intensité. Sans doute vont-ils effectuer ce travail, mais à leur façon. Son pouvoir est une « action sur l'action ».

Si l'on transpose cette conception dans un modèle d'analyse en termes de réseau, le pouvoir de A consiste, d'une part, dans sa capacité à mobiliser les autres acteurs du réseau d'une manière conforme à sa volonté, et d'autre part, dans sa capacité à ne pas se laisser mobiliser lui-même lorsqu'il ne le souhaite pas. Par exemple, un cadre d'entreprise, qui bénéficie le plus souvent d'une relativement grande liberté de mouvement et ne doit pas « pointer », peut mobiliser en fonction de ses projets un ouvrier ou un employé attaché à son poste de travail, tandis que l'inverse n'est pas vrai. (On retrouve cette conception du pouvoir chez L. Boltanski et E. Chiapello, *Le Nouvel Esprit du capitalisme*, Paris, Gallimard, 1999). Ces capacités de mobiliser et de se mobiliser constituent des sous-dimensions de la dimension actantielle du concept de pouvoir.

Elles ne sont pas forcément liées à la position hiérarchique. Dans une organisation qui fonctionne en réseau, elles dépendent en grande partie de la capacité de contrôler les flux (d'information, de messages, de dossiers, de ressources...) qui circulent normalement dans le réseau. Accélérer ou retarder le transfert d'une information, sélectionner astucieusement à qui on la transmet et à qui on ne la transmet pas, garder pour soi une information cruciale... sont des actions qui peuvent permettre de mobiliser les autres et de décider de ne se laisser mobiliser soi-même que lorsqu'on le veut bien. Ceci montre que les dimensions structurelle et actantielle sont deux dimensions indissociables d'une seule et même réalité : le pouvoir dans le réseau.

Sans prétendre être complet, notamment sur les indicateurs qui doivent être retenus en fonction de chaque situation de recherche particulière, on peut représenter comme suit la conceptualisation propre à ce modèle d'analyse.

Tableau 4.2 – Les dimensions, sous-dimensions et indicateurs du concept de pouvoir

Concept	Dimensions	Sous-dimensions ou composantes	Indicateurs
Pouvoir	Centralité (dimension structurelle)	Centralité de degré	Nombre de contacts de A (*idem* pour B, C, D, etc.)
		Centralité de proximité	Fréquence des contacts entre A et les autres acteurs du réseau
		Centralité d'intermédiarité	Nombre de chemins (comme celui entre C et E) du réseau auxquels A appartient
	Capacité de mobilisation (dimension actantielle)	Capacité de mobiliser les autres acteurs	Proportion de demandes **de** A à d'autres acteurs suivies/ non suivies d'effets
		Capacité de ne pas se laisser mobiliser	Proportion de demandes **à** A par d'autres acteurs suivies/ non suivies d'effets

2.3 La construction des concepts

À partir de ces deux exemples, on peut tirer un certain nombre d'enseignements à caractère général à propos du modèle d'analyse. Les premiers concernent la conceptualisation ; les seconds concernent les hypothèses, leur forme et leurs fonctions.

Comme on vient de le voir, un modèle d'analyse est composé de concepts et d'hypothèses qui sont articulés entre eux pour former ensemble un cadre explicatif cohérent. Sans cet effort de cohérence, la recherche s'éparpillerait dans diverses directions et, bien vite, le chercheur ne parviendrait plus à structurer son travail. C'est pourquoi le nombre de concepts et d'hypothèses composant le modèle d'analyse doit rester relativement limité. Souvent même, il se structure autour d'une seule hypothèse centrale et d'un concept clé, de la même manière qu'au début, le travail s'est structuré autour d'une seule question de départ. Bien entendu, en cours de recherche, il sera le plus souvent nécessaire de définir clairement d'autres concepts auxiliaires ou de formuler des hypothèses complémentaires.

Il faut toutefois éviter que la richesse et les nuances de la pensée ne compromettent d'emblée l'unité de l'ensemble du travail. Il arrive aussi qu'à partir d'un modèle relativement large, qui englobe de nombreux aspects d'un problème, comme celui qu'on a intitulé « Réseau social et pouvoir », le chercheur décide de se limiter à une des composantes du modèle, par exemple ici, celle présentée dans la première case du schéma (hypothèse 1). D'autre part, il ne faut pas confondre les concepts constitutifs d'un modèle d'analyse avec ceux dont on fait simplement usage au cœur d'un travail et qui font partie du vocabulaire courant des sciences sociales. Si le sens qu'on leur donne s'écarte du sens le plus généralement admis, il sera toujours possible de les définir au moment où on les utilisera pour la première fois. La conceptualisation est plus qu'une simple définition ou convention terminologique. Elle constitue une construction abstraite qui vise à rendre compte du réel. À cet effet, elle ne retient pas tous les aspects de la réalité concernée, mais seulement ce qui en exprime l'essentiel du point de vue du chercheur. Il s'agit donc d'une construction-sélection.

Comme nous l'avons vu, construire un concept consiste d'abord à déterminer les dimensions qui le constituent et par lesquelles il rend compte d'un phénomène. Ainsi, pour prendre une analogie, un mammifère est un vertébré qui respire hors de l'eau avec des poumons, dont la gestation s'effectue dans le corps de la mère et dont les petits sont allaités. De cette définition du concept de mammifère et de ses dimensions, il ressort que la baleine est un mammifère, au même titre que la chauve-souris, tandis que le requin, pourtant extérieurement plus ressemblant à la baleine, n'en est pas un.

Construire un concept, c'est ensuite en préciser les indicateurs grâce auxquels les dimensions pourront être mesurées. Bien souvent, en sciences sociales, les concepts et leurs dimensions ne sont pas exprimés en termes directement observables. Or, dans le travail de recherche, la construction n'est pas une pure spéculation. Son objectif est de nous conduire au réel et de nous y confronter. C'est là le rôle des indicateurs. Les indicateurs sont des manifestations objectivement repérables et mesurables des dimensions du concept. Si on s'intéresse au vieillissement, dans les pays qui tiennent un registre d'état civil, la date de naissance est un indicateur pertinent qui permet une mesure précise de l'état de vieillesse. Dans les pays où un tel registre n'existe pas, le chercheur devra se rabattre sur des indicateurs moins évidents, tels que les cheveux blancs et rares, le mauvais état de la denture et la peau ridée. La notion d'indicateur y devient alors beaucoup plus imprécise. Celui-ci peut n'être qu'une trace, un signe, une expression, une opinion ou tout phénomène qui nous renseigne sur l'objet de notre construction.

Le nombre de dimensions, de composantes et d'indicateurs varie suivant les concepts. Finalement, la décomposition du concept pourra présenter par exemple une forme telle que celle reprise dans la figure ci-dessous.

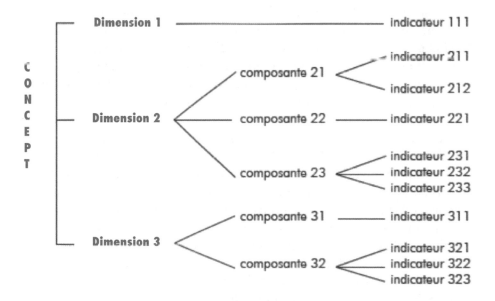

Figure 4.3 – La décomposition d'un concept

(À la place du terme « indicateur », certains auteurs utilisent le terme « attribut » ; d'autres encore parlent de « caractéristique ». Ces différents termes sont équivalents.)

2.4 La formulation et les fonctions des hypothèses

a. Pourquoi des hypothèses ?

L'organisation d'une recherche autour d'hypothèses de travail constitue le meilleur moyen de la mener avec ordre et rigueur sans sacrifier pour autant l'esprit de découverte et de curiosité. Pourquoi ?

D'abord parce que l'hypothèse traduit par définition cet esprit de découverte qui caractérise tout travail scientifique. Fondée sur une réflexion théorique et sur une connaissance préparatoire du phénomène étudié (étape exploratoire), elle se présente comme une présomption non gratuite portant sur le comportement des objets réels étudiés. Le chercheur qui la formule dit en fait : « Je pense que c'est dans cette direction-là qu'il faut chercher, que cette piste sera la plus féconde. »

Mais en même temps, l'hypothèse procure à la recherche un fil conducteur particulièrement efficace qui, à partir du moment où elle est formulée, remplace la question de recherche dans cette fonction, même si celle-ci doit rester présente à l'esprit. La suite du travail consistera en effet à tester les hypothèses en les confrontant à des données d'observation. Parmi l'infinité des données qu'un chercheur peut en principe recueillir sur un sujet, l'hypothèse fournit le critère de sélection des données dites « pertinentes », c'est-à-dire qui sont nécessaires pour tester l'hypothèse. Ainsi Durkheim ne s'embarrasse-t-il pas d'interminables statistiques sur le suicide. Il se contente de celles qui lui paraissent indispensables pour tester et nuancer ses hypothèses, ce qui, en l'occurrence, n'est déjà pas si mal.

Se présentant comme critère de sélection des données, les hypothèses sont de ce fait confrontées à ces données. Le modèle d'analyse qu'elles expriment peut ainsi être testé en tant que tel. Même s'il s'inspire du comportement des objets réels, il doit être en retour confronté à ce comportement. Si les hypothèses contribuent à une meilleure compréhension des phénomènes observables, elles doivent en revanche concorder avec ce que nous pouvons en apprendre par l'observation. Celle-ci ne constitue donc pas la simple transposition d'un modèle d'analyse ; elle procure en même temps le moyen de corriger ce dernier, de le nuancer et de décider à terme s'il convient à l'avenir de l'approfondir ou s'il vaut mieux, au contraire, y renoncer.

Sous les formes et les procédures les plus variées, les recherches se présentent toujours comme des va-et-vient entre une réflexion théorique (la problématique et le modèle d'analyse) et un travail empirique (l'observation et l'analyse des informations). Les hypothèses constituent les charnières de ce mouvement ; elles lui donnent son amplitude et assurent la cohérence entre les parties du travail.

b. Les différentes formes d'hypothèses

Une hypothèse est une proposition qui anticipe une relation entre deux termes qui, selon les cas, peuvent être des concepts ou des phénomènes. Une hypothèse est donc une proposition provisoire, une présomption, qui demande à être vérifiée. Elle peut prendre plusieurs formes différentes. Les plus courantes sont les suivantes :

■ *Première forme*

L'hypothèse se présente comme l'anticipation d'une relation entre un phénomène et un concept capable d'en rendre compte.

L'hypothèse qu'a formulée Pasteur sur l'existence des micro-organismes est de ce type, ou encore l'hypothèse que les physiciens ont faite sur la composition de l'atome à l'époque où il était considéré comme la plus petite unité, irréductible, de la matière. Lorsque le sociologue Alain Touraine a fait l'hypothèse que l'agitation étudiante en France « port[ait] en elle un mouvement social capable de lutter au nom d'objectifs généraux contre une domination sociale » (*Lutte étudiante*, Paris, Le Seuil, 1978), il présupposait une relation entre le phénomène de l'agitation étudiante et le concept de mouvement social, défini dans son modèle d'analyse. La confrontation entre la manière dont des militants étudiants percevaient et vivaient leur lutte et les caractéristiques théoriques du concept de mouvement social permettrait de tester l'hypothèse et, par-là, de mieux comprendre la nature de l'action des étudiants.

■ *Seconde forme*

Dans cette seconde forme, certainement la plus courante dans la recherche en sciences sociales, l'hypothèse se présente comme l'anticipation d'une relation entre deux concepts ou, ce qui revient au même, entre les deux types de phénomènes qu'ils désignent.

La relation présumée entre la présence du bacille de Koch et la maladie des tuberculeux est une hypothèse de ce type. En recherche en sciences sociales, les exemples étudiés plus haut correspondent également à cette forme. Par exemple, l'hypothèse, formulée par Durkheim, selon laquelle le taux de suicide dépend du degré de cohésion de la société anticipe bien une relation entre deux concepts et, par suite, entre les deux types de phénomènes qu'ils recouvrent.

c. La « falsifiabilité » de l'hypothèse

Sous ces deux formes, l'hypothèse se présente comme une réponse provisoire à la question de départ de la recherche (progressivement revue et corrigée au cours du travail exploratoire et de l'élaboration de la problématique). Pour connaître la valeur de cette réponse, il est nécessaire de la confronter à des données d'observation ou, plus rarement en sciences sociales, d'expérimentation. Il faut, en quelque sorte, la soumettre à l'épreuve des faits.

L'hypothèse doit donc être formulée sous une forme observable. Cela signifie qu'elle doit indiquer, directement ou indirectement, le type d'observations à rassembler ainsi que les relations à constater entre ces observations afin de vérifier dans quelle mesure cette hypothèse est confirmée ou infirmée par les faits. Cette phase de confrontation de l'hypothèse à des données d'observation se nomme la *vérification empirique*.

En matière d'hypothèses, on rencontre les mêmes obstacles qu'en matière de conceptualisation. Certaines hypothèses ne sont que des relations fondées sur des préjugés ou sur des stéréotypes de la culture ambiante. Ainsi, des hypothèses telles que « l'absentéisme dans les entreprises augmente avec l'accroissement du nombre de femmes au travail » ou « le taux de criminalité dans une ville est lié au taux d'immigrés qui y vivent » sont des hypothèses fondées sur des préjugés, ou plus exactement des préjugés déguisés en hypothèses. Même s'il est possible de rassembler des statistiques qui leur donnent un semblant de confirmation, ces « hypothèses » correspondent au niveau zéro de la construction car elles impliquent une « explication » extrêmement superficielle et dangereuse des phénomènes sociaux qui n'aide pas à saisir les mécanismes de l'absentéisme ou de la criminalité, parce qu'elle ignore un ensemble de facteurs tels que le statut de la femme, la condition féminine et les rapports entre genres pour le premier exemple, et les inégalités sociales ainsi que les processus de discrimination sociale pour le second. À défaut d'essayer de comprendre les mécanismes complexes de la réalité sociale, ces hypothèses conduisent à une compréhension médiocre et déformée de cette réalité à partir de laquelle elles renforcent artificiellement certains clivages sociaux.

Une hypothèse peut être testée lorsqu'il existe une possibilité de décider, à partir de l'examen de données, dans quelle mesure elle est vraie ou fausse. Cependant, même si le chercheur conclut à la confirmation de son hypothèse au terme d'un travail empirique conduit avec soin, précaution et bonne foi, son hypothèse ne peut être considérée pour autant comme absolument et définitivement vraie.

Aussi brillantes soient-elles, les thèses de Durkheim sur le suicide n'en ont pas moins été largement remises en question par d'autres auteurs. En se fondant sur des recherches complémentaires, M. Halbwachs (*Les Causes du suicide*, Paris, F. Alcan, 1930) a souligné la fragilité de certaines de ses analyses. Il reproche notamment à Durkheim de n'avoir pas pris en compte un nombre suffisant de variables dites « de contrôle » destinées à estimer plus correctement l'importance propre de la variable explicative principale. Par exemple, l'impact de la religion sur le taux de suicide aurait pu être mesuré plus finement si Durkheim l'avait plus systématiquement confronté avec celui des professions. D'autres auteurs, comme H.C. Selvin (« Durkheim's "suicide" and problems of empirical research », *American Journal of Sociology*, LXIII, 6, 1958, 607-619), ont mis en lumière les faiblesses méthodologiques de la recherche de Durkheim et les biais qu'elles ont introduits dans l'analyse. Dans le *Dictionnaire critique de la sociologie* de Raymond Boudon et de François Bourricaud, on trouvera une synthèse des principales critiques qui ont été formulées à l'égard de cette recherche de Durkheim (Paris, PUF, 1982, au mot « suicide », p. 534-539).

Par ces remarques, ce n'est pas tant la valeur propre du travail de Durkheim qui est remise en cause mais ses limites, et c'est le sort de toute recherche quelle qu'elle soit. Le réel est aussi complexe et changeant que les méthodes de recherche destinées à mieux le comprendre sont, en comparaison, grossières et rigides. Nous ne l'appréhendons de mieux en mieux que par touches successives et imparfaites qui demandent sans cesse à être corrigées. En ce sens, un progrès de la connaissance n'est jamais autre chose qu'une victoire partielle et éphémère sur l'ignorance.

Ainsi, on ne démontrera jamais la vérité absolue et définitive d'une hypothèse. Le lot de chacune est d'être tôt ou tard infirmée en tout ou en partie et d'être remplacée par d'autres propositions plus fines qui correspondent mieux à ce que révèlent des observations de plus en plus précises et pénétrantes. Si la réalité ne cesse de se transformer et si les modèles et les méthodes d'observation et d'analyse progressent réellement, il ne peut en effet en être autrement.

Les implications pratiques de ces considérations épistémologiques (sur la nature et les conditions de validité des connaissances scientifiques) ne sont pas minces. Sachant que la connaissance résulte de corrections successives, le véritable chercheur ne s'efforcera jamais de prouver à tout prix la valeur d'objectivité de ses hypothèses. Il cherchera à en cerner aussi justement que possible les limites dans l'espoir de les parfaire, ce qui implique *de facto* qu'il les remette en question. Cela ne peut évidemment être envisagé que si le chercheur formule ses hypothèses empiriques sous une forme telle que leur infirmation soit effectivement possible ou, pour reprendre l'expression de Karl R. Popper (*La Logique de la découverte scientifique*, Paris, Payot, 1982) que si ses hypothèses sont « falsifiables ». Cette qualité postule au moins deux conditions.

■ *Première condition*

Selon Popper, pour être falsifiable, une hypothèse doit revêtir un caractère de généralité. Ainsi, les hypothèses de Durkheim sur le suicide peuvent encore être testées aujourd'hui à partir de données actuelles ou récentes. Cela n'aurait pas été possible si Durkheim avait formulé ses hypothèses sur le modèle suivant : « Le taux de suicide particulièrement élevé en Saxe entre les années 1866 et 1878 est dû à la faible cohésion de la religion protestante » (à partir d'un tableau de Durkheim, *op. cit.*, p. 14). Même si une telle hypothèse peut être mise à l'épreuve, elle ne nous aurait pas appris grand-chose sur le suicide comme phénomène social en tant que tel et nous n'aurions pas estimé utile de tester aujourd'hui encore une telle hypothèse.

Cet exemple nous indique une distinction importante. Le taux de suicide en Saxe fut donc une donnée utile pour vérifier une hypothèse de caractère plus général sur le lien que Durkheim établit entre le taux de suicide et la cohésion de la société et, en revanche, une telle hypothèse a pour fonction de mieux éclairer les situations particulières. Mais nous voyons que l'hypothèse et le taux de suicide en Saxe relèvent l'une et l'autre de deux niveaux différents : la première est une proposition qui possède un caractère de généralité ; le second constitue une donnée relative à une situation singulière et non reproductible.

On comprendra aisément qu'une proposition qui ne possède pas ce caractère de généralité ne peut faire l'objet de tests répétés et, pour Popper, ne peut être tenue comme hypothèse scientifique au sens strict. Ainsi, la proposition : « L'entreprise Machin a fait faillite en raison de la concurrence étrangère » est une interprétation d'un événement singulier. Peut-être s'inspire-t-elle d'une hypothèse relative à la restructuration mondiale de la production, qui possède quant à elle un certain degré de généralité, mais elle n'en constitue pas une en elle-même.

Ce problème de l'articulation entre le général et le singulier se pose de manière très différente selon la discipline et les ambitions du chercheur. L'historien travaille par définition à partir d'événements uniques et ne peut, comme le chimiste, reproduire indéfiniment la même expérience dans son laboratoire. D'autre part, celui qui entend travailler « pour la Science » s'imposera des contraintes méthodologiques plus strictes que celui qui cherche simplement à mieux comprendre un événement présent, mais souhaite néanmoins mettre en œuvre dans ce but une démarche d'analyse réfléchie, inspirée de la pratique des chercheurs. Lorsque Popper écrit que « des événements singuliers non reproductibles n'ont pas de signification pour la science » (p. 85), il songe principalement à la démarche scientifique dans les sciences naturelles dont le modèle ne peut évidemment être appliqué tel quel aux sciences humaines, qui n'ont ni les mêmes objectifs, ni des objets d'étude de nature comparable.

■ *Seconde condition*

Une hypothèse ne peut être falsifiée que si elle accepte des énoncés contraires qui sont théoriquement susceptibles d'être vérifiés. La proposition « Plus la cohésion sociale est forte, plus le taux de suicide est faible » accepte au moins un contraire : « Plus la cohésion sociale est forte, plus le taux de suicide est élevé. » La vérification, fût-elle partielle et très locale, d'une telle proposition conduirait à infirmer tout ou partie de l'hypothèse de départ. Pour que cette hypothèse soit falsifiable, il est donc indispensable que de tels énoncés contraires puissent être formulés.

C'est d'ailleurs ce qu'il advint en quelque sorte de l'hypothèse de Durkheim, puisqu'il fut amené à considérer le suicide altruiste comme le résultat d'une cohésion sociale très forte : « Si une individuation excessive conduit au suicide, une individuation insuffisante produit les mêmes effets. Quand l'homme est détaché de la société, il se tue facilement, il se tue aussi quand il est trop fortement intégré » (*op. cit.*, p. 233).

Cette seconde condition permet de comprendre le critère de vérification d'une hypothèse que suggère Popper : une hypothèse peut être tenue pour vraie (provisoirement) tant que tous ses contraires sont faux. Ce qui implique bien entendu que les deux conditions que nous avons soulignées soient réunies : *primo*, que l'hypothèse revête un caractère de généralité, et *secundo* qu'elle accepte des énoncés contraires théoriquement susceptibles d'être vérifiés.

Comme nous l'avons déjà fait remarquer, les critères de scientificité suggérés par Popper ne peuvent être appliqués de la même manière dans les sciences naturelles et dans les sciences humaines. Si nous les avons mis en évidence ici, cela ne signifie donc en aucune façon que, de notre point de vue, les secondes doivent prendre les premières pour modèles. Le débat est infiniment plus complexe. Nous pensons simplement que cette brève et très sommaire introduction à la signification et aux limites de la vérification empirique aux yeux d'un des plus illustres épistémologues du XXᵉ siècle devrait aider chacun à mieux saisir l'essence profonde de l'esprit de recherche.

Nous y reviendrons au moment opportun, en présentant les objectifs de l'étape d'observation qui va suivre. À ce stade-ci, nous pouvons déjà souligner que cet esprit de recherche se caractérise par la remise en question perpétuelle des acquis provisoires et par le souci de s'imposer des règles méthodologiques qui obligent à concrétiser cette disposition à chacune des étapes du travail. Sans doute le chercheur en sciences sociales doit-il, pour une large part, s'imposer d'autres contraintes que son collègue physicien. Toutefois, les caractéristiques propres de sa démarche ne le dispensent pas de procéder avec précaution, dans le plus élémentaire respect de l'esprit de recherche.

3. Deux voies pour s'y prendre concrètement

Chaque recherche est une expérience unique qui emprunte des chemins propres liés à plusieurs critères comme l'interrogation de départ, la formation du chercheur, les moyens dont il dispose ou le contexte institutionnel dans lequel s'inscrit son travail. Il est toutefois possible de donner des indications pratiques à la fois ouvertes et précises à ceux qui entament cette importante et délicate étape de la recherche.

Deux voies sont *a priori* possibles pour construire les concepts et hypothèses qui composeront le modèle d'analyse de sa propre recherche. La première, généralement en affinité avec une démarche déductive, consiste à emprunter à une théorie existante ses concepts et hypothèses générales, tout en les adaptant avec pertinence au phénomène étudié. Nous l'appellerons *théorisation empruntée*. La seconde voie, davantage en affinité avec une démarche inductive, consiste à « bricoler » ses propres concepts et hypothèses, au départ de la recherche ou au fur et à mesure de son avancement. Nous l'appellerons *théorisation bricolée*. Dans la réalité d'une recherche concrète, où il s'agit de conjuguer l'exigence de cohérence théorique et celle de souplesse et d'inventivité dans un contexte chaque fois singulier, le chercheur combine souvent les deux formes de théorisation : il construit sa propre voie tout en empruntant des éléments à des théories existantes ou à des recherches antérieures de qualité portant sur le même ordre de phénomènes. On distinguera néanmoins ici ces deux voies pour bien faire apparaître leurs caractéristiques respectives, pour repérer leurs avantages et leurs limites, et pour montrer qu'elles ne sont pas mutuellement exclusives.

3.1 La théorisation empruntée

Un chercheur qui souhaite analyser certains phénomènes, par exemple, comme nous l'avons vu, les rapports entre la justice et la médecine psychiatrique dans le traitement des justiciables souffrant de troubles mentaux, pourrait décider d'adopter une perspective théorique directement inspirée de la théorie des champs telle qu'élaborée par P. Bourdieu. Dans ce cas, le concept de champ s'impose forcément, mais aussi ceux d'habitus et de capital auxquels il est étroitement associé dans l'approche de cet auteur. La construction du modèle d'analyse consistera alors à définir correctement ces concepts ainsi que leurs composantes (comme les différentes formes de capital : économique, social, culturel et symbolique) et les indicateurs (comme les diplômes pour le capital culturel), et à formuler les hypothèses principales qui orienteront l'observation (par exemple la récolte de données sur les pratiques des professionnels de la justice et de la médecine psychiatrique et sur les relations entre eux).

Quel que soit le domaine étudié, de toute théorie générale comme la théorie des champs de Bourdieu, on peut déduire un certain nombre d'hypothèses avant même d'avoir procédé à des observations concrètes dans ce domaine. Par exemple, pour expliquer les choix éditoriaux d'un hebdomadaire politique et culturel français, on s'intéressera moins à la structure financière de cet hebdomadaire ou à l'idéologie de ses journalistes qu'à la position de cet hebdomadaire dans le champ de la presse hebdomadaire française et on fera l'hypothèse que ces choix se déterminent essentiellement par rapport aux choix de la concurrence dont l'hebdomadaire veut se démarquer et par laquelle il ne veut pas être dépassé. Une telle hypothèse est déduite de la théorie. Elle présente l'avantage d'instaurer un recul par rapport aux impressions spontanées que l'on pourrait retirer d'une lecture superficielle ou de préjugés sur l'hebdomadaire en question. Mais elle demande évidemment à être vérifiée par le travail d'observation (étape 5) et d'analyse des données (étape 6) qui suivra.

L'emprunt d'une théorie préexistante, de ses concepts et hypothèses, n'est cependant pas dénué de risques. D'un côté, le chercheur devra la mobiliser de manière adéquate, en tenant compte des présupposés auxquels elle se réfère et en articulant correctement ces différents concepts. D'un autre côté, il devra l'appliquer de manière non dogmatique, en l'adaptant avec souplesse à son propre projet de recherche. À ces conditions, ce cadrage théorique permettra au chercheur de prendre de la distance par rapport aux catégories spontanées et aux idées préconçues, de structurer les investigations et d'organiser les observations effectuées dans l'étape suivante.

3.2 La théorisation bricolée

Imaginons une recherche dont la question de départ serait la suivante : quels sont les facteurs de réussite à l'école primaire ? (Cette question n'a évidemment de sens que dans un système d'enseignement où l'échec est possible, ce qui n'est pas le cas dans tous les pays. On peut alors remplacer « réussite » par « performance scolaire » dans la question.)

Après la lecture de quelques ouvrages et articles sur le sujet, le chercheur se rend compte qu'il pourrait formuler plusieurs hypothèses.

La réussite serait plus fréquente dans les milieux favorisés, c'est-à-dire dans les familles à gros revenus ou quand le père occupe une position sociale élevée. D'autres auteurs soulignent l'importance de la disponibilité des parents à l'égard de l'enfant. S'ils ont tous les deux une occupation professionnelle qui ne leur laisse pas beaucoup le temps de s'intéresser à leurs enfants, les résultats scolaires peuvent en souffrir. Enfin, d'autres recherches mettent en évidence l'importance du niveau d'éducation des parents. Plus ce niveau est élevé, plus les parents sont conscients du rôle qu'ils ont à jouer et plus le contexte culturel (conversation, lectures, jeux, films...) est favorable au développement intellectuel de l'enfant.

Toutes ces idées peuvent produire des hypothèses que l'on pourrait confronter à l'observation mais qui, traitées indépendamment les unes des autres selon le schéma ci-dessous, ne permettraient pas de comprendre l'interaction entre les facteurs de la réussite scolaire.

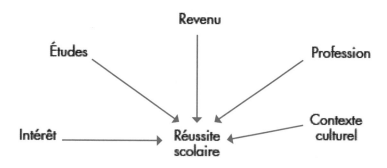

Figure 4.4 – Les facteurs influençant potentiellement la réussite scolaire

Dans ce cas, on ne peut parler de modèle. En revanche, en raisonnant quelque peu à partir des résultats de recherches antérieures et d'un travail exploratoire, il est possible de construire un système de relations beaucoup plus éclairant.

Plus le niveau d'études des parents est élevé, plus leur position professionnelle sera importante (H1) et plus les revenus seront élevés (H5). En même temps, le niveau d'éducation, associé à ce niveau d'études, devrait accroître la conscience des besoins de l'enfant ainsi que l'intérêt qu'on porte à ses études (H2). En outre, il devrait favoriser un contexte culturel propice au développement intellectuel de l'enfant (H3).

Par conséquent, dans les familles où le revenu (H6), l'intérêt porté aux études (H7) et le contexte culturel (H8) sont élevés, le taux de réussite des enfants devrait être plus élevé que dans les familles qui ne présentent pas ces caractéristiques.

Mais ce n'est pas tout. L'hypothèse (H4) introduit une autre condition. On peut supposer qu'une profession élevée soit affectée de contraintes qui réduisent effectivement les possibilités de s'intéresser au travail scolaire des enfants. Enfin, il faut encore concevoir des hypothèses alternatives pour les familles dans lesquelles le niveau d'études des deux parents est différent.

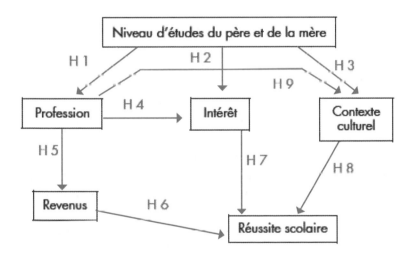

Figure 4.5 – La réussite scolaire : le modèle d'analyse

Pour que le modèle soit confirmé il faudrait, en plus de la confirmation de chaque hypothèse, que les résultats des observations montrent que le taux de réussite scolaire est le plus élevé quand toutes les relations associées à un niveau d'études supérieur sont rencontrées et le plus bas quand le niveau d'études des parents ne dépasse pas le minimum obligatoire. Il faudrait aussi que les cas intermédiaires présentent des taux de réussite significativement différents des précédents. Sinon, le modèle serait caduc. Il se passerait, en réalité, d'autres processus non prévus par le modèle, soit en ce qui concerne les variables utilisées, soit dans leurs relations, soit sur les deux plans à la fois.

L'avantage de la construction d'un tel modèle est double. D'abord, il rend tout le système vulnérable par la déficience d'un seul de ses éléments et n'accepte comme vrai que ce qui est totalement confirmé. En revanche, il est relativement aisé de repérer les infirmités du modèle et d'en revoir la construction à la lumière des résultats obtenus. Ce double avantage disparaît lorsque les hypothèses sont conçues séparément et testées sans articulation entre elles.

Dans cet exemple, le chercheur a « bricolé » son modèle d'analyse en fonction de ce qu'il lui semblait important de prendre en compte d'après ses lectures exploratoires. Ce bricolage n'en conduit pas moins à un modèle cohérent, bien différent d'un fourre-tout où diverses hypothèses sans liens entre elles seraient seulement juxtaposées. Les concepts restent toutefois relativement proches de catégories du sens commun (niveau d'études, intérêt, contexte culturel…) et ne se réfèrent pas à une théorie générale particulière. Ils n'en demandent pas moins à être clairement définis et opérationnalisés, avec leurs principales dimensions et leurs principaux indicateurs. Par exemple, concernant le niveau d'études des parents, le chercheur prendra-t-il en compte celui du père, celui de la mère ou celui des deux ? Se contentera-t-il de prendre en considération le niveau du dernier diplôme obtenu (primaire, secondaire ou supérieur) ou également le type de diplômes et les grades obtenus par les parents ? La théorisation bricolée ne dispense donc pas de préciser ces concepts avec leurs dimensions et indicateurs, même s'ils ne sont pas forcément tous aussi élaborés que dans une théorisation empruntée.

L'intérêt d'une construction bricolée est qu'elle permet d'éviter de s'enfermer trop vite dans un modèle théorique « clé sur porte », mais le risque est de procéder à une construction à partir soit d'observations partielles et d'informations souvent tronquées ou biaisées qui se présentent à nous, soit d'idées préconçues où le monde est conçu à partir de ce que l'on perçoit avec l'œil et l'oreille de Monsieur ou Madame Tout-le-Monde.

3.3 Théorisation empruntée ou théorisation bricolée ?

Deux conceptions s'opposent. La première, défendue notamment par P. Bourdieu, qui s'inscrit ici dans la ligne de Durkheim, consiste à penser que seul un modèle théorique préalablement bien pensé possède un réel pouvoir explicatif, car il peut seul garantir une distance par rapport au sens commun. Une théorisation bricolée est fondamentalement mimétique par rapport à la manière dont le sens commun appréhende la réalité et empêche dès lors le chercheur de prendre suffisamment de recul par rapport aux idées toutes faites et à la perception immédiate des phénomènes (Bourdieu, Chamboredon et Passeron, *op. cit.*).

Cette distinction radicale est contestée par certains auteurs qui privilégient une théorisation bricolée au fur et à mesure de l'avancement de la recherche, soit dans une démarche inductive, pour éviter de trop orienter ou cadrer d'emblée les investigations. Cette posture est fréquente dans les recherches fondées sur une épistémologie tendant à rapprocher les savoirs de sens commun et les savoirs scientifiques, et considérant que les personnes avec qui la recherche est menée coconstruisent tant la problématique que l'analyse. Si elle est soutenue par des arguments épistémologiques, la relation horizontale entre chercheurs et participants ainsi créée peut aussi être appréhendée en termes de transparence et de justice, soit de critères éthiques.

En réalité, les choses sont complexes et nuancées. Une approche déductive fondée sur les concepts empruntés ne tombe pas du ciel et ne se décide pas entièrement d'entrée de jeu ; elle se prépare le plus souvent au cours de la phase exploratoire, qui doit être caractérisée par un souci d'ouverture et de questionnement. De plus et surtout, lorsqu'elle est correctement menée, l'observation impose au chercheur sa propre « loi », celle de la mise au jour d'une réalité qui sait parfois résister aux schémas les mieux construits. (Dans l'étape suivante, on reviendra sur la place de la surprise dans une recherche bien menée.) Inversement, celui qui adopte une approche inductive et bricole progressivement son modèle d'analyse n'en est pas moins armé d'un ensemble de connaissances théoriques implicites qu'il mobilisera peu ou prou en cours d'investigation. Une structuration et une formalisation minimales de sa démarche l'aideront à retomber sur ses pattes lorsque, errant à dessein sur le terrain de ses observations, il se retrouvera quelque peu égaré.

En fait, ni le rigorisme théorique ni le spontanéisme ne sont à recommander car c'est de la dialectique de la théorie et de l'observation que les connaissances nouvelles les plus intéressantes procèdent le plus souvent. Les deux démarches se complètent plus qu'elles ne s'opposent. Tout modèle comporte inévitablement des éléments empruntés et bricolés, procède d'une démarche au moins partiellement déductive et partiellement inductive (par exemple dans le choix des dimensions et des indicateurs ou dans la formulation d'hypothèses complémentaires).

L'essentiel est que, dans tous les cas, la logique de l'enquête en sciences sociales reste la même : confronter des observations concrètes et des hypothèses théoriques, de sorte que les unes et les autres s'éclairent et se nourrissent mutuellement. Finalement, ce qui fait la valeur d'un concept, c'est sa capacité heuristique, c'est-à-dire en quoi il nous aide à découvrir et à comprendre.

Bref, un modèle d'analyse n'est pas figé dans le marbre au terme de cette 4e étape. Dans le prolongement des orientations données par la problématique, il procure à la recherche un cadre opérationnel, sans constituer pour autant une conclusion anticipée. Il est dès lors possible et même probable que les hypothèses devront être reconsidérées en cours de route en fonction des découvertes successives et que l'outillage conceptuel subira le même sort. C'est le sens des boucles de rétroaction dans le schéma des étapes.

Quoi qu'il en soit, avant de mettre au point le modèle d'analyse, il n'est jamais inutile de repréciser une dernière fois la question centrale de la recherche. Cet exercice constitue un gage de structuration cohérente des concepts et des hypothèses, car ces dernières se présentent comme des propositions de réponse à la question de recherche. Ensuite, et toujours en amont du modèle d'analyse proprement dit, la qualité du travail exploratoire revêt une grande importance. Si les différents textes étudiés ont fait l'objet de lectures approfondies et de synthèses soignées, si celles-ci ont été confrontées les unes aux autres avec attention, et si les entretiens et les observations exploratoires ont été exploités comme il se doit, alors le chercheur dispose normalement de nombreuses notes de travail qui l'aideront considérablement dans l'élaboration du modèle d'analyse. Au fur et à mesure de l'avancement du travail exploratoire, des concepts clés et des hypothèses majeures sortiront progressivement du lot, ainsi que les liens qu'il serait intéressant d'établir entre eux. Comme la problématique, le modèle d'analyse se prépare en fait tout au long de la phase exploratoire.

4. Deux applications... à suivre

Le modèle d'analyse a pour vocation d'orienter et d'organiser à la fois les observations de terrain (étape 5) et leur analyse (étape 6). Dans cette dernière section, nous allons nous y préparer afin de bien saisir la continuité entre ces trois étapes, en présentant deux applications qui seront reprises dans les étapes suivantes. Ces dernières font l'objet d'un complément numérique avec des données d'enquête qui permettront à ceux qui le souhaitent de faire eux-mêmes des exercices d'approfondissement et de devenir des chercheurs plus aguerris.

Ces deux applications sont volontairement très contrastées. La première, qui porte sur les comportements sexuels et attitudes face au risque du Sida, illustre la théorisation empruntée ; elle met en œuvre des méthodes quantitatives. Elle comporte en fait deux volets de recherche de manière à bien montrer comment l'étude d'un même phénomène peut être construite de plusieurs manières. La seconde application, qui porte sur la signification de la participation de citoyens à une action collective, illustre la théorisation bricolée et met en œuvre des méthodes qualitatives. En raison de ce caractère bricolé et de sa visée davantage inductive, sa présentation sera forcément plus brève.

Deux applications supplémentaires seront encore présentées dans la dernière section de cet ouvrage.

4.1 Comportements sexuels et attitudes face au risque du Sida

À l'occasion de sa revue de la littérature, un chercheur travaillant sur cette question aura découvert un ensemble de concepts plus ou moins adéquats pour mettre en œuvre sa problématique. Toutefois, comme on l'a vu, pour utiliser ces concepts de manière pertinente, il devra le plus souvent tenir compte de l'ensemble du système théorique auquel ces concepts se réfèrent et des implications méthodologiques de ce système. Par exemple, un modèle d'analyse axé sur les interactions sociales (concept) requiert idéalement de pouvoir observer directement les espaces de rencontre entre les acteurs (mode d'observation). À défaut de pouvoir le faire, le chercheur pourrait être tenté de se rabattre vers la collecte de données par entretiens successifs avec les différents acteurs. Ce faisant, il risque de s'éloigner du paradigme interactionniste pour adopter, même inconsciemment, un cadre de pensée centré sur les individus plutôt que sur les interactions.

Le cadre ici retenu est celui des recherches sur les comportements sexuels et attitudes face au risque du Sida. On exposera successivement deux exemples de conceptualisation renvoyant à des problématiques évoquées dans l'étape précédente et qui ont fait l'objet de nombreuses recherches concrètes : le premier est l'explication des comportements par les connaissances, croyances et attitudes ; le second par l'influence du réseau social. Les exemples se concentrent sur la conceptualisation des déterminants des comportements.

Ceci ne signifie nullement que la définition même du comportement sexuel aille de soi. Si certaines activités sexuelles ont de fortes probabilités d'être rangées dans la catégorie des comportements sexuels par tout un chacun, il est en d'autres qui prêteraient sans doute à discussion. De la définition du concept découle la liste des comportements qui feront l'objet de l'analyse. Par exemple, si le chercheur s'intéresse surtout à la transmission du virus du Sida, il pourra légitimement se limiter à l'étude des comportements sexuels qui comportent un risque de ce point de vue et adopter alors une définition éliminant toutes les pratiques autoérotiques. À l'inverse, s'il pense qu'il convient d'étudier le plus large éventail de pratiques dans le but d'étudier celles qui pourraient éventuellement se substituer aux pratiques comportant un risque de transmission du virus, il n'écartera pas les pratiques autoérotiques et optera alors pour une autre définition.

En outre, il n'est pas certain qu'un comportement sexuel puisse être défini en référence aux seuls actes, sans prendre en compte les intentions et le statut des partenaires. Selon le contexte, par exemple médical ou conjugal, ou encore selon que les partenaires sont ou non consentants, un même acte aura une signification totalement différente. Mais les intentions des acteurs restent souvent hors de portée du chercheur... et la définition d'un(e) partenaire sexuel(le) ne s'impose pas plus que celle du comportement sexuel. En dernière instance, la conceptualisation devrait toujours ramener au questionnement du chercheur.

a. Le modèle d'analyse KABP

Ces termes signifient *Knowledge, Attitudes, Beliefs and Practices*, soit en français : connaissances, attitudes, croyances et pratiques. L'Organisation mondiale de la Santé (OMS) est la principale instigatrice des enquêtes KABP dans le monde, à travers son « Programme global de lutte contre le Sida » mis en place en 1987 et appelé OnuSida. L'approche KABP s'inspire assez directement d'un modèle d'analyse antérieur, le *Health Belief Model* (HBM, en français : Modèle des croyances relatives à la santé), théorisé dès les années cinquante par des psychosociologues américains cherchant à prédire et à expliquer les comportements en matière de santé.

Comme le HBM, le modèle KABP tend à privilégier l'explication des pratiques individuelles par les processus cognitifs. À partir des diverses recherches qui s'inscrivent dans ce modèle, il est possible de distinguer trois processus cognitifs correspondant à autant de concepts : les connaissances, les croyances et les attitudes.

— Le terme de *connaissance* est utilisé lorsqu'il s'agit de considérer les réponses des personnes interrogées relativement à des faits scientifiquement établis. Par exemple, dès lors qu'il est scientifiquement établi que le virus du Sida ne se transmet pas par piqûre de moustique, il s'agit de vérifier si les répondants en ont bien connaissance. En ce sens, la connaissance traite du vrai et du faux. Dans les recherches sur les comportements face au VIH/Sida, ses dimensions les plus fréquemment étudiées sont les modes de transmission du virus, les moyens de protection contre le virus et, plus récemment, les traitements antirétroviraux.

— Le terme de *croyance* est réservé de façon privilégiée pour qualifier les réponses des répondants face à des situations d'incertitude et d'ambiguïté des messages de prévention, par exemple lorsque la transmission du virus semble théoriquement possible, mais qu'aucun cas de contamination recensé et documenté ne correspond à cette situation, ou lorsque l'efficacité du préservatif comme moyen de protection dépend de la façon dont il est utilisé. Les réponses enregistrées sont interprétées comme un mixte composé d'informations captées, de réinterprétations de cette information et de représentations de la maladie (J.-P. Moatti, N. Beltzer et W. Dab, « Les modèles d'analyse des comportements à risque face à l'infection du VIH : une conception trop étroite de la rationalité », *Population*, 5, 1993, p. 1505-1534). Les dimensions étudiées dans les enquêtes sont sensiblement les mêmes que pour les connaissances, même si les indicateurs sont différents puisqu'ils portent sur des situations d'incertitude et/ou d'ambiguïté.

— Le concept d'*attitude* tel que mobilisé dans nombre de recherches KABP correspond à la définition qu'en donne Maisonneuve (*Introduction à la psychosociologie*, Paris, PUF, 1973), à savoir « une position (plus ou moins cristallisée) d'un agent (individuel ou collectif) envers un objet (personne, groupe, situation, valeur) ». Les attitudes ne sont pas directement observables et ne peuvent être inférées qu'à partir de la mesure de la sensibilité des personnes ou des groupes à des situations censées les révéler. Les dimensions étudiées sont principalement : les attitudes face à la maladie, au risque de contracter le VIH/Sida, et plus récemment les hépatites B et C, aux moyens de protection (surtout le préservatif et le dépistage), aux personnes séropositives ou atteintes du Sida, et aux personnes toxicomanes.

Le tableau suivant reprend les trois concepts, une sélection des dimensions ainsi que quelques exemples d'indicateurs pour chacune.

Tableau 4.3 – Les concepts, dimensions et indicateurs du modèle KABP

Concepts	Dimensions	Indicateurs
Connaissances	Mode de transmission du virus (possibilité)	– Les rapports sexuels – Les piqûres de moustiques – L'injection de drogue par intraveineuse
	Moyens de protection contre le VIH (efficacité)	– Le coït interrompu – La toilette après les rapports sexuels – La pilule contraceptive
Croyances	Mode de transmission du virus (possibilité)	– En embrassant quelqu'un sur la bouche – En recevant du sang – En donnant du sang
	Moyens de protection (efficacité)	– La fidélité mutuelle – Le test de dépistage – Le préservatif masculin
Attitudes	Le VIH/Sida (appréhension)	– Le risque de contamination – Sentiment de contrôle *versus* fatalité
	Les moyens de protection (prédisposition à l'utilisation)	– Le préservatif – Le test de dépistage
	Les personnes séropositives (degré d'acceptation)	– Près de chez soi – Sur le lieu d'étude ou de travail – Comme *baby-sitter*

L'exemple présenté ci-dessus et construit à partir d'une littérature scientifique abondante illustre parfaitement les avantages et les risques d'un emprunt conceptuel évoqués plus haut. Du côté des avantages figure incontestablement la possibilité de comparer les résultats avec ceux produits par d'autres équipes de recherche. Les résultats peuvent dès lors être mis en discussion avec d'autres travaux ; le chercheur perçoit et participe concrètement au phénomène d'accumulation des savoirs.

Mais cette standardisation comporte le risque de développer des analyses de manière mécanique, trop stéréotypée, où le chercheur ne s'interroge plus sur les présupposés de sa perspective. En se focalisant sur les processus cognitifs individuels, le modèle délaisse notamment les processus d'interaction entre les partenaires, ainsi que les effets du contexte social et culturel d'exposition au risque. Sur le plan des concepts, le passage du HBM au modèle KABP s'est aussi traduit par un relatif brouillage conceptuel. Ainsi, la frontière entre connaissances et croyances est particulièrement flottante. D'une part, il n'est pas rare qu'un même indicateur – par exemple, la réponse à la question de savoir si le VIH est transmissible *via* une piqûre de moustique – soit tantôt intégré dans un indice de synthèse de connaissance des modes de transmission du virus, tantôt étudié en tant que « fausse croyance » ; d'autre part, au fil de l'avancée des recherches scientifiques, une situation d'abord qualifié d'incertaine d'un point de vue scientifique peut perdre ce statut – comme ce fut le cas pour le risque de transmission du VIH lors des rapports bucco-génitaux , avec comme conséquence que l'indicateur peut alors basculer du registre des croyances à celui des connaissances. En définitive, la distinction entre connaissances et croyances repose pour l'essentiel sur le statut spécifique accordé aux savoirs scientifiques et néglige le fait que, loin d'être un pur reflet d'une information diffusée, toute connaissance est le produit d'un travail psychique.

Enfin sur le plan de l'analyse et de l'interprétation des résultats, le modèle postule que les comportements sont déterminés, notamment, par les connaissances. Cette causalité à sens unique ne va pas de soi. En effet, les expériences comportementales peuvent modifier les connaissances des partenaires, en les amenant à réinterpréter autrement les situations qu'ils expérimentent et les risques associés, ou en générant de nouvelles connaissances.

b. Le modèle d'analyse du réseau social

À l'inverse du modèle KABP, les travaux abordant la sexualité des individus à partir de leurs réseaux sociaux (dits encore réseaux d'acteurs sociaux) appréhendent les comportements comme des phénomènes fondamentalement sociaux, effectués en fonction d'autres personnes, au-delà du seul partenaire. Il en est de même pour les normes auxquelles adhèrent les individus. Une relation sociale d'un individu – à caractère sexuel ou non – est envisagée comme un élément du système composé de l'ensemble de ses relations partiellement interdépendantes entre elles.

Le travail de conceptualisation présenté ci-dessous s'inscrit dans cette lignée ; il se fonde sur l'hypothèse que les normes des membres du réseau auquel un individu appartient constituent pour lui des références (J. Marquet, Ph. Huynen et A. Ferrand, 1997, « Modèles de sexualité conjugale. De l'influence normative du réseau social », *Population*, 6, p. 1401-1438) qui influencent fortement ses comportements. On distingue couramment les *normes idéales* et les *normes pratiques* ou *effectives*. Les premières constituent les idéaux (par exemple, la fidélité, l'honnêteté, l'égalité entre les partenaires), liés à la culture, généralement partagés dans un réseau donné et qui contribuent à sa cohésion. Les secondes correspondent à la perception que les individus ont des comportements effectifs des membres de leur réseau et peuvent porter par exemple sur ce qui, en matière de conjugalité et de vie sexuelle, doit être montré, peut être montré, ne doit pas être montré ou doit absolument rester secret. L'hypothèse est que les normes pratiques sont les plus déterminantes.

Le *réseau social* d'une personne (appelée « acteur » dans le paradigme du réseau) représente le concept central du modèle. Il est défini comme l'ensemble des relations qui lient cette personne à d'autres. Le réseau est appréhendé tantôt de façon globale, tantôt en distinguant le cercle familial, le cercle amical, le cercle des collègues et, dans certains cas, le partenaire principal.

L'hypothèse de l'influence normative du réseau sur les normes idéales des individus présuppose notamment que ce réseau (notamment ses cercles de proches et son éventuel partenaire) soit en mesure d'exercer sur eux un *contrôle social*, c'est-à-dire une surveillance, relativement à leurs relations sexuelles. Du degré de contrôle dépendraient partiellement les sanctions des écarts aux normes ; de la perception du contrôle dépendraient partiellement les libertés que les individus pourraient s'accorder par rapport aux normes idéales.

Comme on l'a vu plus haut, le concept de *structure* est au cœur de toute analyse des réseaux sociaux. Appréhender le réseau social à partir de sa *structure* revient à souligner l'influence potentielle des interdépendances entre les acteurs qui le composent. Autrement dit certains traits structurels du réseau ne seraient pas sans influence, directe ou indirecte (*via* les modalités potentielles de contrôle social), sur les normes des individus. Les traits structurels retenus sont les suivants : la taille, le degré d'homogénéité sociale, le degré d'interconnaissance de ses membres, le degré d'insertion du partenaire principal. Dans le modèle d'analyse, ces traits correspondent aux indicateurs.

Pour cette recherche, les normes pratiques du réseau, sa structure et le contrôle social qui s'y exerce constituent les dimensions du concept de réseau. En ce qui concerne la structure du réseau, dans un souci d'économie, une majorité d'indicateurs portent sur le seul cercle amical, c'est-à-dire celui où le pouvoir d'*ego* pour le façonner est supposé le plus grand ; tant en théorie qu'en pratique, de tels indicateurs sont cependant également pertinents pour les deux autres cercles et pour le réseau dans son ensemble. Ces dimensions sont reprises dans le tableau suivant avec leurs indicateurs.

Tableau 4.4 – Les dimensions et indicateurs du concept de réseau social

Concept	Dimensions	Indicateurs
Réseau social	La stucture du réseau	Taille et diversité (en termes d'appartenance aux divers cercles) du réseau
		Degré d'interconnaissance des ami(e)s
		Degré d'homogénéité sociale du cercle amical
		Degré d'insertion du partenaire principal dans le cercle amical
	Le contrôle social du réseau (perception)	Contrôle social exercé par le cercle familial
		Contrôle social exercé par le cercle amical
		Contrôle social exercé par le cercle des collègues
		Contrôle social exercé par le partenaire principal
	Les normes pratiques du réseau (perception)	Normes pratiques du cercle familial
		Normes pratiques du cercle amical
		Normes pratiques du cercle des collègues

Venons-en aux limites de cette conceptualisation. Bien que s'inscrivant dans la lignée des travaux sur les réseaux sociaux, elle s'écarte de la théorie des réseaux sur quelques points essentiels. La plupart de ces écarts résultent de l'impossibilité de mettre en place le dispositif de récolte des données nécessaire à l'analyse mathématique de la structure du réseau des individus. Les concepts et dimensions présentés ont été construits dans la perspective d'une opérationnalisation pour une enquête par questionnaire auprès d'un échantillon aléatoire de la population dite générale. Or ce cadre d'application ne permet pas de mobiliser toutes les potentialités d'analyse des réseaux sociaux (dites *Social Network Analysis*), ce qui requiert idéalement que tous les liens significatifs entre les individus soient étudiés. Dans cette théorie, la structure du réseau résulte des relations que les individus entretiennent entre eux, autrement dit de leur position au sein de la structure. Cette structure n'est pas donnée *a priori*, elle émerge de l'analyse des liens, et c'est elle dont le rôle de déterminant des opinions et des comportements est posé par hypothèse.

S'agissant d'étudier les comportements sexuels et attitudes face au risque du Sida, l'analyse de l'ensemble des liens significatifs de plusieurs réseaux d'acteurs est impensable, pour des raisons tant économiques qu'éthiques. Comment interroger tous les individus entretenant des relations significatives avec ne serait-ce qu'une centaine de personnes tirées au sort ? Comment assumer le coût d'une telle enquête ? Et puisque l'on touche là à la vie intime des personnes, comment éviter les biais liés aux dissimulations et aux secrets ? Or, dès lors que tous les liens ne peuvent être étudiés, on doit aussi oublier les analyses mathématiques en termes de degré de centralité, de degré de cohésion du réseau ou de trou structural.

Dans le dispositif d'enquête par questionnaire, les individus tirés au sort sont isolés, ils n'appartiennent pas à un même réseau. Ce sont eux qui occupent une place centrale dans le dispositif de collecte de l'information mis en place et informent sur leur réseau social. Par rapport au cadre de référence, il ne s'agit pas là d'une inflexion mineure.

Les contraintes d'accès au terrain ont ainsi des conséquences en cascade à différents niveaux. De façon indirecte, les processus cognitifs individuels retrouvent une place dans l'explication des phénomènes observés puisque l'information récoltée sur le réseau passe par le filtre des perceptions individuelles. Ce passage obligé par la perception des acteurs affecte directement la construction conceptuelle : plutôt que de pouvoir étudier le contrôle social, les enquêtes se rabattent sur la perception du contrôle social exercé ; plutôt que d'étudier les normes pratiques du réseau, elles abordent les normes pratiques perçues ; plutôt que d'étudier la taille du réseau ou son degré d'homogénéité, ce sont les individus qui sont amenés à évaluer l'une et l'autre... De plus, comme on ne dispose que d'un seul informateur par réseau, les interprétations en termes d'effet de réseau doivent rester prudentes. Les analyses et les interprétations oscillent ainsi entre perspective individuelle et effets de contexte.

Lorsque le chercheur est bien conscient de telles limites, son enquête peut néanmoins produire des enseignements fort intéressants, comme on le verra dans les étapes suivantes.

4.2 Le Mouvement blanc

Parmi les nombreuses recherches qui ont étudié les attentes des citoyens à l'égard de la justice (voir l'étape précédente : La problématique), l'une d'elles visait à étudier les ressorts du Mouvement blanc. Ce mouvement s'est créé en Belgique dans le courant des années quatre-vingt-dix à la suite d'une série d'enlèvements et d'assassinats d'enfants très médiatisés, dont la tristement célèbre « affaire Dutroux ». Durant des mois, le Mouvement blanc a mobilisé des centaines de milliers de personnes autour des thèmes de la protection des enfants et de ce qu'il était convenu à l'époque d'appeler les « dysfonctionnements » de la justice. La couleur blanche, qu'arboraient tous les participants aux manifestations, symbolisait la pureté des enfants victimes.

Comment interpréter les réactions collectives (pétitions, Marches blanches, courriers des lecteurs, discours des acteurs, manifestations, etc.) consécutives aux événements de l'été 1996 ? Quelles sont les raisons pour lesquelles tant de personnes y ont pris part ? Quel est, à leurs yeux, le sens de leur participation ? Quel message veulent-ils faire entendre aux responsables politiques ? Quel est le destin de ce mouvement ? Ces questions ont fait couler beaucoup d'encre pendant plusieurs années. La manière dont elles étaient formulées présupposait une grande homogénéité du mouvement, tant du point de vue des motivations que des valeurs des milliers de personnes qui l'ont rejoint. Plusieurs recherches conduites sur cette action collective vont pourtant vite prendre le contre-pied de cette impression et remettre en question ce qui apparaissait comme une évidence.

C'est le cas de celle dirigée par J. Marquet et Y. Cartuyvels (*Attentes sociales et demandes de justice. Les mobilisations blanches et après ?*, Bruxelles, publications des facultés universitaires Saint-Louis, 2001) dont le modèle d'analyse s'est organisé autour du concept de *plainte sociale*. Ce concept a été retenu à la suite d'une recherche qualitative présentée dans cet ouvrage, « Les formes de la plainte sociale : entre émotions et revendications » (J. Marquet, T. Périlleux et L. Van Campenhoudt, p. 15-59).

L'idée qu'il fallait se tourner vers les participants à cette action collective afin de saisir le sens qu'ils donnaient à leurs actions s'est rapidement imposée aux chercheurs. La question de départ retenue fut dès lors : « Quelle est la signification de ce mouvement pour ceux qui y ont pris part ? » Pour y répondre, les chercheurs ont opté pour une approche compréhensive (consistant à décoder le sens que les acteurs attribuent à leur participation) et davantage inductive qui donne un statut fort au terrain. Cette option requiert qu'en début de processus au moins, le modèle d'analyse ne soit pas trop élaboré et que les concepts retenus soient marqués du sceau de l'ouverture afin de pouvoir accueillir la diversité des vécus subjectifs. Tel est le cas du concept de plainte sociale.

De façon assez paradoxale donc, le terme de plainte sociale a d'abord été retenu en raison de sa polysémie, caractéristique permettant de faire place à l'hypothèse de diversité des réactions et de leurs ressorts. La plainte est tantôt gémissement ou expression d'une souffrance, tantôt expression d'un mécontentement ou d'une revendication, tantôt encore, dans une acception juridique, elle renvoie à une infraction dénoncée en justice. Sans recouvrir totalement l'objet de la recherche, le terme de plainte sociale précise ce que les chercheurs tentent d'appréhender,

tout en se refusant à lui donner une interprétation univoque *a priori*.
En effet, à ce stade de la recherche, ils sont incapables de savoir ce
qui des émotions, des protestations ou des dénonciations nourrit l'ensemble diversifié des réactions ; de plus, le terme de plainte sociale n'est
pas encore vraiment un concept analytique ; statut qu'il devra acquérir au fil du travail. À ce stade, il permet surtout de clarifier l'objet de
la recherche. « Dans l'optique adoptée, la plainte peut être un cri de
rage ou de dépit, une forme de désignation, un mouvement d'humeur,
l'expression d'un mécontentement ou d'un grief, la dénonciation d'une
injustice, une revendication politique, ou un nœud de tout cela tissé
d'affections et d'émotions diverses » *(ibidem.)*.

Les diverses formes de réactions collectives – qui, dans cette démarche
inductive, restent à repérer plus systématiquement – reçoivent le statut
de dimensions du concept de plainte sociale.

Dans cette perspective, quatre hypothèses ont été formulées, qui correspondent à quatre objectifs complémentaires. Dans une optique plutôt inductive, les hypothèses sont formulées d'une manière qui ouvre
chacune sur une large palette de possibilités.

■ *Objectif et hypothèse 1*

Le premier objectif est d'enregistrer la plainte sociale dans sa diversité
et sa complexité. L'hypothèse correspondante est que, loin de l'évidence
de l'homogénéité du mouvement, on a affaire à une plainte sociale
complexe et diversifiée. Prendre au sérieux cette hypothèse implique
de dégager la plainte de son cadre strictement juridique – la question
du juste et de l'injuste ne se limite pas à « rendre la justice » – et de
faire place aux réalités sociales mouvantes dans lesquelles s'enracine le
juridique (les affects collectifs, les inégalités sociales, les violences physiques ou symboliques, etc.).

■ *Objectif et hypothèse 2*

Le deuxième objectif est d'étudier les caractéristiques sociales des populations qui portent la plainte. L'hypothèse correspondante est qu'il existe
une relation entre les diverses formes de la plainte et les caractéristiques
sociales des groupes qui les portent. Cette hypothèse requiert de s'intéresser aux liens éventuels entre les diverses variantes de la plainte et les
conditions de vie spécifiques des populations qui les expriment.

■ *Objectif et hypothèse 3*

Le troisième objectif est de comprendre l'agencement des diverses
plaintes. L'hypothèse correspondante est qu'il s'est constitué une large
coalition des demandes sociales diversifiées autour de la question

fédératrice des **enfants disparus**. Cette hypothèse conduit à se demander en quoi les gens se sont reconnus dans les drames à l'origine du Mouvement blanc.

■ *Objectif et hypothèse 4*

Le quatrième objectif est d'étudier la notoriété et le crédit des relais individuels ou institutionnels appelés à traduire la plainte. L'hypothèse correspondante est l'émergence de nouveaux acteurs sur la scène publique (comme certains parents de victimes, certains journalistes, intellectuels et responsables politiques). Cette hypothèse invite à étudier la notoriété et le crédit dont jouissent, dans la population, les divers relais – émergents et traditionnels – appelés à traduire la plainte et à la convertir dans un cadre politico-juridique.

Contrairement à l'exemple précédent, il ne s'agit pas ici de transposer les concepts en indicateurs, et de construire un questionnaire standardisé. La façon dont se pose le problème pour les individus reste à découvrir, et elle est un des enjeux essentiels de la recherche, ce qui justifie une démarche d'interrogation plus souple et plus ouverte.

Résumé de la 4ᵉ étape
La construction du modèle d'analyse

Le modèle d'analyse constitue le prolongement naturel de la problématique. Il articule, sous une forme opérationnelle, les pistes et les repères qui seront finalement retenus pour présider au travail d'observation et d'analyse. Il est composé d'hypothèses et de concepts étroitement reliés entre eux pour former ensemble un cadre d'analyse cohérent.

Une hypothèse est une proposition qui anticipe une relation entre deux termes qui, selon les cas, peuvent être des concepts ou des phénomènes. Elle est donc une proposition provisoire, une présomption, qui demande à être vérifiée.

L'hypothèse sera donc confrontée, dans une étape ultérieure de la recherche, à des données d'observation.

Pour pouvoir faire l'objet de cette vérification empirique, une hypothèse doit être falsifiable. Selon Popper, cela signifie d'abord qu'elle doit revêtir un caractère de généralité, et ensuite qu'elle doit accepter des énoncés contraires qui sont théoriquement susceptibles d'être vérifiés.

Ces critères doivent être appliqués avec pertinence aux sciences sociales en tenant compte de leurs spécificités par rapport aux sciences naturelles, en respectant l'esprit de tout travail scientifique, notamment la remise en question perpétuelle des acquis provisoires de la connaissance.

La conceptualisation, ou construction des concepts, constitue une construction abstraite qui vise à rendre compte du réel. À cet effet, elle ne retient pas tous les aspects de la réalité concernée mais seulement ce qui en exprime l'essentiel du point de vue des objectifs de la recherche. Il s'agit donc d'une construction-sélection. La construction d'un concept consiste à désigner les dimensions qui le constituent et, ensuite, à en préciser les indicateurs, grâce auxquels ces dimensions pourront être mesurées.

La construction du modèle d'analyse peut consister en une théorisation empruntée ou en une théorisation bricolée, souvent en une combinaison des deux.

Travail d'application n° 9
Formulation des hypothèses principales et définition des concepts de base de la recherche

Pour effectuer cet exercice avec profit, gardez à l'esprit ces quelques suggestions :

• Partez d'une question précise, telle que revue et corrigée au terme du travail exploratoire et de la problématique.

• Ne brûlez pas les étapes. Cet exercice constitue l'aboutissement naturel d'un travail exploratoire correctement mené et d'une réflexion sur la problématique retenue.

• Consultez les bons auteurs. N'hésitez pas à leur emprunter leurs concepts et à vous inspirer de leurs hypothèses, en les adaptant si nécessaire pour votre propre projet. Dans ce cas, soyez soucieux d'indiquer clairement vos références et vos emprunts. Il s'agit d'une question d'honnêteté, mais il y va en outre de la validité externe de votre travail.

• Veillez à la cohérence de votre modèle d'analyse : mettez clairement en évidence les relations que vous envisagez entre les concepts et les hypothèses.

• Ne cherchez pas pour autant midi à quatorze heures. Veillez toujours à être aussi clair et simple que possible. La qualité l'emporte sur la quantité : une ou deux hypothèses principales et un ou deux concepts centraux suffisent le plus souvent. Ne vous préoccupez des hypothèses et concepts secondaires qu'après avoir acquis la certitude que vos hypothèses et concepts principaux sont bien choisis.

Travail d'application n° 10
Explicitation du modèle d'analyse

Cet exercice consiste à détailler et à rendre opérationnels les hypothèses et les concepts principaux définis dans l'exercice précédent. Il vous est en effet demandé :

• *pour les hypothèses* : d'identifier les variables annoncées par chacune des hypothèses et de préciser le lien que l'hypothèse suggère entre elles ;

• *pour les concepts* : de définir leurs dimensions éventuelles et leurs indicateurs.

L'observation

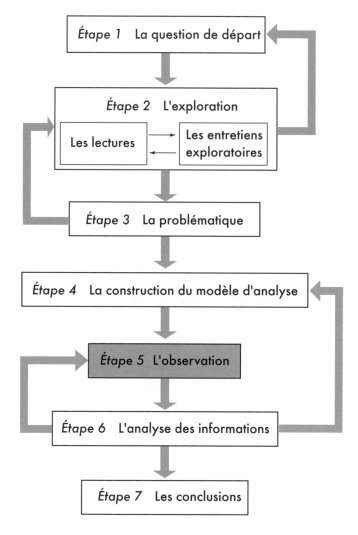

Les étapes de la démarche

1. Objectifs

L'observation comprend l'ensemble des opérations par lesquelles le modèle d'analyse (constitué d'hypothèses et de concepts avec leurs dimensions et leurs indicateurs) est soumis à l'épreuve des faits, confronté à des données observables. Au cours de cette phase, de nombreuses informations sont donc rassemblées. Elles seront analysées systématiquement au cours de l'étape suivante. Comme en physique ou en chimie, l'observation peut prendre la forme de l'expérimentation, mais nous n'en parlerons pas ici car les conditions d'application de l'expérimentation sont trop rarement réunies en recherche en sciences sociales.

L'observation – parfois appelée « travail de terrain » – est une étape essentielle dans toute recherche en sciences sociales. Ces disciplines peuvent en effet être considérées comme des disciplines « empiriques » en ce sens qu'elles impliquent toujours une enquête consistant en la récolte et en l'analyse d'un matériau « concret » tel que des réponses aux questions posées dans un questionnaire, des données statistiques, des propos recueillis dans le cadre d'entretiens, des documents produits par une organisation quelconque (comme une entreprise, une administration ou un journal), des documents audiovisuels ou électroniques ou encore des observations effectuées directement sur les lieux de vie des personnes étudiées.

Ce matériau « concret » n'est pas pour autant un matériau « brut » car il ne saurait être saisi indépendamment des outils utilisés à cette fin (concepts, méthodes et techniques). Par exemple, un taux de suicide n'est pas une réalité brute, il est une information ou une donnée construite à l'aide d'outils méthodologiques (essentiellement une définition précise de la notion de suicide, un dispositif relativement complexe de comptage des cas de suicide et un mode de calcul du taux de suicide), mais qui n'en vise pas moins à rendre compte de la réalité et qui doit donc être en concordance avec elle.

Avant d'entrer dans le cœur de cette étape, il importe de bien comprendre le sens de l'observation dans la recherche sociale. Ce sens est triple :

– premièrement, l'observation vise à tester les hypothèses. À ce titre, elle occupe une place nécessaire dans l'ensemble du dispositif de recherche et participe de sa cohérence générale. C'est essentiellement dans cette cohérence générale que réside la validité de la démarche. Plus précisément, la rigueur consiste en l'adéquation entre les enseignements avancés au terme de la recherche et ce qui permet de les avancer : des concepts judicieusement choisis et définis avec précision, des hypothèses explicitées et bien construites et, pour ce qui concerne cette étape, des dispositifs de récolte d'un matériau empirique correctement conçus et mis en œuvre. Comme on le verra plus loin (étape 6 : « Un scénario de recherche non linéaire »), l'articulation entre les hypothèses et l'observation n'est pas forcément linéaire, comme l'indiquent les boucles de rétroaction, bien visibles dans le schéma des étapes. Dans certains dispositifs méthodologiques, il y a un va-et-vient constant entre les hypothèses et les observations, de sorte qu'elles se fécondent mutuellement ;

— deuxièmement, l'observation confère à la recherche un principe de réalité. Si la spéculation théorique occupe une place importante dans les sciences sociales, comme dans pratiquement toutes les disciplines scientifiques, cette spéculation doit « avoir les pieds sur terre ». Les idées du chercheur doivent être en concordance avec ce que la réalité sociale laisse voir d'elle-même et pouvoir se connecter à ce qu'expérimentent et pensent les personnes concernées, comme l'expliquent A. Strauss et J. Corbin, porte-parole de la « théorie enracinée » – mieux connue sous son appellation anglaise originale de *Grounded Theory* – (*Les Fondements de la recherche qualitative*, Fribourg, Academic Press, 2004, p. 22). Ceci ne signifie pas qu'il faille prendre tout propos pour de l'argent comptant, mais bien que, pour saisir quelque phénomène social que ce soit, il faut pouvoir appréhender son incidence sur les consciences de ceux et celles qui le vivent ;

— troisièmement, enfin et sans doute surtout, le sens profond de l'empirie est de se mettre systématiquement et délibérément en situation d'être surpris. Loin de conduire à s'enfermer dans une conviction, la construction et le formalisme de la méthode doivent au contraire contraindre à explorer des aspects du phénomène étudié qui ne cadrent pas forcément avec les intuitions de départ. Correctement conçues, les contraintes méthodologiques ne constituent pas un carcan ; bien au contraire, elles servent à contraindre le chercheur à voir ce qu'il ne pensait pas voir. Car, pour se mettre systématiquement en situation d'être surpris, il faut adopter une démarche… systématique qui oblige à « ratisser » en des lieux et selon des manières qui rendent la surprise plus que plausible, probable. Les règles en matière de construction du modèle d'analyse, de construction d'échantillon, d'analyse des données, la conduite à adopter au cours d'un entretien ou d'une observation ne sont que quelques exemples de cette systématisation de la démarche. Tantôt les découvertes surprenantes ainsi rendues possibles emballent le chercheur car elles l'entraînent vers de nouvelles explorations, tantôt elles lui posent problème car elles réclament une remise en cause plus ou moins profonde des hypothèses. Mais telle est la loi du genre. Il en découle qu'une bonne hypothèse n'est pas une hypothèse qui se vérifie mais bien une hypothèse qui favorise la découverte. Considérer l'observation comme la récolte opportuniste de données favorables aux hypothèses de recherche que le « chercheur » tiendrait obstinément à vérifier est à l'opposé de l'esprit de la recherche et disqualifie son travail. Une hypothèse n'est pas une idée fixe et le travail empirique n'est pas une manipulation de données en fonction d'un préjugé ni même d'une cause, aussi généreuse soit-elle.

Une certaine souplesse méthodologique est certes souhaitable et les directives et conseils présentés dans cet ouvrage ne doivent pas être appliqués de manière fétichiste ou ritualiste. Pour autant, il ne s'agit pas de faire n'importe quoi n'importe comment au nom de la souplesse et de l'inventivité. Car c'est l'inventivité elle-même qui, paradoxalement, en pâtirait. Le substantif « discipline » dans le vocable « discipline scientifique », tant ancré dans le vocabulaire qu'on n'y fait plus attention, prend ici tout son sens.

Cela signifie que, quelle que soit la méthode de recueil et d'analyse des informations qu'il utilise (voir les panoramas présentés plus loin), le chercheur doit être en mesure d'expliciter sa manière de faire, de démontrer que celle-ci n'est pas arbitraire et qu'il la met en œuvre concrètement, avec rigueur et constance (par exemple, comme on le verra dans l'étape suivante, en utilisant toujours de la même manière une même grille pour analyser des entretiens ou des documents).

Concernant l'étape d'observation, cette systématisation de la démarche peut être construite autour de trois questions auxquelles le chercheur devra répondre avant de se lancer sur le terrain ou sur la collecte de ses données :
— observer quoi ?
— sur qui ?
— comment ?

2. Observer quoi ? La définition des données pertinentes

De quelles données un chercheur a-t-il besoin pour tester ses hypothèses ?

De celles définies par le modèle d'analyse et, en particulier, les indicateurs. Pour illustrer cette réponse, reprenons l'exemple de la recherche de Durkheim sur le suicide. Pour tester son hypothèse sur les liens entre cohésion religieuse et taux de suicide, quelles données sont nécessaires ? Chacun peut répondre facilement : d'une part, des données permettant de calculer les taux de suicide de plusieurs contrées aussi peu différentes que possible, sauf bien entendu sur le plan de la religion et, d'autre part, des données relatives à la cohésion religieuse.

Comme la cohésion religieuse n'est pas directement observable, Durkheim a fait porter ses observations sur des indicateurs tels que l'importance numérique du clergé, le nombre de rites et de croyances partagés en commun ou la place du libre examen. En réalité, Durkheim a donc dû rassembler des données relatives, non à une simple variable en tant que telle, mais bien à plusieurs indicateurs de cette variable. Cette indispensable décomposition de la variable multiplie donc les données à récolter et exige un travail soigneusement structuré et organisé. Il a d'ailleurs été reproché à Durkheim le caractère peu opérant et assez flou de l'indicateur « place du libre examen ».

En outre, il faut aussi faire porter l'observation sur les indicateurs des hypothèses complémentaires. Pour estimer correctement l'impact d'un phénomène (la cohésion de la société) sur un autre (le suicide), il ne suffit pas d'étudier les relations entre les deux seules variables annoncées par l'hypothèse. La prise en considération de variables de contrôle est indispensable car les corrélations observées, loin de traduire des liens de cause à effet, peuvent résulter d'autres facteurs qui relèvent du même système d'interaction. Par exemple, pour pouvoir établir l'impact de la religion sur le suicide, il faut vérifier si la variable socio-économique, en particulier la profession, n'est pas plus déterminante que la religion, les protestants se retrouvant davantage que les catholiques dans des fonctions de cadres liées à l'industrie et aux affaires, où les valeurs individualistes (responsabilité personnelle, liberté de penser, esprit d'entreprise…) sont davantage présentes. Il faudra donc récolter un certain nombre de données relatives à d'autres variables que celles explicitement prévues dans les hypothèses principales.

Pour éviter au chercheur d'être submergé par une masse trop volumineuse de données difficilement contrôlables, cet élargissement de la récolte des données sera néanmoins mené avec parcimonie. Sur quelque phénomène que ce soit, il est possible de produire ou de récolter une infinité de données. Mais quelle signification leur attribuer si elles ne s'inscrivent pas dans le cadre d'un modèle d'analyse ? En recherche sociale, il s'agit au contraire de se concentrer sur les données utiles à la vérification des hypothèses. Ces données nécessaires sont appelées très justement les données pertinentes.

Le problème de la définition des données nécessaires pour tester les hypothèses n'est pas aussi simple qu'il paraît de prime abord. Il n'existe aucune procédure technique permettant de résoudre cette question de manière standardisée. De ce point de vue comme de beaucoup d'autres, chaque recherche est un cas d'espèce que le chercheur ne peut résoudre qu'en faisant appel à sa propre réflexion, en tenant compte de certaines contraintes pratiques.

Pour s'aider dans cette tâche, il dispose de guides, les hypothèses, et de points de repère, les indicateurs. Le meilleur moyen de définir aussi justement que possible les données pertinentes utiles au travail empirique consiste donc à élaborer un modèle d'analyse aussi clair, précis et explicite que possible.

3. Observer qui ? Le champ d'analyse et la sélection des unités d'observation

3.1 Le champ d'analyse

Il ne suffit pas de savoir quels types de données devront être rassemblés. Il faut encore circonscrire le champ des analyses empiriques dans l'espace géographique et social et dans le temps. À cet égard, deux situations peuvent se présenter.

- Première situation : le travail porte sur un phénomène ou un événement singulier, par exemple les réseaux de communication au sein d'un service hospitalier particulier, le recrutement d'une école ou l'échec d'une conférence internationale. Dans ce cas, l'objet du travail définit lui-même *de facto* les limites de l'analyse, et le chercheur ne rencontrera pas de difficulté à cet égard. Pour éviter les malentendus et travailler sans se disperser, il lui sera néanmoins nécessaire de préciser explicitement les limites du champ d'analyse, même si elles semblent évidentes : période de temps prise en compte, zone géographique considérée, organisations et acteurs sur lesquels portera l'attention, etc.
- La seconde situation est celle du *Suicide* de Durkheim : le chercheur met l'accent non sur des phénomènes singuliers, mais bien sur des processus sociaux. Dans ce cas, des choix s'imposent. Par exemple, Durkheim a dû choisir les pays sur lesquels faire porter son analyse. Ces choix doivent être raisonnés en fonction de plusieurs critères. Au premier rang d'entre eux se trouvent les hypothèses de travail elles-mêmes et ce qu'elles dictent au bon sens. Comme nous l'avons

vu plus haut, les hypothèses de Durkheim l'ont obligé pratiquement à choisir, comme principal champ d'analyse, des pays aussi peu différents que possible les uns des autres, sauf sur le plan de la religion. En réalité, il est très courant que de telles implications s'imposent assez naturellement aux chercheurs.

Un deuxième critère très important dans la pratique est la marge de manœuvre du chercheur : les délais et les ressources dont il dispose, les contacts et les informations sur lesquels il peut raisonnablement compter, ses propres compétences et aptitudes, notamment linguistiques, etc. On ne s'étonnera pas que, le plus souvent, le champ de recherche soit situé dans la société où le chercheur vit lui-même. *A priori*, cela ne constitue ni un inconvénient ni un avantage.

Quoi qu'il en soit, le champ d'analyse demande à être très clairement circonscrit. Une erreur courante chez les chercheurs débutants consiste à le choisir beaucoup trop large. Un étudiant réalisera volontiers un travail sur le sous-développement à partir d'un examen sommaire de diverses données relatives à une bonne dizaine de pays différents tandis que, pour sa part, un chercheur qui prépare une thèse de doctorat concentrera ses analyses sur une communauté de dimension très réduite dont il étudiera avec soin l'histoire, le fonctionnement politique, les structures sociales et économiques, et les représentations culturelles et religieuses, par exemple. Paradoxalement, le travail empirique n'apporte souvent des éléments fiables de contrôle d'hypothèses de caractère général que si lui-même se présente comme un examen précis et approfondi de situations singulières.

3.2 L'échantillon

Le propre des spécialistes en sciences sociales, et singulièrement des sociologues, est en principe d'étudier les ensembles sociaux (par exemple une société globale ou des organisations concrètes dans une société globale) comme des totalités spécifiques, différentes de la somme de leurs parties. Ce sont le plus souvent les comportements d'ensemble qui les intéressent au premier chef, leurs structures et les systèmes de relations sociales qui les font fonctionner et changer, et non, pour eux-mêmes, les comportements des unités qui les constituent. Toutefois, l'étude d'un ensemble nécessite souvent de passer par l'étude de ses éléments constitutifs. Pour connaître les tendances présentes dans une population, concernant par exemple les opinions politiques, il sera indispensable d'examiner les opinions d'un échantillon d'individus qui composent cette population. Pour connaître le mode de fonctionnement d'une entreprise, il faudra, le plus souvent, interroger ceux qui en font partie, même si l'objet d'étude est constitué par l'entreprise elle-même et non par son personnel. Pour étudier l'idéologie d'un journal, il faudra analyser les articles publiés, même si ces articles ne constituent pas, en eux-mêmes, l'objet de l'analyse.

La totalité de ces éléments, ou des « unités » constitutives de l'ensemble considéré, est appelée « population », ce terme pouvant désigner aussi bien un ensemble de personnes, d'organisations ou d'objets de quelque nature que ce soit.

Une fois la population délimitée (par exemple la population active d'une région, l'ensemble des entreprises d'un secteur industriel ou les articles publiés dans la presse écrite sur un sujet donné au cours d'une année), il n'est pour autant pas toujours possible, ni d'ailleurs utile, de rassembler des informations sur chacune des unités qui la composent. La banalisation des sondages d'opinion a appris au grand public qu'il était possible d'obtenir une information fiable relativement à une population de plusieurs dizaines de millions d'habitants en n'interrogeant que quelques milliers d'entre eux.

Cependant le recours aux techniques d'échantillonnage n'est pas propre aux sondages d'opinion qui, lorsqu'ils sont effectués indépendamment d'une problématique théorique, comme c'est habituellement le cas, ne relèvent pas de la recherche en sciences sociales en tant que telle. Ces techniques peuvent être utilisées dans les buts les plus variés. Par exemple, un auditeur d'entreprise analysera un échantillon représentatif des milliers de factures annuelles pour en retirer des informations relatives à la totalité des factures envoyées ou reçues par l'entreprise. Un bibliothécaire examinera un échantillon représentatif des ouvrages possédés afin d'estimer leur état général de conservation. Le responsable marketing d'une entreprise sélectionnera un échantillon représentatif de ses clients pour tester l'impact d'une campagne de publicité qu'il envisage de lancer.

Cependant, et en dépit de leurs nombreux avantages, les techniques d'échantillonnage sont loin de constituer la panacée en recherche sociale. Qu'en est-il exactement ?

Lorsque le chercheur a circonscrit son champ d'analyse, trois possibilités s'offrent à lui : soit recueillir des données et faire finalement porter ses analyses sur la totalité de la population couverte par ce champ, soit se limiter à un échantillon représentatif de cette population, soit n'étudier que certaines composantes très typiques, bien que non strictement représentatives, de cette population. Le choix est en fait assez théorique car, le plus souvent, l'une des solutions s'impose naturellement, compte tenu des objectifs et des conditions de la recherche.

a. Première possibilité : étudier la totalité de la population

Le mot « population » doit donc être compris ici dans son sens le plus large, celui d'ensemble d'éléments constituant un tout. L'ensemble des factures d'une entreprise, des livres d'une bibliothèque, des élèves d'une école, des articles d'un journal ou des clubs sportifs d'une ville constituent autant de populations différentes. La recherche de Durkheim portait sur l'intégralité de la population considérée puisque ses analyses se fondaient sur des données statistiques nationales. Cette formule s'impose souvent dans deux cas qui se situent aux antipodes l'un de l'autre : soit lorsque le chercheur, analysant des phénomènes macrosociaux (les taux de suicide par exemple) et étudiant la population en tant que telle, n'a dès lors pas besoin d'informations précises sur le comportement des unités qui la composent, mais uniquement des données globales disponibles dans les statistiques, soit lorsque la population considérée est très réduite et peut être étudiée entièrement en elle-même.

b. Deuxième possibilité : étudier un échantillon représentatif de la population

Cette formule s'impose lorsque deux conditions sont réunies :
- lorsque la population est importante et qu'il faut récolter beaucoup de données sur les individus ou unités qui la composent ;
- lorsque, sur les points qui intéressent le chercheur, il est important de recueillir une image globalement conforme à celle qui serait obtenue en interrogeant l'ensemble de la population, bref lorsque se pose un problème de représentativité.

L'exigence de représentativité est moins fréquente qu'on ne le pense parfois : il ne faut pas confondre scientificité et représentativité. Pour mieux connaître des groupes ou des systèmes de relations, il n'est pas forcément pertinent, sur le plan sociologique, de les étudier comme des sommes d'individualités. Sans doute n'est-il pas inutile de s'interroger sur la signification de la notion de représentativité, trop souvent évoquée avec légèreté sur le plan épistémologique. Ceux qui s'intéressent à cette question peuvent consulter notamment *Le Métier de sociologue* (*op. cit.*, p. 243), qui cite le cas du *two-step flow of communication* pour montrer l'erreur qu'engendre une utilisation peu lucide du principe de représentativité (exemple repris de E. Katz, « The two-step flow of communication : An up-to-date report on an hypothesis », *Public Opinon Quarterly*, vol. XXI, 1957, p. 61-78).

Nous ne nous attarderons pas ici sur les techniques d'échantillonnage proprement dites, trop spécifiques pour entrer dans le cadre de ce livre. Comme pour toutes les questions très techniques, il existe de nombreux ouvrages que l'on peut se procurer dans n'importe quelle bibliothèque de sciences sociales. Si ces techniques ne sont généralement guère difficiles à comprendre, leur mise en œuvre est souvent plus compliquée en raison des imperfections et des difficultés d'accès aux bases de sondages (registres de l'état civil, annuaires et listes diverses censés contenir les noms de toutes les unités de la population) et aux données statistiques qui permettent d'établir des quotas, ou encore du travail d'enquêteurs dont l'absence de scrupules ou de compétence peut ruiner la fiabilité de l'échantillon.

c. Troisième possibilité : étudier des composantes non strictement représentatives, mais caractéristiques de la population

Cette formule est sans doute la plus courante. Lorsqu'un chercheur souhaite étudier par exemple la manière différenciée dont plusieurs journaux rendent compte de l'actualité économique, la meilleure solution consiste à analyser dans le détail quelques articles de ces différents journaux qui portent sur les mêmes événements, de manière à procéder à des comparaisons significatives. Vouloir constituer un échantillon représentatif de l'ensemble des articles de chaque journal sur une base aléatoire est théoriquement possible, mais exigerait un échantillon très vaste, vu la grande diversité des thèmes et formats d'articles, et l'analyse de son contenu réclamerait un travail extrêmement long et laborieux.

Pour étudier l'impact du mode de gestion du personnel des entreprises sur les performances au travail, un autre chercheur se contentera avec raison d'étudier en profondeur le fonctionnement d'un petit nombre d'entreprises très caractéristiques des principaux modes de gestion du personnel.

Dans les cas où le chercheur envisage une méthode d'entretien semi-directif (voir plus loin), le plus souvent, il ne peut se permettre d'interviewer que quelques dizaines de personnes. Dans ce cas, le critère de sélection de ces personnes est généralement la diversité maximale des profils en regard du problème étudié.

Ainsi, par exemple, dans une recherche intensive sur les différents modes de réaction d'une population à la rénovation de son quartier, on cherchera à diversifier au maximum les types de personnes interrogées à l'intérieur de cette population en tenant compte notamment de critères d'âge, de genre, de situation familiale, d'occupation, de condition socio-économique et d'origine culturelle. En diversifiant au maximum les profils, le chercheur se donne les plus grandes chances de recueillir les réactions les plus variées et les plus contrastées. Au fur et à mesure que les interviews s'accumulent et révèlent leurs enseignements, l'apport de chaque interview supplémentaire sera de moins en moins original. Bien que le chercheur ait veillé à diversifier les profils, le contenu des réponses arrivera un moment à saturation et les dernières interviews n'apporteront pratiquement plus rien qui n'ait déjà été exprimé par un répondant précédent. C'est à ce moment de saturation que le chercheur pourra mettre légitimement un terme à ses interviews et qu'il pourra estimer que son échantillon de répondants, bien que non strictement représentatif, est néanmoins valide.

4. Observer comment ? Les instruments d'observation et la collecte des données

Dans ce troisième point, nous exposerons d'abord les principes d'élaboration des instruments d'observation. Cet exposé sera illustré par deux exemples qui permettront de saisir la manière dont s'opère le passage du concept et de ses indicateurs aux techniques de recueil des données. Nous traiterons ensuite des différentes opérations qui font partie du travail de la phase d'observation et présenterons enfin un panorama des méthodes de collecte les plus courantes.

Deux applications supplémentaires seront encore présentées dans la dernière section de cet ouvrage.

4.1 L'élaboration des instruments d'observation

Cette phase du travail d'observation consiste à construire l'instrument capable de recueillir ou de produire l'information prescrite par les indicateurs. Cette opération ne se présente pas de la même façon selon qu'il s'agit d'une observation directe ou indirecte.

a. L'observation directe et l'observation indirecte

L'observation directe est celle où le chercheur procède directement lui-même au recueil des informations, sans s'adresser aux sujets concernés. Elle fait appel à son sens de l'observation. Par exemple, pour comparer le public du théâtre à celui du cinéma, un chercheur peut compter les gens à la sortie, observer s'ils sont jeunes ou vieux, comment ils sont habillés, etc. Autre exemple : pour étudier la structuration spatiale et sociale d'un quartier, un chercheur peut observer les types d'habitations (maisons unifamiliales, immeubles à appartements), la place occupée par les bâtiments publics par rapport aux bâtiments privés et le soin apporté aux uns et aux autres, l'espace public laissé accessible à tous sans conditions d'accès par rapport à l'espace privatisé, etc. La particularité et l'avantage de l'observation directe sont que les informations recueillies par le chercheur sont « brutes » dans le sens où elles n'ont pas été spécialement aménagées, voire arrangées pour lui. Les sujets observés (par exemple les amateurs de théâtre et de cinéma, ou les personnes qui fréquentent le quartier) n'interviennent pas dans la production de l'information recherchée. Celle-ci est directement prélevée par l'observateur (on s'inspire ici d'échanges avec Daniel Bodson, sociologue belge de l'espace).

Dans le cas de l'observation indirecte, le chercheur s'adresse au sujet pour obtenir l'information recherchée. En répondant aux questions, le sujet intervient dans la production de l'information. Celle-ci n'est pas prélevée directement et est donc moins objective. En fait, il y a ici deux intermédiaires entre l'information recherchée et l'information obtenue : le sujet à qui le chercheur demande de répondre et l'instrument constitué des questions à poser. Ce sont là deux sources de déformations et d'erreurs qu'il faudra contrôler pour que l'information apportée ne soit pas faussée, volontairement ou non.

Dans l'observation indirecte, l'instrument d'observation est soit un questionnaire, soit un guide d'entretien. L'un et l'autre ont comme fonction de produire ou d'enregistrer des informations requises par les hypothèses et prescrites par les indicateurs. Dans le premier exemple ci-dessous, portant sur les comportements sexuels et attitudes face au risque du Sida, l'instrument d'observation est un questionnaire. Dans le second exemple, portant sur le « Mouvement blanc », l'instrument d'observation est un guide d'entretien. Pour montrer la continuité entre l'observation et l'analyse, ces deux exemples seront repris dans l'étape suivante consacrée à l'analyse des informations.

Sur le plan éthique, selon qu'elle est directe ou indirecte, l'observation soulève des questions assez spécifiques. Pour l'observation indirecte, toutes les questions abordées en traitant de l'entretien exploratoire (deuxième étape) restent d'actualité et d'autres relatives à l'analyse du matériau récolté seront présentées plus loin (sixième étape). Pour l'observation directe, tant la question de la présentation du cadre de la recherche que celle du consentement se posent de façon sensiblement différente. Même si les objectifs de la recherche sont présentés à un commanditaire ou à un acteur intermédiaire (responsable politique ou administratif, animateur communautaire…), ce qui n'est pas toujours le cas, il est fréquent que les personnes dont les activités sont observées (public d'un spectacle, clients d'un centre commercial, manifestants, simples usagers d'un espace public…) ne soient pas au courant qu'ils sont observés par un chercheur.

Il n'est donc pas question non plus de consentement à cette observation. Ceci ne signifie pas que le chercheur soit dispensé de toute responsabilité éthique à l'égard de ces personnes, bien au contraire. Celle de veiller à éviter des désagréments pour l'ensemble de ces personnes lui incombe pleinement. Et même celle d'obtenir leur consentement peut se poser au moment de la publication des analyses ; au besoin, le chercheur retournera alors sur le terrain, tout en explicitant sa démarche, pour obtenir le consentement des personnes impliquées dans l'utilisation des données recueillies. En cas d'enquête dissimulée (à tous), s'ajoutent la question de la potentielle rupture de confiance et celle de la gestion du sentiment de trahison lorsque l'enquête sera révélée. Dans un tel cas, c'est le rôle que le chercheur dissimulé a choisi d'adopter qui lui sert de cadre et qui sert de balise à ses interventions (voir, par exemple, G. Wallraff, *Tête de Turc*, Paris, La Découverte, 1986).

b. Premier exemple : comportements sexuels et attitudes face au risque du Sida

L'observation consiste à rassembler toutes les informations désignées par les indicateurs. Si l'on opte pour la récolte des données par questionnaire, celui-ci comprend l'ensemble des questions couvrant les indicateurs de tous les concepts impliqués par les hypothèses. Chaque question correspond à un indicateur et a pour fonction de produire, par les réponses qui y sont apportées, l'information nécessaire au test des hypothèses.

Dans le prolongement de l'étape précédente (construction du modèle d'analyse), on considérera successivement le modèle d'analyse KABP et le modèle d'analyse du réseau social, de même que l'on se focalisera sur les déterminants des comportements plutôt que sur les comportements eux-mêmes.

■ Le modèle d'analyse KABP

Dans ce modèle, les connaissances, les croyances et les attitudes sont censées expliquer les comportements. Les trois hypothèses principales interrogent donc le lien entre les connaissances, les croyances et les attitudes d'une part, et les comportements d'autre part. Mais le modèle est plus riche que cela et intègre aussi des hypothèses qui établissent un lien entre les trois premiers concepts.

Nous allons expliquer la procédure à partir de l'hypothèse suivante : mieux une personne connaît les modes de transmission du VIH et les moyens de protection contre ce virus, moins elle court de risque d'en être contaminée lors de relations sexuelles. Pour soumettre cette hypothèse à l'épreuve des faits, il faut mesurer le degré de connaissance des modes de transmission et des moyens de protection et le degré de prise de risque de contamination par le VIH lors de relations sexuelles. Procédons dans l'ordre. À l'étape précédente, nous avons présenté le concept de connaissance et ses deux composantes, les modes de transmission du VIH et les moyens de protection contre ce virus.

Pour ce qui concerne tout d'abord la dimension des modes de transmission du virus, les indicateurs retenus sont rappelés dans la première colonne du tableau suivant. En regard de chaque indicateur sont repris la ou les question(s) correspondante(s) ainsi que les emplacements prévus pour l'enregistrement des réponses.

Tableau 5.1 – La dimension « modes de transmission du VIH » en questions

Concept : connaissance					
Dimension : les modes de transmission du VIH					
Indicateurs	Questions		Réponses		
	D'après vous, la transmission du virus du Sida est-elle possible		Oui	Non	Je ne sais pas
Les rapports sexuels	– lors de rapports sexuels vaginaux ?		☐	☐	☐
	– lors de rapports sexuels anaux ?		☐	☐	☐
	– lors de rapports sexuels oraux (bucco-génitaux) ?		☐	☐	☐
L'injection de drogue par voie intraveineuse	– lors d'une injection de drogue ?		☐	☐	☐
Les piqûres de moustique	– par une piqûre de moustique ?		☐	☐	☐
L'usage des toilettes	– en s'asseyant sur une planche de W.-C. ?		☐	☐	☐
Le partage d'un même verre	– en buvant dans le verre de quelqu'un ?		☐	☐	☐

Cet exemple n'est qu'une illustration du lien entre indicateurs et questions. On retrouve de nombreuses questions de ce type dans les enquêtes inspirées, en tout ou en partie, du modèle KABP.

– Les modalités de réponse font partie des questions

Dans ce tableau, on suppose qu'il s'agit de questions de connaissance et on trouve dès lors normal de limiter les réponses à « oui », « non » et « je ne sais pas ». En effet, ou bien le répondant sait si l'on peut être ou non contaminé par une piqûre de moustique ou bien il ne sait pas. S'il connaît la position des scientifiques selon laquelle la piqûre de moustique n'est pas contaminante, il répondra « non ». Mais on aurait pu considérer qu'il s'agissait plutôt d'une question de croyances, dans lesquelles interviennent des phénomènes psychiques de confiance et d'interprétation des messages officiels. Par exemple, il est possible que le répondant se méfie des avis des spécialistes sur l'éventuelle contamination par une piqûre de moustique. Dans ce cas, il aurait été plus normal de lui proposer davantage de possibilités de réponses, par exemple : « Le risque est faible mais il existe », ou encore « On dit que non mais je me méfie ».

Les comparaisons de nombreuses enquêtes menées dans différents pays montrent que les résultats enregistrés dépendent fortement des modalités de réponse proposées (J. Marquet, E. Zantedeschi et P. Huynen, « Knowledge on HIV/AIDS modes of transmission and means of protection in different European countries », *Annali di Igiene*, vol. 9, n° 4, 1997, 265-272). À titre d'exemple, lorsque le choix est dichotomique (« oui » ou « non »), le taux de réponses correctes du point de vue des messages de prévention grimpe spectaculairement... mais peut-être artificiellement puisque celui-ci masque les hésitations des répondants par rapport à ces messages.

Cet exemple montre que les modalités de réponse proposées font partie intégrante de la question et interviennent directement dans le processus de production des données. Des ouvrages de méthode traitent spécifiquement de cette question (notamment F. Lorenzi-Cioldi, *Questions de méthodologie en sciences sociales*, Lausanne, Delachaux et Niestlé, 1997).

– Jusqu'où pousser la récolte de données ? Faut-il rédiger des questions pour tous les indicateurs de la dimension du concept ?

Pour la dimension des modes de transmission du VIH, on observe qu'un indicateur peut tantôt être traduit par une question, tantôt par plusieurs. On conçoit aisément que le registre des pratiques sexuelles aurait pu être passablement élargi. De même, si l'on a ici retenu trois indicateurs renvoyant à des situations et activités de la vie quotidienne, la liste est loin d'être exhaustive. Ainsi, dans certaines enquêtes figuraient aussi des indicateurs relatifs au fait de manger dans le plat de quelqu'un d'autre ou de consommer un plat préparé par une personne séropositive, ou au fait de serrer la main ou de toucher quelqu'un, etc. Tant le nombre de questions que celui des indicateurs doit donc être examiné par le chercheur.

Dans l'esprit des personnes, les modes de transmission du virus sont potentiellement très nombreux. Il n'est pas sage de prendre quelques indicateurs au hasard et de les transformer en questions. Il faut, au contraire, trouver une série d'indicateurs exprimant les divers degrés de connaissance que l'on souhaite repérer. Pour chaque degré il est même souhaitable d'avoir plusieurs indicateurs. L'idéal est donc d'obtenir, pour chacune des composantes, une batterie d'indicateurs marquant les divers degrés de connaissance. Ainsi, dans l'exemple qui précède, retrouve-t-on d'abord des indicateurs portant sur des modes de transmission avérés et qui ont été la cible des messages de prévention, puis des « faux » modes de transmission moins présents dans les campagnes de prévention.

Tableau 5.2 – La dimension « moyens de protection contre le VIH » en questions

Concept : connaissance						
Dimension : les moyens de protection contre le VIH						
Indicateurs	Questions	Réponses				
	Voici un certain nombre de manières de réagir face au Sida. Pour se protéger du Sida, dans quelle mesure estimez vous que les moyens suivants sont efficaces ?	Tout à fait efficace	Plutôt efficace	Plutôt pas efficace	Pas du tout efficace	Je ne sais pas
Le coït interrompu	– se retirer avant l'éjaculation	☐	☐	☐	☐	☐
La toilette	– se laver après l'acte sexuel	☐	☐	☐	☐	☐
Le tri des partenaires	– choisir des partenaires qui paraissent en bonne santé	☐	☐	☐	☐	☐
La pilule contraceptive	– utiliser la pilule	☐	☐	☐	☐	☐
Le préservatif	– utiliser un préservatif masculin	☐	☐	☐	☐	☐
Le test de dépistage	– faire passer un test de dépistage à son partenaire et en attendre le résultat avant d'avoir des rapports sexuels	☐	☐	☐	☐	☐
La fidélité	– être fidèle à un partenaire qui l'est aussi	☐	☐	☐	☐	☐

Pour les questions traduisant les indicateurs de la dimension « moyens de protection » (tableau ci-contre), on remarquera que les réponses proposées correspondent à une échelle indiquant un degré, plus ou moins élevé, d'efficacité, et ce, bien qu'il s'agisse de questions de connaissance. Ce choix s'explique par le flou relatif de certaines situations proposées, autrement dit par l'impossibilité de préciser toutes les éventualités liées au moyen de protection considéré. Ainsi, le préservatif masculin peut être un moyen de protection efficace à la condition d'être placé à temps, d'être utilisé adéquatement, de ne pas se rompre, etc., de sorte que plusieurs réponses sont possibles selon que le répondant considère ces conditions comme remplies ou non. Envisager dans le questionnaire toutes les situations possibles, avec toutes leurs nuances, n'est guère réaliste et risque de lasser le répondant. Si, en outre, les questions lui semblent indiscrètes, il peut refuser de poursuivre ou, pire, fournir des réponses trompeuses. Mieux vaut donc se limiter aux questions et possibilités de réponse les plus pertinentes, d'autant plus que, dans l'analyse, la multiplication des réponses sera moins intéressante que la comparaison entre elles.

■ *Le modèle du réseau social*

À l'étape de construction du modèle d'analyse, le concept de réseau social a été déployé en trois dimensions et onze indicateurs. À l'analyse (Marquet *et al., op. cit.*, 1997), s'agissant d'expliquer les modèles idéaux des individus en matière de couple, il s'est avéré que certains indicateurs jouaient un rôle plus déterminant que d'autres. Certains indicateurs ont pu dès lors être mis entre parenthèses, ce qui a permis d'alléger le questionnaire.

Ce tableau présente une version extrêmement réduite du modèle d'analyse, où l'on s'en tient aux indicateurs déterminants : le degré d'insertion du partenaire (principal) dans le cercle amical pour la dimension de la structure du réseau ; le contrôle social exercé par le partenaire (principal) pour la dimension du contrôle social du réseau ; les normes pratiques du cercle familial et du cercle amical pour la dimension des normes pratiques du réseau.

Tableau 5.3 – Le concept de « réseau social » en questions

Concept : réseau social	
Dimension : la structure du réseau	
Indicateur	Questions et réponses
Degré d'insertion du partenaire (principal) dans le cercle amical	À propos de votre partenaire, pourriez-vous choisir la proposition qui vous paraît la plus correcte :
	☐ mon/ma partenaire (principal[e]) connaît tou(te)s mes ami(e)s
	☐ mon/ma partenaire (principal[e]) connaît presque tou(te)s mes ami(e)s
	☐ j'ai de nombreux/nombreuses ami(e)s que mon/ma partenaire ne connaît pas
	☐ personne ne connaît mon/ma partenaire
Dimension : le contrôle social du réseau (perception)	
Indicateur	Question et réponses
Contrôle social exercé par le partenaire (principal)	À propos de votre partenaire, si vous en aviez l'envie, dans quelle mesure vous serait-il possible d'avoir une aventure ou une relation sans que votre partenaire le sache ? Cela serait il :
	☐ possible
	☐ plutôt possible
	☐ plutôt pas possible
	☐ pas possible
Dimension : les normes pratiques du réseau (perception)	
Indicateurs	Question et réponses
Normes pratiques du cercle familial	Dans votre famille, en ce qui concerne les rapports de couple, quel est le modèle qui domine dans les faits (c'est-à-dire ce qui se passe concrètement) ?
	☐ la fidélité pour la vie
	☐ la fidélité tant qu'on est avec quelqu'un
	☐ la fidélité avec quelques écarts exceptionnels
	☐ des aventures ou relations parallèles fréquentes
Normes pratiques du cercle amical	Chez vos amis et amies, en ce qui concerne les rapports de couple, quel est le modèle qui domine dans les faits (c'est-à-dire ce qui se passe concrètement) ?
	☐ la fidélité pour la vie
	☐ la fidélité tant qu'on est avec quelqu'un
	☐ la fidélité avec quelques écarts exceptionnels
	☐ des aventures ou relations parallèles fréquentes

– Les comportements sexuels

Même si l'on a décidé de se concentrer sur les déterminants des comportements plutôt que sur les comportements eux-mêmes, il n'est pas inutile de s'arrêter quelques instants sur les difficultés d'opérationnalisation du concept de comportement sexuel. L'une d'elles a déjà été discutée ci-dessus (Jusqu'où pousser la récolte de données ?) : la liste des comportements sexuels à investiguer est potentiellement très longue et le chercheur est donc amené à opérer une sélection raisonnée. Nous n'y reviendrons pas. Mais cet exemple permet de discuter d'autres difficultés assez communes dans les enquêtes par questionnaire.

Comment gérer les questions sensibles ?

Que la sexualité soit un sujet d'investigation délicat n'échappera à personne. C'est également le cas de nombreux autres sujets qui comportent un risque de stigmatisation comme la maladie et le handicap, ou comme certains comportements déviants. Si la plupart des recherches portent sur des sujets moins sensibles, celui de la sexualité est un bon cas de figure car il permet de mieux saisir la nature d'une difficulté qui se pose, à des degrés généralement moindres, pour d'autres questions. Dans les sociétés contemporaines, la grande majorité des comportements sexuels relèvent, sinon de l'intime, à tout le moins de la sphère privée. Accepter de révéler ces actes à l'occasion d'une enquête ne va donc pas de soi. Le caractère indiscret d'une enquête sur les comportements sexuels des individus peut d'ailleurs réduire considérablement le taux de réponses.

Faut-il pour autant abandonner toute perspective de recherche sur cette thématique ? Assurément pas. Peu de femmes refuseront de se déshabiller pour un examen gynécologique, peu d'hommes refuseront d'en faire de même pour un examen urologique… ; peu de personnes s'opposeront à une telle demande formulée par leur médecin, pour la simple raison que la demande est en phase avec l'intervention ou l'examen qui doit être pratiqué. Ces demandes formulées par ces différents professionnels de la santé apparaissent dès lors légitimes. Il en est de même en sciences humaines et sociales où le questionnement doit être légitimé par les objectifs de la recherche. Cette légitimité, le chercheur doit bien évidemment l'asseoir en amont de la passation du questionnaire en présentant les objectifs de la recherche (connaissance des comportements à risque de contamination, réduction de la vitesse de diffusion du virus, mise au point de programmes de prévention…), mais elle se joue aussi tout au long de l'administration du questionnaire. Sur ce point, l'analogie avec l'examen médical peut être poursuivie. Malgré les gestes à poser, le médecin veillera à protéger la pudeur du/de la patient(e), en couvrant les parties du corps qui ne doivent pas être dénudées pour l'examen, en expliquant les actes posés, en choisissant avec soin les mots pour s'exprimer... Le chercheur en sciences humaines et sociales procédera de même : son questionnement doit être proportionné aux objectifs de la recherche. Il ne s'agit pas d'explorer toute la vie sexuelle des personnes interrogées, mais de sélectionner adéquatement les indicateurs les plus pertinents pour pouvoir mettre les hypothèses à l'épreuve.

D'une culture à l'autre, d'un contexte à l'autre, les questions et la manière de les poser peuvent cependant varier. Le chercheur doit résoudre la tension entre la nécessité de récolter des données qui pourrait l'entraîner trop loin et la sensibilité culturelle qui pourrait l'inciter à ne pas investiguer. Il veillera aussi à expliquer les raisons d'être de son questionnement. Il choisira son vocabulaire avec soin. Sur ce point, le vocabulaire de la sexualité est particulièrement riche en métaphores. Une même pratique peut être évoquée avec un vocabulaire scientifique, de sens commun ou d'argot. Si l'on veut attester le sérieux de la recherche et éviter de choquer inutilement, *a priori*, ce dernier registre sera écarté. Mais le registre scientifique ne s'impose pas nécessairement d'emblée, car il faut s'assurer que les termes employés seront compris par le plus grand nombre.

Ce problème de légitimité est plus aigu encore pour les étudiants qui effectuent une recherche dans le cadre d'un travail universitaire que pour les chercheurs professionnels. De quel droit un étudiant se permet-il d'explorer la vie d'autres personnes à seule fin d'obtenir son diplôme ? A-t-il reçu une formation et acquis une expérience suffisantes pour cela ? S'est-il seulement informé des principes éthiques et des règles déontologiques en vigueur ? Chacun doit bien mesurer ici ce qu'il est en mesure de faire, tandis que ceux qui encadrent le travail doivent se rendre compte de leur propre responsabilité.

Faut-il faire porter les questions sur des faits matériels (actes ou comportements) ou sur des attitudes et opinions ?

Lorsque le chercheur a l'intime conviction qu'il n'est guère possible d'interroger une population au sujet de certains actes ou comportements, il lui reste une solution : étudier les attitudes et les opinions. Dans toute société, certains actes ont une faible légitimité sociale et peu de personnes seront disposées à les déclarer, de sorte que des questions directes sur leurs pratiques risquent d'obtenir peu de réponses et/ou des réponses peu fiables. Pour contourner l'obstacle, on procède par questions indirectes, en demandant aux répondants d'exprimer leur attitude à l'égard de ces actes à faible légitimité ou à l'égard des personnes qui les posent.

Relativement aux comportements sexuels, cette façon de procéder permet de remplir un second objectif : appréhender les dispositions de personnes n'ayant pas encore commencé de vie sexuelle active. Pour ceux-là, plutôt que de porter sur des actes non encore accomplis, le questionnaire porte sur les attitudes ou les opinions. Cette manière de procéder est fréquente sur de nombreux sujets où le point de vue de « non-pratiquants » doit être également pris en compte, par exemple le tabagisme, la consommation d'alcool ou la conduite automobile.

Il existe plusieurs manières de procéder. En voici trois, présentées par des exemples concrets dans les trois tableaux qui suivent. La présentation en est volontairement réduite. Généralement, ces questions se retrouvent dans des listes beaucoup plus longues traitant d'une grande diversité de comportements.

Tableau 5.4 – La dimension « ouverture du couple au tiers » en questions – exemple 1

Concept : comportements sexuels				
Dimension : l'ouverture du couple au tiers				
Indicateurs	Questions	Réponses		
	Selon vous,	Oui	Non	Je ne sais pas
Les relations extraconjugales	La fidélité est-elle indispensable pour le bonheur du couple ?	☐	☐	☐
	Peut-on aimer quelqu'un et ne pas lui être fidèle ?	☐	☐	☐
	Peut-on être amoureux de deux personnes en même temps ?	☐	☐	☐

Tableau 5.5 – La dimension « ouverture du couple au tiers » en questions – exemple 2

Concept : comportements sexuels	
Dimension : l'ouverture du couple au tiers	
Indicateurs	Question et réponses
Les relations extraconjugales	Quel est votre degré d'accord avec la proposition suivante ? Lorsqu'on est marié, des relations sexuelles avec d'autres partenaires que son conjoint ne sont pas acceptables :
	☐ Tout à fait d'accord
	☐ Plutôt d'accord
	☐ Plutôt pas d'accord
	☐ Pas du tout d'accord

Tableau 5.6 – La dimension « ouverture du couple au tiers » en questions – exemple 3

Concept : comportements sexuels		
Dimension : l'ouverture du couple au tiers		
Indicateurs	Questions	Réponses
Les relations extraconjugales	Pour chacune des choses que je vais citer, voulez-vous me dire en vous plaçant sur une échelle de 1 à 10 si vous pensez que cela peut toujours se justifier (réponse 10), que cela ne peut jamais se justifier (réponse 1) ou que c'est entre les deux ?	Cote de 1 à 10
	Des hommes et des femmes mariés qui ont une aventure avec quelqu'un d'autre	☐
	Avoir des relations sexuelles avec des personnes de rencontre	☐

Les propositions de ces trois exemples sont extraites ou inspirées de questionnaires sur les comportements sexuels et attitudes face au risque du Sida ou des différentes versions de l'*European Value Study*. D'un exemple à l'autre, on notera que les questions se présentent sous des formes sensiblement différentes. Les unes et les autres ne se prêtent pas aux mêmes opérations d'analyse statistique. Dans le premier exemple, la variable enregistrant les réponses à la question est une variable nominale, c'est-à-dire une variable de nature qualitative dont les modalités ne sont pas hiérarchisées : « oui » est simplement différent de « non » et de « je ne sais pas ». Dans le deuxième exemple, après avoir résolu le cas des « je ne sais pas » et des « non-réponse », la variable est aussi qualitative et sera dite ordinale dans la mesure où les quatre premières modalités de réponse sont ordonnées (de l'accord le plus élevé à l'accord le plus faible). Dans le troisième exemple, et après avoir là aussi résolu le cas des « je ne sais pas » et des « non-réponse », l'information saisie prend l'allure d'une variable quantitative, où le nombre exprime le degré selon lequel le répondant justifie ou non le comportement. À titre d'exemple, on perçoit directement que le calcul de la réponse moyenne des répondants n'aura de sens que dans ce dernier cas. Pour les deux premiers, il faudra se contenter de traitements plus basiques. On reviendra de façon un peu plus détaillée sur les différents types de variables lors de la sixième étape de la démarche de recherche (« L'analyse des informations »). Avant de construire un questionnaire, il est donc nécessaire de réfléchir aux traitements des données qui seront envisagés, afin de donner aux questions les formes requises. Nombre de manuels d'analyse statistique discutent de ces problèmes.

Après avoir construit le questionnaire, il est une opération dont on ne peut se passer et qui vaut plus que tous les conseils. Elle consiste à prétester le questionnaire auprès d'un petit nombre d'individus appartenant aux diverses catégories du public concerné par l'étude, mais si possible différents de ceux retenus dans l'échantillon. Ce test préalable permet bien souvent de détecter les questions déficientes, les oublis, les ambiguïtés et tous les problèmes que soulèvent les réponses. Le test du questionnaire peut révéler qu'un terme est incompris ou inconnu de beaucoup de personnes et qu'il faut expliquer sa signification dans la question, ou encore que certaines questions apparaissent choquantes ou déplacées et qu'il convient alors de les formuler autrement. Il peut aussi révéler que le questionnaire est peu adapté à la situation de certaines personnes. Ce n'est qu'après avoir testé et corrigé le questionnaire que l'on procédera à la collecte des données.

c. Deuxième exemple : les ressorts du Mouvement blanc

Ce second exemple reprend la recherche sur le Mouvement blanc, présentée à la quatrième étape (« La construction du modèle d'analyse »). Il s'agit notamment de s'interroger sur la signification de ce mouvement pour ceux qui y ont pris part, sur le message qu'ils entendaient envoyer aux responsables politiques, ainsi que sur le destin du mouvement. Plusieurs études conduites sur cette action collective vont interroger l'unanimisme et la prétendue homogénéité du mouvement. C'est notamment le cas de celle dirigée par J. Marquet et Y. Cartuyvels (citée plus haut : voir le modèle d'analyse).

Pour rappel, cette recherche va se donner quatre objectifs qui se transposent en autant d'hypothèses. Les unes et les autres ont été présentées dans l'étape précédente (« Le modèle d'analyse »). Le lecteur est invité à les relire avant de poursuivre.

L'étude des mobilisations dans leur diversité et leur complexité requérait une méthode laissant place au socialement mouvant, au socialement fugace, une technique laissant à la personne interrogée la possibilité de définir et d'évaluer sa réalité. Dès lors que les chercheurs ont estimé ne pas pouvoir déterminer *a priori* les ressorts des mobilisations, ce qui des émotions, des protestations ou des dénonciations constituait la trame essentielle des diverses réactions, ils ont opté pour un instrument d'observation qui plaçait les personnes interviewées au cœur du dispositif : le guide d'entretien. Plutôt que de s'en tenir à la liste des thèmes à aborder, le guide d'entretien compte ici une vingtaine de questions. Ce mode de présentation a été retenu en raison du caractère collectif de la recherche ; il permet de s'assurer que l'ensemble des chercheurs partagent une même interprétation des divers points à aborder.

Cela ne signifie cependant pas que les questions aient chaque fois été formulées en ces termes et dans le même ordre, ni même qu'elles aient toutes été posées de façon systématique, une question amenant parfois de longs développements couvrant plusieurs thématiques. Chaque entretien a sa dynamique propre qui dépend des deux interlocuteurs, le chercheur et la personne interviewée.

Dans ce type de démarche, il est essentiel de préparer avec beaucoup de soin, d'une part, la manière dont la recherche sera présentée aux personnes interrogées, et, d'autre part, le guide d'entretien proprement dit.

■ *La présentation de la recherche*

Concernant la présentation de la recherche, préalable à l'entretien proprement dit, il est important de préciser et d'insister sur le statut respectif du chercheur et de la personne interviewée. C'est bien cette dernière qui doit occuper la position haute (voir étape 2 : « L'exploration ») et il convient de le lui faire comprendre.

Dans cette présentation, on remarquera, d'une part, la diversité des manifestations collectives et des motifs potentiels de mobilisation évoqués, soit un rappel de l'objet de la recherche en cohérence avec les hypothèses, et, d'autre part, l'indication que c'est l'interlocuteur, et non le chercheur, « qui sait », afin de lui indiquer qu'il dispose d'une grande marge de liberté dans ses propos. Voici les termes exacts qui ont été choisis pour la présentation de la recherche sur le Mouvement blanc aux personnes sollicitées pour les entretiens :

> Nous réalisons actuellement une recherche sur les réactions des citoyens aux événements qui se sont produits en Belgique depuis l'été 1996, c'est-à-dire les disparitions d'enfants, la découverte des corps, l'arrestation de certains responsables de ces actes, les problèmes de l'enquête, etc.
>
> Ce qui nous intéresse, c'est de comprendre l'ensemble des motifs, des raisons, des sentiments qui ont poussé les gens à réagir, la manière dont ils ont vécu ces événements. Les manifestations ont été assez diversifiées : il y a eu la grande marche d'octobre 1996, celle de février 1998, les marches dans les villes et les villages, les Comités blancs, les pétitions, etc. Nous cherchons donc à rencontrer des personnes qui ont participé à l'une ou l'autre de ces actions et qui acceptent de nous en parler, de nous dire pourquoi elles ont entrepris cette démarche et comment elles l'ont vécue. Si l'on veut comprendre ce que la population veut dire, il semble indispensable de lui donner la parole.

■ *Le guide d'entretien*

La question introductive a une importance capitale car elle doit tout à la fois rappeler l'objet de l'entretien et être construite de façon à engager la personne interrogée dans une dynamique de conversation dont elle doit devenir l'acteur principal. Il faut éviter de lui demander son nom, son âge, sa profession, etc., sur le mode du questionnaire administratif. De telles questions, auxquelles on répond par quelques mots, risquent d'installer définitivement la personne interrogée dans un échange où elle attend des questions très précises appelant des réponses brèves. La question introductive de la recherche sur le Mouvement blanc est la question 1 du guide d'entretien, repris plus loin. Elle s'est révélée très pertinente et a parfaitement rempli son rôle.

Les questions constituant le corps de l'entretien sont formulées de manière ouverte, appelant parfois une brève narration, laissant toujours une large marge de liberté au répondant. Dans une recherche qualitative en effet, le questionnement est plus ouvert que dans les enquêtes quantitatives mobilisant des questionnaires standardisés. Pour autant, le guide d'entretien n'a pas été rédigé au hasard et correspond aux hypothèses de recherche.

Les questions finales du guide d'entretien (18, 19 et 20) sont l'occasion, sans confondre les rôles, de mettre la personne interrogée en position d'analyste du phénomène étudié afin de recueillir un maximum de pistes interprétatives. Conformément à la dynamique d'interaction choisie, elles lui donnent une dernière possibilité de déployer sa lecture de la réalité.

Question 1 (introductive). Avant d'aborder la question de vos réactions aux événements qui ont marqué la Belgique depuis l'été 1996, est-ce que vous pourriez me dire qui vous êtes ? Je propose que vous fassiez un petit film de votre vie, comme si vous étiez metteur en scène, en insistant sur ce qui vous paraît important.

Question 2. Pour aller vers le thème central de l'entretien, pourriez-vous de même me raconter vos participations à des manifestations, à des mobilisations collectives ? Autrement dit, est-ce, ou non, la première fois que vous participez à une action de ce genre ?

Question 3 (si la personne a pris part à la Marche blanche). Pouvez-vous raconter la journée de la Marche blanche et dire ce que vous en avez retenu ?

Question 4 (si la personne n'a jamais participé à des actions collectives auparavant [voir question 2]). Qu'est-ce qui vous a décidé à faire quelque chose cette fois-ci ? Pouvez-vous raconter quand, comment et pourquoi cela s'est décidé ?

Question 5 (si la personne a déjà participé à des actions collectives auparavant [voir question 2]). Quelles sont les autres actions auxquelles vous avez participé par le passé ?

Question 6 (si la personne a déjà participé à des actions collectives auparavant [voir question 2]). Pour vous, est-ce que ces différentes actions se situent dans la même ligne, dans la même optique ou philosophie, ou au contraire certaines d'entre elles sont-elles spécifiques, différentes ? Qu'est-ce qui vous a décidé à faire quelque chose cette fois-ci ?

Question 7. Est-ce que vous avez hésité à participer ? Autrement dit, y avait-il des raisons qui vous poussaient plutôt à ne pas participer ? Si oui, lesquelles et pourquoi ?

Question 8. Avez-vous pris la décision de participer à cette/ces action(s) seul(e) ? Comment réagissent les gens autour de vous ? Votre famille, vos amis, vos collègues ? En avez-vous parlé avec eux ?

Question 9. Par cette/ces action(s), que vouliez-vous exprimer ou manifester ? Pour qui participez-vous ? Qu'est-ce que vous voulez dire et à qui ? Qu'est-ce que vous attendiez ?

Question 10. Avez-vous l'impression que ce que vous avez fait a servi à quelque chose ? Le referiez-vous ?

Question 11. Au moment où vous avez entrepris cette/ces action(s), pensiez-vous qu'elle(s) pouvai(en)t faire changer certaines choses ? Si oui, lesquelles ? Qu'en pensez-vous aujourd'hui ? Est-ce que vous referiez la même chose ?

Question 12. Selon vous, qu'est-ce qui est nécessaire pour opérer ces changements, pour qu'ils puissent se réaliser ? Quels sont les freins au changement et quels sont les espoirs de changement ?

Question 13. Est-ce que vous avez suivi les projets de réforme de la justice, de la police et de la gendarmerie ? Qu'est-ce que vous en pensez ? À votre avis, est-ce que c'est nécessaire ?

Question 14. Vous avez participé à... (voir question 2). Y a-t-il des activités auxquelles vous auriez pu participer et auxquelles vous avez décidé de ne pas participer ? Si oui, lesquelles et pourquoi ?

Question 15. Si vous étiez face à un responsable politique, que voudriez-vous lui dire ?

Question 16. De façon globale, si on reprend l'ensemble des événements, quels sont les responsables de la situation ?

Question 17. Des différentes personnes qui ont occupé la scène publique ces derniers temps, quelles sont celles qui vous sont apparues comme susceptibles de relayer vos espoirs de changements ?

Question 18 (finale). Comment expliquez-vous que le Mouvement blanc soit arrivé à mobiliser autant de gens ?

Question 19 (finale). À votre niveau, vous êtes-vous reconnu(e) dans certaines personnes qui ont joué un rôle important ces derniers temps ? Si oui, lesquelles et pourquoi ?

Question 20 (ultime). Arrivé(e) en fin d'entretien, avez-vous l'impression que quelque chose d'important n'a pas été dit, que nous avons oublié un aspect important des choses et que vous souhaiteriez ajouter ? Avez-vous un dernier message que vous aimeriez faire passer ?

Ci-dessous, un tableau récapitulatif relie les différentes questions du guide d'entretien aux hypothèses correspondantes. Son objectif est de s'assurer que les quatre hypothèses sont bien rencontrées. L'ouverture du questionnement s'y trouve illustrée ; en effet, les questions qui se réfèrent à une seule hypothèse sont peu nombreuses.

Tableau 5.7 – La correspondance des hypothèses et questions

	Q1	Q2	Q3	Q4	Q5	Q6	Q7	Q8	Q9	Q10	Q11	Q12	Q13	Q14	Q15	Q16	Q17	Q18	Q19	Q20
H1			x	x		x	x		x			x		x	x	x				x
H2	x	x		x	x	x		x	x			x		x	x	x	x			x
H3			x		x						x			x				x	x	x
H4				x	x	x				x	x	x	x	x	x	x	x		x	x

Vingt-cinq entretiens semi-directifs approfondis d'une durée d'une heure trente en moyenne ont été menés avec des personnes qui, d'une manière ou d'une autre, ont participé au Mouvement blanc.

Comme pour l'exemple précédent, on verra dans l'étape suivante comment analyser les informations récoltées au cours de ces entretiens.

4.2 Les trois opérations de l'observation

a. Concevoir l'instrument d'observation

Comme nous venons de le voir, la première opération de la phase d'observation consiste à concevoir un instrument capable de produire toutes les informations adéquates et nécessaires afin de tester les hypothèses. Cet instrument sera souvent, mais pas obligatoirement, un questionnaire ou un guide d'entretien.

b. Tester l'instrument d'observation

La deuxième opération à réaliser dans l'observation consiste à tester l'instrument d'observation. L'exigence de précision varie selon qu'il s'agit d'un questionnaire ou d'un guide d'interview. Le guide d'interview est le support de l'entretien. Même lorsqu'il est très structuré, il reste dans les mains de l'enquêteur. En revanche, le questionnaire est souvent destiné à la personne interrogée ; il est alors lu et rempli par elle. Il est donc important que les questions soient claires et précises, c'est-à-dire formulées de telle sorte que tous les sujets interrogés les interprètent de la même manière.

Dans un questionnaire adressé à des jeunes et portant sur la pratique du sport, se trouvait la question suivante : « Vos parents font-ils du sport ? Oui ou non. » Cette question paraît simple et claire, et pourtant, elle est mal formulée et conduit à des réponses inutilisables. Tout d'abord, le mot « parents » est imprécis. S'agit-il du père et de la mère ou d'un ensemble familial plus large ? Ensuite, que répondre si seulement l'un des deux fait du sport ? Les uns répondront « oui », pensant qu'il suffit que l'un des deux soit sportif ; les autres diront « non », estimant que la question porte sur les deux à la fois. Ainsi, pour désigner le même état des choses, on obtiendra des « oui » chez les uns et des « non » chez les autres. Ces réponses étaient inutilisables et toute la partie de la recherche qui tournait autour de cette question a dû être abandonnée.

Outre l'exigence de précision, il faut encore que le sujet interrogé soit en état de donner la réponse, qu'il la connaisse et ne soit pas contraint ou enclin à la cacher.

Pour s'assurer que les questions seront bien comprises et que les réponses correspondront bien aux informations recherchées, il est impératif de tester les questions. Cette opération consiste à les soumettre à un petit nombre de sujets appartenant aux différentes catégories d'individus composant l'échantillon.

On découvre ainsi que des termes comme « rapport sexuel » peuvent être compris de différentes façons, et que certaines questions provoquent des réactions affectives ou idéologiques, rendant les réponses inutilisables. On identifie également des questions qui posent problème, auxquelles les gens n'aiment pas répondre et qu'il est dès lors préférable de ne pas poser, du moins en début de questionnaire.

En ce qui concerne le guide d'interview, les exigences sont différentes. C'est la façon de mener l'entretien qui doit être expérimentée autant, sinon davantage que les questions elles-mêmes qui sont contenues dans le guide. Nous ne parlons pas ici du guide d'entretien très structuré dont les exigences sont semblables à celles du questionnaire. C'est surtout lorsqu'il s'agit d'un entretien semi-dirigé que les choses deviennent très différentes. Le guide d'entretien reprendra simplement l'ensemble des thèmes à aborder (formulés dans l'exemple du Mouvement blanc sous forme de questions).

Dans ce cas, il s'agit d'amener la personne interrogée à s'exprimer avec un grand degré de liberté sur les thèmes suggérés par un nombre restreint de questions relativement larges, afin de laisser le champ ouvert à d'autres réponses que celles que le chercheur aurait pu explicitement prévoir dans son modèle d'analyse. Ici, les questions restent donc ouvertes et n'induisent ni les réponses, ni les relations qui peuvent exister entre elles.

La structure des hypothèses et des concepts n'est pas reproduite telle quelle dans le guide d'interview, mais elle n'en est pas moins présente dans l'esprit de celui qui conduit l'entretien. Celui-ci doit continuellement amener son interlocuteur à s'exprimer sur les éléments de cette structure sans la lui révéler. Le succès d'un tel entretien dépend bien sûr de la composition des questions, mais aussi et surtout de la capacité de concentration et de l'habileté de celui qui mène l'entretien. Il est donc important de se tester. Cela peut se faire en enregistrant quelques entretiens et en écoutant, si possible avec un ou deux collègues, comment ils ont été menés.

c. La collecte des données

La troisième opération de la phase d'observation est la collecte des données. Celle-ci constitue la mise en œuvre de l'instrument d'observation. Cette opération consiste à recueillir ou à rassembler concrètement les informations prescrites auprès des personnes ou unités d'observation retenues dans l'échantillon.

On procédera par observation directe lorsque l'information recherchée est directement disponible. Le guide d'observation sera alors destiné à l'observateur lui-même, non à un éventuel répondant. Dès lors, sa rédaction ne répondra pas à des contraintes aussi précises que celles du questionnaire par exemple. Sans être de l'observation directe, la collecte de données statistiques existantes, de documents écrits (textes, tracts…) ou picturaux (affiches, photos…) pose également des problèmes spécifiques qui seront évoqués dans le dernier point de cette étape.

En revanche, l'observation indirecte, par questionnaire ou guide d'interview, doit vaincre la résistance naturelle ou l'inertie des individus. Il ne suffit pas de concevoir un bon instrument, il faut encore le mettre en œuvre de manière à obtenir un taux de réponses suffisant pour que l'analyse soit valable. Les gens ne sont pas forcément disposés à répondre, sauf s'ils y trouvent un avantage (parler un moment, par exemple) ou s'ils pensent que leur avis peut aider à faire avancer les choses dans un domaine auquel ils attachent de l'importance. Le chercheur doit donc convaincre son interlocuteur, « vendre sa marchandise ». C'est pourquoi on évitera généralement d'envoyer un questionnaire par la poste. On le confiera plus volontiers à des enquêteurs, si le coût n'en est pas trop élevé. Le rôle de l'enquêteur sera alors de créer chez les personnes interrogées une attitude favorable, le souci de répondre franchement aux questions et, enfin, de ramener un questionnaire correctement rempli. S'il s'agit d'un questionnaire transmis par voie postale, il est important que la présentation du document ne soit pas dissuasive et qu'il soit accompagné d'une lettre d'introduction claire, concise et motivante.

Avant d'aborder, dans les pages qui suivent, le panorama des principales catégories de méthodes de collecte de données, il est bon d'insister sur l'anticipation. Celle-ci n'est pas une opération de l'observation proprement dite, mais doit être un souci constant du chercheur, lors de l'élaboration de son instrument d'observation.

Le choix d'une méthode d'enquête par questionnaire auprès d'un échantillon de plusieurs centaines de personnes interdit que les réponses individuelles puissent être interprétées isolément en dehors du cadre prévu par les chercheurs. Il est donc préférable de savoir au départ que les données récoltées dans ces conditions n'ont de sens que dans leur traitement strictement quantitatif, qui consiste à comparer les catégories de réponses et à étudier leurs corrélations. À l'inverse, d'autres procédures de recueil de données écarteront toute possibilité de traitement quantitatif et exigeront d'autres techniques d'analyse des informations rassemblées.

Les méthodes de recueil et les méthodes d'analyse des données sont le plus souvent complémentaires et doivent donc être choisies ensemble en fonction des objectifs et des hypothèses de travail. C'est la raison pour laquelle nous avons conservé les deux mêmes exemples pour cette étape, la précédente et la suivante. Si les enquêtes par questionnaire s'accompagnent de méthodes d'analyse quantitative, les méthodes d'entretien appellent habituellement des méthodes d'analyse de contenu qui sont souvent, mais pas obligatoirement, qualitatives. Bref, il importe que le chercheur ait une vision globale de son travail et ne prévoie les modalités d'aucune de ces étapes sans s'interroger constamment sur leurs implications ultérieures.

Rappelons en outre que les questions qui constituent l'instrument d'observation déterminent le type d'information que l'on obtiendra et l'usage que l'on pourra en faire lors de l'analyse des données. Si l'on s'intéresse par exemple à la réussite scolaire d'élèves, trois niveaux de précision dans l'information peuvent être envisagés : échec ou réussite, le rang (premier, deuxième, troisième…, dernier) et le pourcentage des points obtenus par rapport au total. L'information récoltée dépendra de la question figurant dans l'instrument d'observation. Lors de l'analyse, les données qualitatives dichotomiques (échec/réussite) ne se traitent pas de la même façon que les données qualitatives ordinales (le rang) ou quantitatives (le pourcentage).

Dans cet exemple, on observe une fois encore l'interdépendance entre l'observation et l'analyse des données. Il faut donc anticiper et se demander régulièrement pour chaque réponse prévue : « Est-ce que la question que je pose va me donner l'information et le degré de précision dont j'ai besoin dans la phase ultérieure ? » Ou encore : « À quoi doit servir cette information et comment vais-je pouvoir la mesurer et la mettre en relation avec les autres ? »

5. Panorama des principales méthodes de recueil des informations

Pour illustrer les principes généraux de l'observation, nous avons choisi deux exemples portant respectivement sur l'enquête par questionnaire et sur le guide d'entretien. Ces méthodes ne sont cependant pas les seules, loin s'en faut. De plus, en elles-mêmes, elles ne sont ni meilleures ni moins bonnes que d'autres. Tout dépend en fait des objectifs de la recherche, du modèle d'analyse et des caractéristiques du champ étudié. Par exemple, si l'on étudie le contenu d'articles de presse, l'usage d'un questionnaire ou d'un guide d'entretien n'a guère de sens.

Nous terminerons donc cette étape relative à l'observation en présentant de manière critique quelques-unes des principales méthodes de recueil des informations. L'objectif poursuivi est double : *primo*, montrer qu'elles existent et que les méthodes de recherche sociale ne se limitent pas à administrer des questionnaires ou des guides d'entretien ; *secundo*, aider celui qui entreprend concrètement un travail à choisir le plus judicieusement possible les méthodes dont il a besoin. Dans la prochaine étape, un panorama comparable sera présenté, mais qui portera quant à lui sur les méthodes d'analyse des informations.

On ne connaît correctement une méthode de recherche qu'après l'avoir expérimentée par soi-même. Avant d'en retenir une, il est donc indispensable de s'assurer, auprès de chercheurs qui la maîtrisent bien, de son opportunité par rapport aux objectifs spécifiques de chaque travail, à ses hypothèses et aux ressources dont on dispose. Le panorama suivant ne saurait remplacer cette démarche, mais nous pensons qu'il peut la préparer utilement.

Le terme « méthode » n'est plus compris ici dans le sens large de dispositif global d'élucidation du réel, mais bien dans un sens plus restreint, celui de dispositif spécifique de recueil ou d'analyse des informations, destiné à tester des hypothèses de recherche. En ce sens strict, l'entretien de groupe, l'enquête par questionnaire ou l'analyse de contenu sont des exemples de méthodes de recherche en sciences sociales.

Dans le cadre de la mise en œuvre d'une méthode, des techniques particulières peuvent être utilisées, par exemple les techniques d'échantillonnage. Il s'agit alors de procédures spécialisées qui n'ont pas de finalité en elles-mêmes. De la même manière, les dispositifs méthodologiques font nécessairement appel à des disciplines auxiliaires comme la mathématique, la statistique ou la psychologie sociale notamment.

Pour faciliter les comparaisons, et au risque de paraître incomplets et trop sommaires, nous avons limité le panorama à des méthodes courantes et nous nous sommes efforcés de les exposer toutes de la même manière et très brièvement. Chaque fiche technique comportera en effet :
— une présentation générale de la méthode ;
— une présentation de ses principales variantes ;
— un exposé des objectifs pour lesquels elle convient particulièrement ;
— un exposé de ses principaux avantages ;
— un exposé de ses limites et des problèmes qu'elle pose ;
— une indication des autres méthodes avec lesquelles elle va souvent de pair ;
— quelques mots sur la formation requise pour la mettre en œuvre, mis à part, bien entendu, tout ce qui relève de la formation méthodologique générale ;
— quelques références bibliographiques destinées à ceux qui souhaitent faire plus ample connaissance avec la méthode présentée. Un certain nombre d'ouvrages qui ne sont pas consacrés à une méthode particulière seront repris dans la bibliographie générale en fin de volume. D'autre part, quelques exemples de recherches dont les résultats ont été publiés seront également repris à la fin de l'étape suivante car chaque recherche particulière fait généralement appel à plusieurs méthodes différentes.

5.1 L'enquête par questionnaire

a. Présentation

Elle consiste à poser, à un ensemble de répondants (une population totale ou un échantillon), une série de questions relatives à leur situation sociale, professionnelle ou familiale, à leurs opinions, à leur attitude à l'égard d'options ou d'enjeux humains et sociaux, à leurs attentes, à leur niveau de connaissance ou de conscience d'un événement ou d'un problème, ou encore sur tout autre point qui intéresse les chercheurs. L'enquête par questionnaire à perspective sociologique se distingue du simple sondage d'opinion par le fait qu'elle vise la vérification d'hypothèses et l'examen des relations entre variables que ces hypothèses suggèrent. Ayant l'ambition d'expliquer des phénomènes sociaux, ces enquêtes sont généralement beaucoup plus élaborées et consistantes que ne le sont les sondages.

La plupart du temps, le questionnaire intervient dans un processus de production de données chiffrées. En ce sens, il est un outil d'objectivation des phénomènes sociaux observés. Il traduit la vision simplifiée de la réalité sociale assumée par le chercheur et inscrite dans son modèle d'analyse. Le questionnaire ne peut remplir ce rôle sans un certain degré de standardisation. Celui-ci peut être extrême lorsqu'il n'y a que des questions fermées (le répondant est contraint de choisir parmi les seules réponses prédéfinies par le chercheur) ou réduit par l'introduction de questions semi-ouvertes (le répondant peut opter pour une réponse autre que celles présentées à la suite de la question) ou totalement ouvertes (la question n'est suivie d'aucune proposition de réponse).

b. Variantes

Le questionnaire est dit d'*administration indirecte* lorsqu'un enquêteur le complète lui-même à partir des réponses qui lui sont fournies par le répondant. Il est dit d'*administration directe* lorsque le répondant le remplit lui-même. Le questionnaire lui est alors remis en main propre par un enquêteur chargé de donner toutes les explications utiles, ou adressé indirectement par la poste ou par tout autre moyen. Il va sans dire que cette dernière procédure est moins fiable et n'est utilisée qu'en dernier recours dans la recherche sociale, car le risque de mauvaise interprétation des questions est grand, et parce que le nombre de réponses est généralement faible. En revanche, on utilise de plus en plus souvent le téléphone pour ce type d'enquête.

Les enquêtes par Internet sont aussi de plus en plus fréquemment utilisées pour les recherches en sciences sociales. L'intérêt principal est la possibilité de toucher un public très large pour un coût très faible. Mais les problèmes sont nombreux. Il est notamment très difficile d'obtenir un échantillon aléatoire et une qualité suffisante au niveau des réponses (voir à ce propos l'article de D. Frippiat et de N. Marquis « Les enquêtes par Internet en sciences sociales : un état des lieux », *Population*, 2010, vol. 62, n° 2).

Le questionnaire à questions ouvertes ne comporte qu'un très petit nombre de questions (généralement entre trois et cinq) auxquelles les répondants sont invités à répondre par écrit sur environ une demi-page. La méthode peut être qualifiée de « quali-quanti ». « Quali » car les réponses ouvertes feront l'objet d'une méthode d'analyse de contenu, par exemple thématique (voir *infra* : « Panorama des méthodes d'analyse des informations ») ; « quanti » car plusieurs centaines, voire plusieurs milliers de personnes pourront être invitées à y répondre, de sorte que les réponses puissent faire l'objet d'un traitement statistique. Mise en œuvre à grande échelle, cette méthode peut être utilisée avec fruit pour de grandes enquêtes, comme elle l'a été pour de vastes consultations d'enseignants en Belgique francophone. Mise en œuvre à petite échelle, elle peut représenter une bonne solution pragmatique pour des chercheurs ne disposant pas de beaucoup de moyens. Elle est exposée de manière détaillée dans A. Franssen et Ph. Huynen (2014), « Le questionnaire à questions ouvertes : une méthode quali-quantitative », dans J.-E. Charlier et L. Van Campenhoudt, (dir.), *4 méthodes de recherche en sciences sociales, Cas pratiques pour l'Afrique francophone et le Maghreb*, Paris, Dunod, p. 117 167.

c. Objectifs pour lesquels la méthode convient particulièrement

* La connaissance d'une population en tant que telle : ses conditions et ses modes de vie, ses comportements et ses pratiques, ses valeurs ou ses opinions.
* L'analyse d'un phénomène social que l'on pense pouvoir mieux cerner à partir d'informations portant sur les individus de la population concernée. Exemples : l'impact d'une politique familiale ou l'introduc tion de la micro-informatique dans l'enseignement.
* D'une manière générale, les cas où il est nécessaire d'interroger un grand nombre de personnes, qu'il s'agisse de la population totale ou d'un échantillon. Pour les échantillons, se pose le problème de leur représentativité. Sur ce point, les différentes variantes ne sont pas équivalentes.

d. Principaux avantages

* La possibilité de quantifier de multiples données et de procéder dès lors à de nombreuses analyses multivariées.
* Le fait que, par cette méthode, l'exigence parfois essentielle de représentativité de l'ensemble des répondants puisse être rencontrée. Il faut toutefois souligner que cette représentativité est parfois difficile à atteindre (par exemple, en l'absence de base de sondage) et que, même lorsqu'elle l'est, elle n'est jamais absolue et toujours limitée par une marge d'erreur.

e. Limites et problèmes

* La lourdeur et le coût généralement élevé du dispositif (sauf pour les enquêtes par Internet et le questionnaire à questions ouvertes).
* La fiabilité des réponses aux questions pouvant être perçues comme indiscrètes ou délicates, comme celles portant sur le travail au noir, la vie intime ou les conduites déviantes.

- La relative fragilité du dispositif. Pour que la méthode soit fiable, plusieurs conditions doivent être remplies : rigueur dans le choix de la population ou de l'échantillon, formulation claire et univoque des questions, correspondance entre le monde de référence des questions et le monde de référence du répondant, atmosphère de confiance au moment de l'administration du questionnaire, honnêteté et conscience professionnelle des enquêteurs. Si l'une de ces conditions n'est pas correctement remplie, la fiabilité de l'ensemble du travail s'en ressent. Dans la pratique, les principales difficultés proviennent généralement du côté des enquêteurs, qui ne sont pas toujours suffisamment formés et motivés pour effectuer ce travail exigeant et souvent décourageant.

f. Méthodes complémentaires

- L'analyse qualitative des données. Il peut paraître surprenant de présenter l'analyse qualitative de données comme complément d'une approche par questionnaire. La standardisation propre à l'enquête par questionnaire requiert cependant un minimum de connaissances préalables du phénomène étudié, sans quoi le chercheur risque d'engager en vain beaucoup de moyens, de temps et d'énergie. Dans le but de mieux connaître le terrain sur lequel il se lance, il peut donc avoir intérêt à faire précéder son enquête par questionnaire d'une enquête qualitative suivie d'une analyse des données recueillies, afin d'éviter de se lancer de manière hasardeuse dans un dispositif où il ne pourra plus faire marche arrière.
- L'analyse statistique des données. Les données recueillies par une enquête par questionnaire, dont de nombreuses réponses sont préalablement prévues et prédéterminées par le chercheur, n'ont pas de signification en elles-mêmes. Elles ne peuvent donc servir que dans le cadre d'un traitement quantitatif qui permette de comparer les réponses globales de catégories sociales différentes et d'analyser les relations entre variables.
- Prises en tant que telles, les réponses de chaque individu particulier peuvent cependant être consultées pour constituer une sélection de répondants typiques en vue d'analyses ultérieures plus approfondies.

g. Formation requise

- Techniques d'échantillonnage.
- Techniques de rédaction, de codage et de dépouillement des questions, y compris les échelles d'attitude.
- Gestion de réseaux d'enquêteurs.

- Initiation aux programmes informatiques de gestion et d'analyse de données d'enquêtes (R, SPSS, SPAD, SAS...).
- Dans le cas le plus courant où le travail est effectué en équipe et où il est fait appel à des services spécialisés, il n'est pas indispensable que tous les chercheurs soient personnellement formés dans les domaines les plus techniques.

h. Quelques références bibliographiques

BERTHIER N. (2016), *Les techniques d'enquête en sciences sociales. Méthode et exercices corrigés*, Paris, Armand Colin.

GHIGLIONE R. (1987), « Questionner » ? in A. BLANCHET *et al.*, *Les Techniques d'enquête en sciences sociales*, Paris, Dunod, p. 127-182.

JAVEAU Cl. (1992), *L'Enquête par questionnaire*, Bruxelles, éditions de l'université de Bruxelles, Paris, Les Éditions d'Organisation.

LEBARON F. (2006), *L'Enquête quantitative en sciences sociales. Recueil et analyse des données*, Paris, Dunod.

LORENZI-CIOLDI F. (1997), « Les questions ont les réponses qu'elles méritent », in LORENZI-CIOLDI F., *Questions de méthodologie en sciences sociales*, Lausanne, Delachaux et Niestlé, p. 13-41.

SELZ M. et MAILLOCHON F. (2009), « Ce que questionner veut dire », in *Le Raisonnement statistique en sociologie*, Paris, PUF, p. 179-198.

SINGLY F., DE (2012), *Le Questionnaire*, Paris, Armand Colin, coll. « 128 ».

5.2 L'entretien

a. Présentation

Sous leurs différentes formes, les méthodes d'entretien impliquent des processus fondamentaux de communication et d'interaction humaine. Elles se caractérisent par un contact direct entre le chercheur et ses interlocuteurs et par une faible directivité de sa part. Correctement mis en œuvre, ces processus permettent au chercheur de retirer de ses entretiens des informations et des éléments de réflexion très riches et nuancés.

Ainsi s'instaure en principe un véritable échange au cours duquel l'interlocuteur du chercheur exprime ses perceptions d'un événement ou d'une situation, ses interprétations ou ses expériences, tandis que, par ses questions ouvertes et ses réactions, le chercheur facilite cette expression, évite qu'elle s'éloigne des objectifs de la recherche et permet à son vis-à-vis d'accéder à un degré maximum de sincérité et de profondeur.

Si l'entretien est d'abord une méthode de recueil des informations, il reste que l'esprit théorique du chercheur doit rester continuellement en éveil de sorte que ses propres interventions amènent des éléments d'analyse aussi féconds que possible.

Les principes et directives exposés plus haut pour l'entretien exploratoire (voir étape 2 : « L'exploration ») restent globalement en application ici. Par rapport à l'entretien exploratoire, le chercheur concentrera davantage l'échange autour de ses hypothèses de travail, sans exclure pour autant les développements parallèles susceptibles de les nuancer ou de les corriger. En effet, même dans une démarche déductive, la manière de procéder aux entretiens revêt toujours une part d'induction. En outre – et c'est la différence essentielle – le contenu de l'entretien fera l'objet d'une analyse de contenu systématique, destinée à tester les hypothèses et à les réviser si nécessaire.

b. Variantes

- L'entretien semi-directif, ou semi-dirigé, est certainement le plus utilisé en recherche en sciences sociales. Il est semi-directif en ce sens qu'il n'est ni entièrement ouvert, ni canalisé par un grand nombre de questions précises. Généralement, le chercheur dispose d'une série de questions-guides, relativement ouvertes, à propos desquelles il est impératif qu'il reçoive une information de la part de l'interviewé. Il ne posera pas forcément toutes les questions dans l'ordre où il les a notées et sous la formulation prévue. Autant que possible, il « laissera venir » l'interviewé afin que celui-ci puisse parler ouvertement, avec les mots qu'il souhaite et dans l'ordre qui lui convient. Le chercheur s'efforcera simplement de recentrer l'entretien sur les objectifs chaque fois qu'il s'en écarte et de poser les questions auxquelles l'interviewé ne vient pas par lui-même, au moment le plus approprié et de manière aussi naturelle que possible.

- L'entretien compréhensif, tel qu'exposé par J.-Cl. Kaufmann *(op. cit.),* est une forme d'entretien semi-directif, qui s'inscrit dans une démarche inductive où le recueil et l'analyse des informations ne sont pas des étapes successives, mais s'opèrent conjointement, au fur et à mesure des entretiens, en même temps que l'élaboration de la problématique et des hypothèses. L'objectif est de parvenir à une compréhension intime de la pensée et de l'action des sujets.

- Cette approche inductive se retrouve également dans la « théorie enracinée » ou « ancrée » (*grounded theory* en anglais), telle qu'élaborée par B. Glaser et A. Strauss (voir plus loin les références bibliographiques), où la théorisation est un processus qui dérive d'une analyse comparative des informations recueillies. Cette méthode concerne bien entendu l'ensemble du processus de recherche et pas seulement l'entretien.

- Une forme particulièrement approfondie d'entretien est le récit de vie. Il consiste à reconstituer la trajectoire de vie des répondants en vue de saisir comment leurs manières d'appréhender leurs expériences se sont formées et transformées au fil de l'existence et des événements qui la jalonnent. Les entretiens sont alors plus longs et divisés en plusieurs séances, mais avec un nombre généralement moins élevé de personnes. Cette méthode est exposée dans plusieurs ouvrages repris dans les références bibliographiques.

- L'entretien centré, mieux connu sous son appellation anglaise de *focused interview*, a pour objectif d'analyser l'impact d'un événement ou d'une expérience précise sur ceux qui y ont assisté ou participé, d'où son nom. Les réactions à cet événement ou à cette expérience peuvent aussi révéler des opinions, des représentations du monde ou des systèmes de valeurs que le chercheur vise à cerner à travers elles. Cet événement ou cette expérience peuvent être de diverses natures et avoir divers supports : un film ou un extrait de film, un discours politique, un témoignage, un reportage, une publicité... L'enquêteur ne dispose pas de questions préétablies, comme dans l'enquête par questionnaire, mais bien d'une liste de points précis relatifs au thème étudié. Au cours de l'entretien, il abordera impérativement ces points, mais sous une forme qu'il sera libre de choisir à chaud selon le déroulement de la conversation. Dans ce cadre relativement souple, il posera néanmoins de nombreuses questions à son interlocuteur.

c. Objectifs pour lesquels la méthode convient particulièrement

- L'analyse du sens que les acteurs donnent à leurs pratiques et aux événements auxquels ils sont confrontés : leurs représentations sociales, leurs systèmes de valeurs, leurs repères normatifs, leurs interprétations de situations conflictuelles ou non, leurs lectures de leurs propres expériences, etc.
- L'analyse d'un problème précis : ses données, les points de vue en présence, ses enjeux, les systèmes de relations, le fonctionnement d'une organisation, etc.
- La reconstitution de processus d'action, d'expériences ou d'événements du passé.
- Les trajectoires de vie dans leurs dimensions sociales et individuelles.

d. Principaux avantages

- Le degré de profondeur et de finesse des éléments d'analyse recueillis.
- La souplesse et la faible directivité du dispositif, qui permet de récolter les témoignages et les interprétations des interlocuteurs en respectant leurs propres cadres de référence, leur langage et leurs catégories mentales.

e. Limites et problèmes

- Comme pour toutes les méthodes qualitatives, l'utilisation correcte et féconde de l'entretien nécessite le respect d'un ensemble de principes et de règles (comme celles exposées dans l'étape exploratoire) qu'il n'est pas aussi facile de mettre en œuvre qu'il y paraît. Seule l'expérience, systématiquement évaluée, permet d'acquérir, au fil du temps, ce qu'on appelle du « métier ». Outre les principes et les règles générales, certaines méthodes particulières ont leurs propres procédures et supposent le respect de recommandations techniques.

  Un problème avec certaines méthodes qualitatives relativement peu codifiées et formalisées, du moins apparemment, est que le chercheur débutant qui les applique n'est pas forcément en mesure de se rendre compte de son incompétence et peut croire qu'elles sont à sa portée. La découverte de bons ouvrages de référence l'aidera à se rendre compte du chemin à parcourir, mais aussi que ce chemin est à sa portée s'il est prêt à s'en donner les moyens et à s'imposer un minimum de discipline.

- À l'inverse, la souplesse même des méthodes d'entretien pourrait insécuriser ceux qui ne peuvent travailler avec sérénité sans directives techniques précises, de préférence quantitatives.

- La maîtrise des aspects techniques de la méthode reste vaine si le chercheur ne dispose pas d'une bonne formation générale (psychologique, culturelle, historique, politique, sociologique...) dans laquelle il pourra puiser des ressources intellectuelles lui permettant de saisir la portée de certains propos, de les contextualiser et, par suite, d'engager au fur et à mesure l'entretien vers les meilleures voies.

- Si les qualités intellectuelles sont importantes, les qualités humaines le sont presque autant, en particulier la capacité d'écouter son interlocuteur et de se mettre à sa place, sans pour autant devoir approuver ses pratiques et ses propos. Savoir adopter avec naturel une attitude de neutralité bienveillante, susciter la confiance, être sensible sans sensiblerie... n'est pas donné à tout le monde. À ce niveau encore, le chercheur doit être au clair avec lui-même, et rester capable de s'autoévaluer.

- Contrairement aux enquêtes par questionnaire par exemple, les éléments d'information et de réflexion recueillis par la méthode de l'entretien ne se présentent pas d'emblée sous une forme qui appelle un mode d'analyse particulier. Ici, plus qu'ailleurs peut-être, les méthodes de recueil et d'analyse des informations doivent être choisies et conçues conjointement.

f. Méthodes complémentaires

- En recherche en sciences sociales, la méthode des entretiens est presque toujours associée à une méthode d'analyse de contenu. Au cours des entretiens, il s'agit en effet de faire surgir un maximum d'éléments d'information et de réflexion qui serviront de matériaux à une analyse de contenu systématique qui réponde aux exigences d'explicitation, de stabilité et d'intersubjectivité des procédures. On y reviendra dans la prochaine étape.
- Enfin, dans la plupart des cas, les entretiens font partie d'un dispositif méthodologique d'ensemble comprenant notamment des observations directes et du recueil de documents portant sur le phénomène analysé. Par exemple, le chercheur qui veut analyser un aspect du fonctionnement d'une organisation procédera à des entretiens, fera des observations sur place et rassemblera un certain nombre de documents sur cette organisation (comme des procès-verbaux de réunions ou des rapports d'activité). L'entretien doit alors être conçu dans sa complémentarité avec ces autres méthodes.

g. Formation requise

- D'une manière générale, l'aptitude à retirer le maximum d'éléments intéressants de l'entretien est liée à la culture générale et à la formation théorique du chercheur, à sa lucidité épistémologique et à son expérience.
- D'une manière plus spécifique :
  - connaissance théorique et pratique élémentaire des processus de communication et d'interaction interindividuelle (psychologie sociale) ;
  - formation théorique et pratique aux techniques d'entretien (voir ce qui est écrit dans l'étape 2 à propos des entretiens exploratoires).

h. Quelques références bibliographiques

BECKER H.S. (2002), *Les Ficelles du métier : comment conduire sa recherche en sciences sociales*, Paris, La Découverte.

BERTAUX D. (2016), *Le Récit de vie*, Paris, Armand Colin.

BLANCHET A. et GOTMAN A. (2015), *L'Entretien*, Paris, Armand Colin.

BOURDIEU P. (1993), « Comprendre », in P. BOURDIEU (dir.), *La Misère du monde*, Paris, Le Seuil, p. 903-939.

FERRAROTTI F. (1983), *Histoire et histoires de vie. La méthode biographique dans les sciences sociales*, Paris, Méridiens Klincksieck.

GLASER B.G. et STRAUSS A.L. (2010), *La Découverte de la théorie ancrée : stratégies pour la recherche qualitative*, Paris, Armand Colin.

KAUFMANN J.C. (2016), *L'Entretien compréhensif*, Paris, Armand Colin.

MERTON R.K., FISKE M. et KENDALL P.L. (1956), *The Focused Interview*, Illinois, The Free Press of Glencoe.

PENEFF J. (1990), *La Méthode biographique. De l'école de Chicago à l'histoire orale*, Paris, Armand Colin.

RAMOS E. (2015), *L'Entretien compréhensif en sociologie*, Paris, Armand Colin.

ROGERS C. (1980), *La Relation d'aide et la psychothérapie*, Paris, ESF (1942).

SAUVAYRE R. (2013), *Les Méthodes de l'entretien en sciences sociales*, Paris, Dunod.

5.3 L'observation directe

a. Présentation

Il s'agit ici d'une méthode au sens strict, fondée sur l'observation visuelle, non de « L'observation » en tant que cinquième étape de la démarche dans cet ouvrage.

Comme on l'a vu plus haut, les méthodes d'observation directe constituent les seules méthodes de recherche en sciences sociales qui captent les comportements au moment où ils se produisent sans l'intermédiaire d'un document ou d'un témoignage. Dans les autres méthodes, au contraire, les événements, les situations ou les phénomènes étudiés sont reconstitués à partir des déclarations des acteurs (enquête par questionnaire et entretien) ou des traces laissées par ceux qui en furent les témoins directs ou indirects (analyse de documents).

En sciences sociales, les observations peuvent porter sur une grande diversité de phénomènes, par exemple les pratiques collectives, les comportements des acteurs, le fonctionnement des organisations ou la disposition des usagers d'un espace quelconque. Le champ d'observation du chercheur est *a priori* infini et ne dépend en définitive que des objectifs de son travail et de ses hypothèses. À partir de celles-ci, l'acte d'observer sera structuré, dans la plupart des cas, par une grille d'observation préalablement constituée. Un des intérêts de cette méthode est qu'elle permet d'observer des pratiques et comportements imprévus, voire surprenants par rapport à ce qui était attendu par les hypothèses ou pressenti par les idées préconçues du chercheur, obligeant ce dernier à les remettre en question, jusqu'à, si nécessaire, reformuler ses hypothèses et, parfois même, sa question de recherche.

Les modalités concrètes de l'observation sont très différentes selon que le chercheur adopte par exemple une méthode d'observation participante de type anthropologique ou, au contraire, une méthode d'observation non participante dont les procédures techniques sont plus formalisées. Entre ces deux pôles, qui seront brièvement présentés dans le point suivant, se situent des dispositifs intermédiaires.

b. Variantes

- L'observation participante est logiquement celle qui répond globalement le mieux aux préoccupations habituelles des chercheurs en sciences sociales. Ses principes ont été forgés dans la recherche ethnologique et anthropologique, dans des contextes culturels non européens, souvent liés à la colonisation. Aujourd'hui, elle se pratique couramment au sein de toutes les sociétés, notamment européennes. Elle consiste à étudier un groupe ou une communauté durant une relativement longue période, en participant à la vie collective. Le chercheur peut alors saisir les modes de vie de l'intérieur et dans le détail, en s'efforçant de les perturber aussi peu que possible. Il doit faire sienne l'idée, lumineusement exposée par Erving Goffman dans son livre *Asiles. Études sur la condition sociale des malades mentaux* (Paris, Minuit, 1968), selon laquelle toute manière de vivre apparaît normale et sensée lorsqu'on la remet dans son contexte. D'où l'importance, pour le chercheur, de s'imprégner de ce contexte par une fréquentation suffisamment longue.

  La validité de son travail repose notamment sur la précision et la rigueur des observations ainsi que sur la confrontation continuelle des observations et des hypothèses interprétatives, dans un mouvement itératif, c'est-à-dire d'allers et retours constants entre le travail de terrain et la réflexion du chercheur, ou encore entre ses observations et ses hypothèses (voir notamment J.-P. Olivier de Sardan, *La Rigueur du qualitatif. Les contraintes empiriques de l'interprétation socio-anthropologique*, Louvain-la-Neuve, Academia-Bruylant, 2008).

  Le chercheur sera particulièrement attentif à la reproduction ou non des phénomènes observés ainsi qu'à la convergence entre les différentes informations obtenues qu'il s'agit de recouper systématiquement, notamment en multipliant les sources. C'est ce qu'on appelle le principe de triangulation (*ibidem*, p. 79-80).

  C'est à partir de pareilles procédures que les logiques sociales et culturelles des groupes étudiés pourront apparaître le plus clairement et que les hypothèses pourront être testées et affinées (voir plus loin la *field research*).

  L'implication intime dans la vie d'un groupe ou d'une communauté peut affecter en profondeur le chercheur dans sa propre vision de l'existence et du monde ainsi que dans son lien aux autres. L'élucidation de cette expérience marquante est indispensable et peut être, en elle-même, source d'enseignements précieux.

- Les méthodes d'observation non participante présentent, quant à elles, des profils très différents, leur seul point commun étant que le chercheur ne participe pas à la vie du groupe, qu'il observe donc « de l'extérieur ». L'observation peut être de longue ou de courte durée, faite à l'insu ou avec l'accord des personnes concernées, ou encore être réalisée sans ou avec l'aide de grilles d'observation détaillées. Par exemple, un chercheur peut demander d'assister systématiquement à une série de cours dans une classe d'école secondaire pour analyser les comportements des élèves (ou des enseignants) en interaction, ou encore aux réunions d'une association dont il souhaite étudier le fonctionnement interne.

Les grilles d'observation reprennent de manière sélective les différentes catégories de phénomènes ou de pratiques à observer. Elles peuvent être plus ou moins formalisées et prévoir certaines modalités de quantification, par exemple un calcul des fréquences et des distributions des différentes classes de comportements en vue d'étudier les corrélations entre ces comportements et d'autres variables envisagées par les hypothèses. Cette procédure s'inspire en fait de ce qui se fait depuis de nombreuses années en psychologie, en pédagogie et, depuis plus longtemps encore, en éthologie animale. Mais, contrairement à ce qui se passe souvent dans ces disciplines, les chercheurs en sciences sociales ne font guère appel à des méthodes d'observation expérimentale, sinon dans des disciplines limitrophes comme la psychologie sociale.

- Les ressources technologiques modifient les conditions de saisie des pratiques et des situations sociales. Les filmer permet au chercheur, ainsi qu'à ses collègues, de percevoir, avec davantage de recul, des détails ou des comportements qui lui auraient échappé au moment même. Ces ressources permettent par ailleurs de mettre en œuvre des dispositifs plus élaborés d'analyse des informations enregistrées. L'enregistrement modifie les conditions de l'observation (qui peut, à la limite, être effectuée sans la présence du chercheur). Il modifie également la nature et l'éventail des objets observés et élargit les possibilités de l'analyse, qui peut être menée avec davantage de recul, et collectivement. C'est pourquoi on peut considérer que, à partir d'un certain point, l'observation effectuée à l'aide de ces outils représente, en elle-même, une variable de la méthode d'observation.

c. *Objectifs pour lesquels la méthode convient particulièrement*

- Ces objectifs diffèrent en partie avec les différentes formes que peut prendre l'observation. D'une manière générale toutefois, et par définition pourrait-on dire, la méthode convient particulièrement à l'analyse du non-verbal et de ce qu'il révèle : les conduites instituées et les codes comportementaux, le rapport au corps, les modes de vie et les traits culturels, l'organisation spatiale des groupes et de la société, etc.

- Plus particulièrement, les méthodes d'observation dépourvues de caractère expérimental conviennent à l'étude des événements tels qu'ils se produisent et au moment où ils se produisent.

d. Principaux avantages

- La saisie des comportements et des événements sur le vif.
- Le recueil d'un matériau d'analyse non suscité par le chercheur et donc relativement spontané.
- La possibilité d'enregistrer les observations, et celle de les analyser ensuite de manière plus approfondie avec davantage de recul et collectivement.
- La relative sincérité des comportements par rapport aux paroles et aux écrits. D'une manière générale, l'individu moyen a appris à contrôler son expression verbale, en revanche très peu de personnes ont appris à maîtriser le langage du corps. On s'y révèle donc plus spontanément.

e. Limites et problèmes

- Les difficultés couramment rencontrées pour se faire accepter comme observateur par les groupes concernés.
- La présence de l'observateur peut affecter, voire perturber la situation observée.
- Le problème des traces. Le chercheur ne peut se fier à sa seule mémoire des événements saisis sur le vif car la mémoire est sélective et éliminerait une multitude de comportements dont l'importance ne serait pas apparue immédiatement. Comme la prise de notes au moment même n'est pas toujours possible ni souhaitable, la seule solution consiste à transcrire les comportements observés immédiatement après l'observation. En pratique, il s'agit souvent d'une réelle corvée en raison de la fatigue et des conditions de travail parfois éprouvantes. Ce « journal de bord » du chercheur doit comporter également le compte rendu des difficultés éprouvées, des réactions des personnes rencontrées à son égard, de ses propres questionnements de chercheur. En relisant les notes de son journal avec le recul du temps, en les partageant avec des collègues de confiance, il appréhendera mieux la portée et les limites de son travail, il en percevra certaines lacunes qu'il pourra combler, il pourra corriger certains de ses propres comportements problématiques et progresser dans l'acquisition du métier. Plus encore, en procédant, à partir de son journal, à ce qu'on appelle parfois « l'enquête sur l'enquête », il en retirera

indirectement des enseignements sur son objet de recherche. Nous reviendrons sur ce point dans la conclusion (septième étape).

• Le problème de l'interprétation des observations. L'utilisation de grilles d'observation très formalisées facilite l'interprétation, mais, en revanche, celle-ci risque d'être relativement superficielle et mécanique en regard de la richesse et de la complexité des processus étudiés. Pour ce qui concerne l'observation de type anthropologique, l'interprétation se réalise le plus souvent au fur et à mesure, dans le cadre d'une démarche essentiellement inductive. La difficulté pour les chercheurs débutants est de procéder avec méthode et rigueur alors que la démarche est relativement peu formalisée. Le respect de quelques principes clés est indispensable et les aidera fortement, notamment le principe de triangulation évoqué ci-dessus. Un autre principe est celui de la saturation, exposé plus haut dans cette partie à propos de l'échantillon. Différents ouvrages (indiqués plus loin) procurent des conseils précieux à cet égard en exposant des dispositifs méthodologiques relativement précis.

f. Méthodes complémentaires

• La méthode de l'entretien, normalement suivie d'une analyse de contenu, est certainement la plus utilisée en parallèle avec les méthodes d'observation. Leur complémentarité permet en effet d'effectuer un travail d'investigation en profondeur qui, lorsqu'il est mené avec la lucidité et les précautions d'usage, présente un degré de validité satisfaisant.

• Des manières les plus diverses, les chercheurs font couramment appel à des observations de type anthropologique, mais de durée limitée, pour suppléer les carences de méthodes de recherche plus formalisées dont la rigueur technique a souvent pour corollaire un manque d'imagination et de sensibilité sur le plan des interprétations.

g. Formation requise

La meilleure et finalement la seule véritable formation à l'observation est la pratique. L'œil de l'expert ne s'aiguise pas en quelques semaines de travail. C'est une longue et systématique confrontation entre la réflexion théorique, inspirée de la lecture des bons auteurs, et les comportements observables dans la vie collective qui a produit les observateurs les plus pénétrants : ceux dont les sciences sociales se souviennent et que l'on prend aujourd'hui pour modèles. Il faut donc apprendre à observer... en observant et, si on en a l'occasion, comparer ses propres observations et interprétations à celles des collègues avec lesquels on travaille.

h. Quelques références bibliographiques

ARBORIO A.-M. et FOURNIER P. (2010), *L'Observation directe*, Paris, Armand Colin.

BECKER H. (2002), *Les Ficelles du métier. Comment conduire sa recherche en sciences sociales*, Paris, La Découverte.

COPANS J. (2011), *L'Enquête ethnologique de terrain*, Paris, Armand Colin.

GLASER B. et STRAUSS A. (2010), *La Découverte de la théorie ancrée. Stratégies pour la recherche qualitative*, Paris, Armand Colin.

JACCOUD M. et MAYER R. (1997), « L'observation en situation et la recherche qualitative », in J. POUPART *et al.*, *La Recherche qualitative : enjeux épistémologiques et méthodologiques*, Montréal, Gaétan Morin Éditeur, p. 212-249.

MASSONAT J. (1987), « Observer », dans A. BLANCHET *et al.*, *Les Techniques d'enquête en sciences sociales*, Paris, Dunod.

OLIVIER DE SARDAN J.-P. (2008), *La Rigueur du qualitatif. Les contraintes empiriques de l'interprétation socioanthropologique*, Louvain-la-Neuve, Academia Bruylant.

PERETZ H. (1998), *Les Méthodes en sociologie. L'observation*, Paris, La Découverte.

STRAUSS A. et CORBIN J. (2004), *Les Fondements de la recherche qualitative. Techniques et procédures de développement de la théorie enracinée*, Fribourg, Academic Press.

5.4 La méthode des parcours commentés

a. Présentation

Cette méthode, telle que développée à la fin des années 1990 par l'équipe du CRESSON à l'université de Grenoble, s'intéresse tout particulièrement à l'expérience vécue d'un espace public par ses usagers ; elle consiste à produire « des comptes rendus de perception en trois mouvements : marcher, percevoir et décrire » (J.-P. THIBAUD, « La méthode des parcours commentés », in M. Grosjean, J.-P. Thibaud et P. Amphoux, *L'Espace urbain en méthodes*, Marseille, Parenthèses, 2001, p. 81).

Le dispositif méthodologique prévoit plusieurs étapes qui se succèdent dans un ordre strict. Tout d'abord, avant d'entamer le parcours qui dure de l'ordre de 20 minutes, l'informateur (usager habituel, simple passant, touriste, sans domicile fixe...) reçoit un certain nombre de consignes qui l'invitent à mettre des mots sur ses perceptions (décrire ce qu'il voit et ressent, partager ses sensations, mobiliser l'ensemble de ses sens, décrire les ambiances...). Le chercheur et son informateur parcourent ensuite un espace public ensemble ; le périmètre d'investigation étant délimité par le chercheur en fonction des objectifs de sa recherche, l'informateur ayant le choix du parcours et étant autorisé à s'arrêter, à revenir en arrière comme bon lui semble. Pendant le parcours, le chercheur n'intervient quasiment pas. Celui-ci terminé, lors d'un entretien semi-directif relativement court, l'informateur est invité à retracer le trajet sur une simple feuille ou sur un plan lorsque l'espace traversé est relativement complexe ; le chercheur sera attentif à la façon de nommer, de décrire, de qualifier, d'évaluer, de distinguer les lieux ou des événements s'y déroulant... Cet entretien est aussi l'occasion pour le chercheur d'aborder des questions générales en lien direct avec sa problématique de recherche. Le chercheur recompose ensuite les descriptions en triant, sélectionnant et classant les extraits les plus significatifs relatifs à un même lieu. Des récits de parcours idéaux-typiques, au sens wébérien du terme, sont ainsi produits. À la suite de quoi, le chercheur retourne seul sur le terrain afin de replacer ces descriptions dans leur contexte d'émergence, en tentant de suivre leur production au fur et à mesure du cheminement et de rapporter les descriptions à ce qui est observable *in situ*.

b. Variantes

Certains auteurs (voir par exemple M. Desprès, S. Lord, P. Negron-Poblete, « (Re)placer la mobilité dans son contexte : le parcours commenté, un outil de recueil et d'analyse de données de mobilité », *Recherche Transports Sécurité*, *La mobilité en méthodes*, Paris, Institut français des Sciences et Technologies des Transports, de l'Aménagement et des Réseaux, 2019, 21p., hal-02146291) traduisent en anglais *la méthode des parcours commentés* par *Go-Along Method*, tendant ainsi à les assimiler ou soulignant à tout le moins ce qui les rassemble. Distinctes quant à leurs origines, françaises pour la méthode des parcours commentés, nord-américaines pour la *Go-Along Method*, ces deux méthodes sont « mobiles » et partagent le fait qu'elles attendent de l'informateur qu'il mette des mots sur ses perceptions et son vécu au cours d'un déplacement partagé avec le chercheur, partant du postulat que le cheminement *in situ* va stimuler la parole et permettre de contextualiser l'expérience vécue par les informateurs. Il n'est pas rare que des chercheurs construisent leur dispositif méthodologique en mobilisant quasi indistinctement les références fondatrices de l'une et l'autre méthode, contribuant ainsi à flouter la frontière entre elles par un processus d'hybridation méthodologique. Plus que les dénominations, il semble que ce soit aujourd'hui la diversité des pratiques qui témoigne de l'existence de variantes. De ce point de vue, plusieurs critères sont déterminants :

– le rôle de guide peut être soit négocié, soit endossé par l'informateur ou le chercheur ;

– le degré et le type d'intervention du chercheur pendant le parcours peuvent aller de rares demandes de clarifications des propos de l'informateur (et s'en tenir là) à un important questionnement préalablement préparé autour des thèmes centraux de la recherche ;
– le mode de déplacement : la marche, l'automobile, le bus, le tram, le train…

Ces critères dessinent des options méthodologiques potentiellement contrastées. À titre d'exemple, on comprend aisément qu'un parcours en automobile se démarquera nettement d'un parcours pédestre sur de nombreux points : les perceptions et représentations de l'espace traversé, la coprésence d'autres usagers, les interactions chercheur-informateur, la capacité de s'arrêter à tout moment ou de faire un retour en arrière, la distance potentiellement parcourue… De même, selon la posture qu'il veut adopter, garder une position haute en contrôlant l'interaction ou choisir une position basse au risque d'être dérouté par un informateur proactif, le chercheur privilégiera une option plutôt que l'autre. Mais *in fine*, c'est toujours la question de recherche qui devrait le guider dans ses choix, pour retenir le dispositif le plus à même d'y répondre de façon pertinente.

c. Objectifs pour lesquels la méthode convient particulièrement

La méthode des parcours commentés convient parfaitement pour :

- L'étude des pratiques spatiales : les recherches s'intéressant à l'expérience vécue d'espaces publics, celles portant sur la mobilité quotidienne des usagers en tant qu'expérience sensible…
- Les études accordant de l'importance aux contextes locaux dans lesquels s'inscrivent les phénomènes sociaux, ou aux interactions entre action et contexte.
- L'étude des perceptions se déployant dans l'interaction individu-environnement, pas *in abstracto*, mais en contexte.

d. Principaux avantages

- La méthode cherche à capitaliser sur les points forts de l'entretien semi-directif et de l'observation au sens strict, en cherchant à accéder aux perceptions des informateurs *via* leurs propos tout en les connectant aux contextes dans lesquels elles émergent.
- En sciences humaines et sociales, de nombreux courants théoriques et méthodologiques soulignent la nécessité d'appréhender les pratiques sociales dans leur contexte. Ces approches insistent alors sur la précision indispensable des notes de terrain, des descriptions des contextes

d'entretien, des comptes rendus d'observation. Mais la méthode des parcours commentés fait partie des rares méthodes qui tentent de saisir la façon dont le contexte sensible avec ses composantes physiques, matérielles et environnementales agit sur la perception et le vécu d'un individu pendant le déroulement même d'une action. La mobilité est appréhendée à partir d'une méthode mobile qui tente de saisir l'expérience dans son déroulé.

• Le fait que l'informateur prenne la main pour définir le parcours est susceptible de rééquilibrer à son avantage le rapport de pouvoir entre lui et le chercheur, de même qu'il peut favoriser le partage de son expérience.

e. Limites et problèmes

• Pour ses promoteurs, la méthode des parcours commentés se situe immanquablement dans une démarche interdisciplinaire. Ainsi, à titre d'exemples, un ingénieur du son pourrait être mobilisé pour traiter de phénomènes acoustiques ou un architecte pour donner son éclairage sur la conception d'une place ou d'un bâtiment. Faute de disposer ou de pouvoir mobiliser de telles compétences, le chercheur en sciences humaines et sociales ne pourra que se recentrer sur les descriptions sur site, ce qui constitue néanmoins bien le cœur de la méthode.

• Certaines données récoltées sont de nature très éphémère dans la mesure où le contexte sensoriel d'un site est sujet à de grandes variations en fonction du moment de la journée, du jour de la semaine, de la saison... où le parcours a lieu, ou encore des conditions météorologiques ou du degré d'affluence, par exemple.

• Comme pour les entretiens, les capacités réflexives et langagières ont une influence directe sur les descriptions des informateurs.

f. Méthodes complémentaires

• Préalablement à l'organisation de parcours commentés, l'observation directe peut aider le chercheur à affiner sa problématique, ainsi qu'à délimiter le périmètre d'investigation.

• Pour les études où l'expérience de la spatialité est première, la méthode des parcours commentés peut utilement venir enrichir des cartographies de mobilité constituées à partir d'enquêtes par questionnaire ou de relevés de déplacements, en rendant compte de l'expérience concrète de la mobilité pour les informateurs.

• Bien que récoltés en mouvement, les parcours commentés sont des entretiens. Tout comme ceux-ci, une fois récoltés, ils vont être analysés, ce qui va nécessiter la mobilisation d'une méthode d'analyse de contenu, telle que celles présentées à l'étape suivante.

g. Formation requise

Dès lors que la méthode des parcours commentés ou la *Go-Along Method* relèvent à la fois de l'entretien semi-directif et de l'observation directe, ambitionnant de cumuler leurs avantages sans rencontrer leurs limites, les compétences requises pour les mettre en œuvre sont celles présentées aux points précédents. À ces dernières, il convient d'ajouter une capacité de concentration de tous les instants en raison de la multiplicité des tâches que le chercheur est appelé à accomplir de façon quasi-simultanée : observer l'informateur, prêter attention à ses perceptions et représentations, le pousser à expliciter ses propos parfois, tenter de saisir les éléments de contexte qui importent pour lui.

h. Quelques références bibliographiques

CARPIANO R. M. (2009), « Come take a walk with me : The "Go-Along" interview as a novel method for studying the implications of the place for health and well-being », *Health & Place*, 15, p. 236-272.

DJELLOUL G. N. (2020), « Ethnographie féministe du mouvement à Alger : entre vulnérabilité et besoin de couverture, l'implication au cœur de la production d'un savoir situé », *Recherches qualitatives*, 33(1), p. 130-151.

KUSENBACH M. (2003), « Street phenomenology. The Go-Along as ethnographic research tool », *Ethnography*, vol. 4(3), p. 455-485.

LENEL E. (2014), « L'ordinaire et l'entre-deux. La méthode des parcours commentés comme outil d'ethnographie phénoménologique », in *Le sociologue comme médiateur ? Accords, désaccords et malentendus. Hommage à Luc Van Campenhoudt*, Bruxelles, Presses de l'université Saint-Louis, p. 89-98.

MERLA L. et NOBELS B. (2021), « Gérer l'alternance, ordonner un monde en mouvement. Les pratiques matérielles des enfants en hébergement égalitaire », *Recherches sociologiques et anthropologiques*, 52(1), p. 171-197.

THIBAUD J.-P. (2003), « La parole du public en marche », in MOSER G. et WEISS K. (dir.), *Milieux de vie : Aspects de la relation à l'environnement*, Paris, Armand Colin, p. 113-138.

5.5 Le jeu du réseau socio-spatial
(Socio-Spatial Network Game)

a. Présentation

Le jeu du réseau socio-spatial est un support pour l'analyse des interactions socio-spatiales des participants, chacun d'entre eux étant amené à représenter visuellement les membres de son réseau (parfois seulement ceux qui comptent pour lui) tout en les localisant spatialement et en décrivant ses pratiques, ses représentations, ses sensations... en fonction des questions du chercheur. Le jeu est donc un outil méthodologique qui vise à favoriser l'implication et l'application des participants, notamment de participants ayant besoin d'être soutenus dans leur concentration comme des enfants. Il se présente sous la forme d'un jeu de plateau sur lequel chaque participant est invité à représenter à l'aide de feuilles, de blocs, de personnages, de pions, de palets, de figurines multiples et variées, ses différents lieux de vie et les connexions qu'il établit entre eux. L'usage de ces différents éléments est explicité au participant, qui va ensuite les disposer sur le plateau tout en commentant ce qu'il fait, ce qui permet au chercheur de le suivre dans ses actions tout en ayant accès à ses significations ainsi verbalisées. Les hésitations, modifications et revirements sont aussi consignés. Une fois le tableau terminé, le chercheur peut inviter le participant à préciser ou à expliciter certains choix. Le tableau est photographié pour les besoins de l'analyse ; cela permet aussi d'y revenir lors d'une rencontre ultérieure.

Le plateau sera tantôt l'objet central de l'analyse, c'est généralement le cas en géographie sociale où la méthode a été lancée, tantôt le support à un entretien semi-directif plus classique portant sur les pratiques ou les interactions dans les lieux représentés, ce qui est davantage le cas en sociologie.

b. Variantes

• Sans être de véritables variantes, d'autres outils que le jeu du réseau socio-spatial ont pour principal objectif d'aider les participants dans la reconstitution et la présentation de leur réseau. Le *générateur de nom*, ou ensemble de questions invitant chaque participant à lister les membres de son réseau correspondant à la formule d'invitation du chercheur (les membres de votre famille, les personnes qui comptent pour vous, celles qui vous ont apporté de l'aide au cours des six derniers mois…) est sans doute le plus répandu. Une abondante littérature discute de la pertinence, des apports et des limites des différentes approches (questions centrées sur les interactions, sur l'importance des liens ou sur les soutiens et pourvoyeurs de ressources) en fonction des objectifs de la recherche (C. Bidart, J. Charbonneau, « How to generate personal networks : Issues and tools for sociological perspective », *Field Methods, 23*(3), 2011, 266-286). Une fois le réseau identifié, des *interprètes de noms* sont alors généralement mobilisés pour récolter des informations sur ses membres (rôle, fonction, degré de proximité, qualité relationnelle…) et des *interprètes de dyades* pour collecter des informations sur les liens entre les membres du réseau (interconnaissance, entraide…). Cet exercice de caractérisation des liens peut s'avérer fastidieux dès que le réseau prend de l'ampleur. Là aussi, des outils, nombreux, ont été développés pour faciliter cette tâche. L'appréhension de la trame du réseau social *(social network grid)* à partir d'un tableau à double entrée où les lignes représentent les individus et les colonnes les variables d'intérêt du chercheur est assez classique (E.M. Tracy et J.K. Whittaker, « The social network map : Assessing social support in clinical practice », *Families in Society, 71*(8), 1990, 461-470).

- De nombreuses méthodes de représentation visuelle du réseau ont aussi été développées dans le but de soutenir le répondant dans cet exercice. Certains de ces modes de représentations sont hiérarchiques, d'autres non. Les sociogrammes en forme de cibles font partie des premiers ; l'emboîtement des différents cercles concentriques symbolise la hiérarchie des liens pour le répondant, représenté par le cœur de la cible. La définition des différents cercles peut être totalement laissée à la subjectivité du répondant, qui détermine alors les seuils d'importance à sa guise, ou prédéterminée par le chercheur qui identifiera par exemple le premier cercle comme celui « des personnes dont le répondant ne peut se passer », le deuxième comme celui « des personnes importantes sans être indispensables »… Dans les représentations non hiérarchiques, les parties du réseau social ou cercles sociaux (cercle familial, cercle amical, cercle des collègues, cercle scolaire…) sont symbolisées par des zones placées côte à côte, sans aucune hiérarchie entre elles. Dans tous les cas, la segmentation raisonnée du réseau invite le répondant à examiner ainsi systématiquement toutes ses composantes.

- Sans lien avec l'analyse des réseaux sociaux, il existe d'autres outils qui ont également été développés pour stimuler la participation active des informateurs. D'une certaine façon, la *méthode des parcours commentés* présentée au point précédent en fait partie. L'usage du *dessin* ou de la *photographie* est un grand classique dans plusieurs domaines de recherche, de celles qui traitent de l'aménagement du territoire à celles qui ont pour objet les relations familiales. Mais il y en a bien d'autres. À titre d'exemple, nous présenterons rapidement une dernière méthode où la dimension visuelle est à nouveau centrale : la *carte des émotions (Emotion Map)*. Développée à l'origine en sociologie pour étudier les relations familiales quotidiennes (J. Gabb, *Researching Intimacy in Families*, Basingstoke UK, Palgrave Macmillan, 2008), la carte des émotions visualise les interrelations entre des espaces, des pratiques et des émotions. Le participant est d'abord invité à dessiner le plan d'un lieu (maison, quartier…) vu du haut, puis à placer des émoticônes signifiant les diverses émotions (joie, indifférence, colère...) qu'il associe aux différents espaces qu'il a représentés ou aux activités qui s'y déroulent, avant d'être invité à s'expliquer sur sa production. Selon la question de recherche, d'autres habitants du lieu peuvent également être invités à faire de même, voire à répéter l'opération après quelque temps s'il s'agit, par exemple, de saisir des évolutions.

c. Objectifs pour lesquels la méthode convient particulièrement

• En termes de thématique de recherche, la méthode est particulièrement bien adaptée pour l'étude des représentations et des pratiques spatiales, l'étude de la façon dont l'espace est travaillé par les acteurs et de la façon dont il contraint, limite ou constitue une ressource pour eux, ainsi que les études des pratiques de mobilité. Plusieurs méthodes présentées ont été spécifiquement développées pour l'analyse du réseau social des informateurs.

• En tant que dispositif participatif, ces méthodes peuvent être utilement mobilisées auprès de publics dont il faut pouvoir soutenir l'attention, comme des enfants ou des personnes ayant des troubles cognitifs par exemple.

d. Principaux avantages

• La formule du jeu permet de maintenir l'attention d'un public peu habitué à devoir se concentrer pendant de longues périodes. Le temps de la constitution du plateau, elle donne aussi un rôle central au participant, qui représente son monde à son rythme. Il en est de même pour d'autres outils présentés en variantes, comme la carte des émotions.

• En tant qu'intermédiaire entre le chercheur et le participant, le jeu du réseau socio-spatial et les outils de visualisation captent une part de l'attention et réduisent la tension inhérente à une situation de face-à-face entre deux inconnus, où l'un est invité à répondre aux questions posées par l'autre.

e. Limites et problèmes

• Le jeu est sans doute à éviter avec un public qui pourrait le considérer comme enfantin et qui refuserait dès lors de s'y impliquer.

• D'autres personnes, éprouvant de grosses difficultés à se situer dans l'espace ou à représenter une disposition spatiale, pourraient ne pas souhaiter se livrer à l'exercice de peur de paraître incompétentes.

f. Méthodes complémentaires

Le jeu du réseau socio-spatial est un outil participatif qui sert de support à un entretien. Sans nier l'intérêt de l'étude du plateau réalisée dans la première phase de la rencontre, l'entretien réalisé devra, comme tout autre, faire l'objet d'une analyse de contenu, telle que celles présentées à l'étape suivante.

g. Formation requise

Outil de stimulation à la participation, le jeu du réseau socio-spatial requiert les compétences nécessaires à la fois pour la conduite d'un entretien semi-directif et pour l'observation directe, présentées aux points précédents.

h. Quelques références bibliographiques

BIDART C., en collaboration avec CACCIUTTOLO P. (2008), « Dynamiques des réseaux personnels et processus de socialisation : évolutions et influences des entourages lors des transitions vers la vie adulte », *Revue Française de Sociologie, 49*(3), 559-583.

DEGENNE A. et FORSÉ M. (1994), *Les Réseaux sociaux*, Paris, Belin.

GABB J., SINGH R. (2015), « The uses of emotion maps in research and clinical practice with families and couples : Methodological innovation and critical inquiry », *Family Process, 54*(1), 185-197.

HOGAN B., CARRASCO J. A., WELLMAN B. (2007), « Visualizing Personal Networks : Working with participant-aided sociograms », *Field Methods, 19*(2), 116-144.

MERLA L. et NOBELS, B. (2019). « Children negotiating their place through space in multi-local, joint physical custody arrangements », in MURRAY L., McDONNELL L., HINTON-SMITH T., FERREIRA N. et WALSH K. (Eds.), *Families in Motion : Ebbing and Flowing through Space and Time*, Bingley, Emerald Publishing Limited, p. 79-95.

SCHIER M., SCHLINZIG T. et MONTANARI G. (2015), « The logic of multi-local living arrangements. Methodological challenges and the potential of qualitative approaches », *Tijdschrift voor Economische en Sociale Geografie – Journal of Economic and Social Geography, 106*(4), 425-438.

SCHIFFER E., HAUCK J. (2010), « Net-Map : Collecting social network data and facilitating network learning through participatory influence network mapping », *Field Methods, 22*(3), 231-249.

SCHRÖDER D., PICOT S., ANDERSEN S. (2010), « Die Qualitative Studie », in *World Vision*, Frankfurt, Fischer, p. 223-348.

WIDMER E. (2010), *Family Configurations. A Structural Approach of Family Diversity*, London, Ashgate Publishing.

WYNGAERDEN F., NICAISE P., DUBOIS V. et LORANT V. (2019), « Social support network and continuity of care : An ego-network study of psychiatric service users », *Social Psychiatry and Psychiatric Epidemiology, 54*(6), 725-735.

WYNGAERDEN F., TEMPELS M., FEYS J.-L., DUBOIS V., LORANT V. (2020), « The personal social network of psychiatric service users », *International Journal of Social Psychiatry 66*(7), 682-692.

5.6 Le recueil des données existantes : données secondaires et données documentaires

a. Présentation

L'analyse secondaire consiste à utiliser pour sa propre recherche un matériau récolté par d'autres et en fonction d'un autre objectif. Les types de documents et de sources mobilisables de la sorte sont nombreux et variés : statistiques d'instituts nationaux de statistique ou d'organisations internationales, archives et bases de données publiques ou privées, résultats d'enquêtes antérieures, etc. Ces ressources peuvent s'avérer très utiles pour le chercheur, surtout lorsqu'il s'agit de données que seuls des organismes dotés de moyens importants peuvent rassembler. Mais dans tous les cas, l'idée est qu'il est inutile de consacrer beaucoup de temps et d'énergie à récolter ce qui existe déjà par ailleurs, quitte à ce que la présentation des données ne convienne pas directement et doive subir quelques adaptations. Car le propre des données secondaires et documentaires est bien le fait qu'elles n'ont pas été produites par le chercheur lui-même et qu'elles ne se présentent dès lors pas nécessairement sous une forme qui correspond à ses besoins de recherche. En dépit de ses nombreux avantages, la récolte de données existantes peut poser de nombreux problèmes qui demandent à être résolus d'une manière correcte. À cette condition, on peut la considérer ici comme une véritable méthode de recherche.

b. Variantes

Elles sont nombreuses et dépendent de la nature des sources et des informations considérées. Du point de vue de la source, il peut s'agir aussi bien de documents manuscrits que de documents imprimés, audiovisuels ou électroniques, officiels ou privés, personnels ou émanant d'un organisme, contenant des colonnes de chiffres ou des textes. Si nous écartons provisoirement le problème de l'analyse des données finalement retenues pour tester les hypothèses et ne nous préoccupons ici que de leur recueil proprement dit, on peut considérer que les trois variantes les plus couramment utilisées dans la recherche sociale sont : le recueil de données statistiques, le recueil de documents de forme littéraire émanant d'institutions et d'organismes publics et privés (lois, statuts et règlements, procès-verbaux, publications...) ou de particuliers (récits, mémoires, correspondance...) et enfin, de plus en plus souvent aujourd'hui, le recueil de documents audiovisuels tels que des reportages ou interviews réalisés notamment par les chaînes de télévision, archivés par elles, par des archives publiques ou accessibles sur Internet.

L'une et l'autre de ces variantes impliquent des procédures différentes de validation des données, mais la logique en est fondamentalement la même : il s'agit de contrôler la fiabilité des documents et des informations qu'ils contiennent, ainsi que leur adéquation aux objectifs et aux exigences du travail de recherche.

- Pour ce qui concerne les données statistiques, l'attention portera principalement sur la fiabilité globale de l'organisme émetteur, la définition des concepts et des modes de calcul (par exemple : le taux de chômage n'est ni défini, ni calculé de la même manière dans tous les pays de l'Union européenne) et leur adéquation par rapport aux hypothèses de la recherche, la compatibilité de données relatives à des périodes différentes ou recueillies par des organismes différents et, enfin, la correspondance entre le champ couvert par les données disponibles et le champ d'analyse de la recherche.
- Pour ce qui concerne les documents de forme littéraire, l'attention portera principalement sur l'authenticité desdits documents, l'exactitude des informations qu'ils contiennent, ainsi que la correspondance entre le champ que couvrent les documents disponibles et le champ d'analyse de la recherche.
- Pour ce qui concerne les documents audiovisuels, la question de la fiabilité des informations se pose de manière particulièrement aiguë, surtout pour ceux, multiples, qui sont diffusés sur Internet, où se côtoient le meilleur comme le pire, y compris des documents visant délibérément à tromper le public.

Nous ne traiterons pas ici de la recherche historique proprement dite, qui constitue une discipline à part entière et exige une formation universitaire spécifique. Soulignons simplement, à l'attention de ceux qui sont attirés à la fois par l'histoire et par d'autres sciences de la société, comme la sociologie, l'anthropologie ou la science politique, que de nombreuses œuvres majeures se situent à la lisière de ces disciplines, notamment en utilisant la méthode historique pour aborder des problématiques de sciences sociales et politiques, comme celles de la formation des États et de la socialisation dans les sociétés modernes (par exemple Norbert Elias), du développement des mouvements sociaux et de la formation des classes sociales (par exemple Edgar P. Thompson) ou de l'émergence des révolutions (par exemple Charles Tilly).

c. Objectifs pour lesquels la méthode convient particulièrement

- L'analyse des phénomènes qui sont au cœur des politiques publiques et alimentent les statistiques publiques et administratives, régionales, nationales ou supranationales. Et singulièrement l'analyse des phénomènes macrosociaux, démographiques, socio-économiques comme le chômage, le vieillissement de la population ou l'évolution des ménages.

- L'étude de thématiques qui préoccupent les chercheurs en sciences sociales et font l'objet de programmes internationaux d'enquêtes sociologiques comme la *World Values Survey* (WVS) ou l'*International Social Survey Program* (ISSP). Ces enquêtes abordent diverses thématiques : la famille, les rôles sexués, le travail, la religion, la politique, la citoyenneté, l'immigration... Réalisées dans de nombreux pays, elles ont aussi le grand avantage d'être répétées périodiquement. Elles autorisent ainsi un travail de comparaison dans le temps et dans l'espace... même s'il ne faut pas sous-estimer la double difficulté de l'équivalence des traductions d'un même questionnaire et de la prise en compte pour l'interprétation des spécificités contextuelles de chaque enquête. Au niveau international, trois organisations ont un rôle central d'archivage, de fédération, de visibilisation et d'accès aux bases de données : le *Council of European Social Science Data Archives* (CESSDA), l'*International Consortium for Political and Social Research* (ICPSR) et l'*International Federation for Data Organization* (IFDO).
- L'étude des idéologies, des systèmes de valeurs et de la culture dans son sens le plus large.
- L'analyse des changements sociaux et du développement historique des phénomènes sociaux à propos desquels il n'est pas possible de recueillir des témoignages directs ou pour l'étude desquels les témoignages directs sont insuffisants.
- L'analyse du changement dans les organisations.

d. Principaux avantages

- L'économie de temps et d'argent, qui permet au chercheur de consacrer l'essentiel de son énergie à l'analyse proprement dite.
- Dans de nombreux cas, cette méthode permet d'éviter le recours abusif aux sondages et enquêtes par questionnaire qui, de plus en plus nombreux, finissent par lasser les personnes trop fréquemment sollicitées. (À la décharge des chercheurs professionnels, il faut dire qu'ils ne sont responsables que d'une petite partie des sondages et des enquêtes par questionnaire.)
- Certaines bases de données comptent des milliers, voire des dizaines ou même centaines de milliers d'individus. Cela permet des analyses multivariées testant des modèles complexes, ce qu'un échantillon constitué par un seul chercheur ne permettrait jamais.

- La mise en valeur d'un important et précieux matériau documentaire qui ne cesse de s'enrichir en raison du développement rapide des techniques de recueil, d'organisation et de transmission des données, en particulier *via* Internet.

e. Limites et problèmes

- L'accès aux documents n'est pas toujours possible. Dans d'autres cas, le chercheur a effectivement accès aux documents mais, pour une raison ou une autre (caractère confidentiel, respect du souhait d'un interlocuteur...), il ne peut en faire état.
- Les nombreux problèmes de fiabilité et d'adéquation des données aux exigences de la recherche obligent parfois le chercheur à renoncer à cette méthode en cours de route. Dès lors, il ne faut s'y engager qu'après une courte enquête sur le caractère réaliste ou non de la démarche.
- Les données n'étant pas recueillies par le chercheur lui-même selon les critères qui lui conviennent le mieux, elles devront normalement faire l'objet de manipulations destinées à les présenter sous les formes requises pour la vérification des hypothèses. Ces manipulations sont toujours délicates car elles peuvent altérer les caractères de fiabilité qui ont précisément justifié l'utilisation de ces données.
- Certaines bases de données accessibles sont avares quant à la méthodologie sous-jacente à leur production. L'absence de définition précise de la population investiguée, de la période temporelle considérée, des concepts, et des indicateurs augmente sensiblement le risque d'interprétation erronée des résultats.

f. Méthodes complémentaires

- Les données statistiques recueillies font normalement l'objet d'une analyse statistique des données.
- Les données recueillies dans les documents de forme littéraire sont utilisées dans divers types d'analyses et en particulier dans l'analyse historique proprement dite et l'analyse de contenu. De plus, il est courant que les méthodes d'entretien et d'observation soient accompagnées de l'examen de documents relatifs aux groupes ou aux phénomènes étudiés.
- D'une manière générale enfin, les méthodes de recueil de données existantes sont utilisées dans la phase exploratoire de la plupart des recherches en sciences sociales.

g. Formation requise

* S'il s'agit d'aller chercher des données dans une bibliothèque ou sur Internet, une formation spécifique n'est pas inutile. On a déjà traité de la recherche bibliographique dans l'étape 2 (« L'exploration »). Sur Internet circulent de nombreux outils ayant la prétention de guider le chercheur dans sa recherche. Le lecteur attentif remarquera que la majorité d'entre eux n'envisagent qu'un moteur de recherche, par exemple, Google. Il existe aussi des ouvrages spécialisés dans le domaine, par exemple celui de B. Foenix-Riou et de S. Cacaly intitulé *Guide de recherche sur Internet. Outils et méthodes* (Paris, Armand Colin, 2005). Ils permettent de distinguer les différents outils du Web (les moteurs de recherche et leurs fonctionnalités, les caractéristiques des métamoteurs) et donnent de nombreux conseils pour une recherche efficace (les formats de mots-clés et d'interrogation, des exemples…).

* Pour le recueil de données statistiques : une formation en statistique descriptive et, de préférence, en épistémologie. En effet, il ne faut pas se laisser abuser par les données chiffrées qui, comme toutes les autres, ne sont pas des faits réels, mais des « faits construits », c'est-à-dire des abstractions censées représenter des faits réels. Si ces données permettent donc de se faire une image plus ou moins correcte de la réalité, elles n'ont en revanche de valeur et de sens que si l'on sait comment et pourquoi elles ont été construites.

* Pour le recueil de documents de forme littéraire et audiovisuelle : une formation en recherche et en critique des sources documentaires (qui fait rarement l'objet d'un enseignement spécifique dans les universités et les écoles supérieures).

h. Quelques références bibliographiques

CHENU A. et LESNARD L. (2011), *La France dans les comparaisons internationales. Guide d'accès aux grandes enquêtes statistiques en sciences sociales*, Paris, Presses de Sciences Po.

DARGENTAS M., BRUGIDOU M., LE ROUX D. et SALOMON A.-C. (2006), « Compte rendu des journées internationales de l'analyse secondaire en recherche qualitative : Utopie ou perspectives nouvelles ? », *Bulletin de méthodologie sociologique / Bulletin of Sociological Methodology*, p. 43-45.

DARGENTAS M., BRUGIDOU M., LE ROUX D. et SALOMON A.-C. (2011), *L'Analyse secondaire : une nouvelle pratique de recherche qualitative en SHS*. Paris, Lavoisier, R&D-EDF.

DARGENTAS M., LE ROUX D., SALOMON A.-C. et BRUGIDOU M. (2007), « Sur les prospectives de la recherche qualitative en France : Capitalisation et ré-utilisation d'entretiens de recherche », *Recherches qualitatives*, hors série, 3, 156-173.

FOENIX-RIOU B. et CACALY S. (2005), *Guide de recherche sur Internet. Outils et méthodes*, Paris, Armand Colin.

LÉVY M.-L., EWENCZYK S. et JAMMES R. (1981), *Comprendre l'information économique et sociale : guide méthodologique*, Paris, Hatier.

SALMON P. (1993), « Analyse secondaire », dans *Sociétés contemporaines*, n° 14, *15*, juin/sept., Paris, L'Harmattan.

SELZ M. et MAILLOCHON F. (2009), « Analyse secondaire », dans *Le Raisonnement statistique en sociologie*, Paris, PUF, p. 215-231.

SILBERMAN R. (1999), *Les Sciences sociales et leurs données*, Paris, La Documentation française. Rapport au ministère de l'Éducation nationale, de la Recherche et de la Technologie, juin 1999, disponible sur Internet[1].

Résumé de la 5ᵉ étape
L'observation

L'observation comprend l'ensemble des opérations par lesquelles le modèle d'analyse est confronté à des données observables. Au cours de cette étape, de nombreuses informations sont donc rassemblées. Elles seront systématiquement analysées dans l'étape suivante. Concevoir cette étape d'observation revient à répondre à trois questions :

• Observer quoi ? Les données à rassembler sont celles utiles à la vérification des hypothèses. Elles sont déterminées par les indicateurs des variables. On les appelle les données pertinentes.

• Observer qui ? Il s'agit ensuite de circonscrire le champ des analyses empiriques dans l'espace géographique et social ainsi que dans le temps. Selon le cas, le chercheur pourra étudier soit l'ensemble de la population considérée, soit seulement un échantillon représentatif ou significatif de cette population.

• Observer comment ? Cette troisième question porte sur les instruments de l'observation et la collecte des données proprement dite.

L'observation comporte en effet trois opérations :

1. Concevoir l'instrument capable de fournir les informations adéquates et nécessaires pour tester les hypothèses, par exemple un questionnaire d'enquête, un guide d'interview ou une grille d'observation directe.

2. Tester l'instrument d'observation avant de l'utiliser systématiquement, de manière à s'assurer que son degré d'adéquation et de précision est suffisant.

3. Le mettre systématiquement en œuvre et procéder ainsi à la collecte des données pertinentes.

Dans l'observation, l'important n'est pas seulement de recueillir des informations qui rendent compte du concept (*via* les indicateurs), mais aussi d'obtenir ces informations sous une forme qui permette de leur appliquer ultérieurement le traitement nécessaire à la vérification des hypothèses. Il est donc nécessaire d'anticiper, c'est-à-dire de s'inquiéter, dès la conception, du type d'information qu'il fournira et du type d'analyse qui devra et pourra être envisagé.

---

1. http://www.education.gouv.fr/cid1925/les-sciences-sociales-et-leurs-donnees.html

Le choix entre les différentes méthodes de recueil des données dépend des hypothèses de travail et de la définition des données pertinentes qui en découle. En outre, il faut tenir compte des exigences de formation nécessaires à une mise en œuvre correcte de chaque méthode.

Travail d'application n° 11
Conception de l'observation

Cet exercice consiste une fois encore à appliquer les notions étudiées dans cette étape à votre propre travail. Cette application s'effectue en trois phases :

• *Observer quoi ?* La définition des données pertinentes.

Quelles informations sont nécessaires pour tester les hypothèses ? Pour répondre à cette question, rappelez-vous d'abord vos hypothèses, vos concepts et leurs indicateurs.

• *Observer qui ?* La délimitation du champ d'analyse et la sélection des unités d'observation.

1. Compte tenu des informations nécessaires, quelle est l'unité d'observation qui s'impose (individu, entreprise, association, commune, pays...) ?

2. Quelles délimitations donner au champ d'analyse ?

– Combien d'individus, d'entreprises, etc. ?

– Quelle est la zone géographique à considérer ?

– Quelle est la période de temps à prendre en compte ?

En fonction de ces délimitations, est-il plus judicieux de faire porter l'observation sur la totalité de la population, sur un échantillon représentatif ou seulement sur des unités caractéristiques de cette population ?

Pour délimiter le champ d'analyse, tenez compte également de vos délais, de vos ressources et de la méthode de collecte des données que vous envisagez d'utiliser (anticipation !).

• *Observer comment ?* Le choix de la méthode d'observation la plus adéquate.

Quelle méthode d'observation est la plus appropriée ?

Pour répondre à cette question, tenez compte des hypothèses de travail et de la définition des données pertinentes, du type d'analyse qui en découlera (il s'agit ici aussi d'anticiper sur l'étape suivante) et de votre propre formation méthodologique.

L'analyse des informations

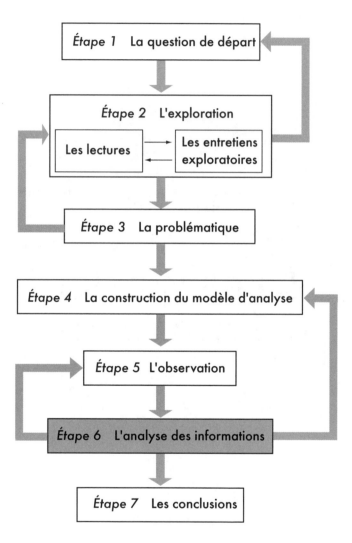

Les étapes de la démarche

1. Objectifs

Le but de la recherche est de répondre à la question de départ... qui a sans doute bien évolué en chemin pour devenir la question de recherche. À cet effet, le chercheur formule des hypothèses et procède aux observations qu'elles requièrent. Il s'agit ensuite de constater si les informations recueillies correspondent bien aux hypothèses ou, en d'autres termes, si les résultats observés correspondent aux résultats attendus par hypothèse. Le premier objectif de cette phase d'analyse des informations est donc la vérification empirique.

Mais la réalité est plus riche et plus nuancée que les hypothèses qu'on élabore à son sujet. Une observation sérieuse met souvent en évidence d'autres faits que ceux auxquels on s'attendait et d'autres relations que l'on ne peut tenir pour négligeables. Dès lors, l'analyse des informations a une seconde fonction : interpréter ces faits inattendus, revoir ou affiner les hypothèses afin que, dans les conclusions, le chercheur soit en mesure de suggérer des améliorations de son modèle d'analyse ou de proposer des pistes de réflexion et de recherche pour l'avenir. C'est le second objectif de cette nouvelle étape.

Une fois encore nous partirons ici d'exemples concrets, de sorte que les principes de la mise en œuvre de cette étape apparaissent clairement. Pour bien montrer la continuité entre l'observation et l'analyse, les deux exemples retenus seront les mêmes que dans l'étape précédente : les comportements sexuels et attitudes face au risque du Sida et le Mouvement blanc. Dans le premier, l'analyse sera quantitative ; dans le second, elle sera qualitative. À partir de ces deux exemples, les trois opérations de l'analyse des informations pourront être précisées. Enfin, un panorama des principales méthodes d'analyse des informations sera présenté. Ainsi, au fil de cette étape, des enseignements généralisables seront progressivement dégagés, qui pourront être appliqués dans le cadre de recherches très différentes.

2. Deux exemples

Outre ces deux exemples, deux applications supplémentaires seront encore présentées dans la dernière section de cet ouvrage.

2.1 Les comportements sexuels et attitudes face au risque du Sida

Pour ce qui concerne le modèle d'analyse du réseau social développé précédemment nous avons notamment fait l'hypothèse que les idéaux conjugaux des individus, relativement à la monogamie, étaient déterminés par les normes pratiques de leur réseau social approché à partir des cercles familial, amical, et des collègues. Pour l'enquête de 1993 (Marquet J., Huynen P. et Ferrand A., *op. cit.*), le questionnaire comprenait une question pour appréhender les normes pratiques de chaque cercle et une question pour les normes idéales d'*ego* (les individus interrogés). Après la phase d'observation, nous disposons des réponses aux questions relatives aux indicateurs et dimensions des concepts. Comment faut-il traiter ces réponses-informations pour pouvoir dire avec certitude que les normes en la matière influencent bien les comportements ?

a. Les tableaux croisés

On pourrait commencer par tester l'hypothèse partielle de l'influence normative du cercle familial sur les normes idéales d'*ego,* en mobilisant la question relative au premier indicateur de la dimension « normes pratiques du réseau » : « Dans votre famille, en ce qui concerne les rapports de couple, quel est le modèle qui domine dans les faits (c'est-à-dire ce qui se passe concrètement) ? Est-ce la fidélité pour la vie, la fidélité tant qu'on est avec quelqu'un, la fidélité avec quelques écarts exceptionnels ou des aventures ou relations parallèles fréquentes ? » Le tableau qui suit met les normes idéales d'*ego* en regard des normes pratiques du cercle familial. Ce tableau et les suivants ont été construits à partir de ceux figurant dans l'article en référence. Ils ont été légèrement simplifiés et modifiés dans un souci pédagogique. Par souci de simplification, les « ne sait pas » et les « non-réponses » ne seront pas présentés, mais ils ont bien été pris en compte pour les calculs. Cela explique que la colonne « total » puisse présenter un effectif supérieur à l'addition des effectifs des autres colonnes.

Tableau 6.1 – Modèle idéal de couple pour *ego* en fonction du modèle qui domine au sein de la famille

Modèle d'*ego*	Norme pratique en vigueur dans la famille proche P < 0,000			Total
	Fidélité pour la vie	Fidélité successive	Écarts et relations parallèles	
Fidélité pour la vie	72	18	21	47
Fidélité successive	24	76	36	45
Écarts et relations parallèles	4	6	43	8
TOTAL	100	100	100	100
N (non pondéré)	1 135	853	235	2 270

Pourcentages en colonnes. Lire : parmi les personnes qui perçoivent la fidélité pour la vie comme la norme pratique en vigueur dans leur famille proche, 72 % déclarent également la fidélité pour la vie comme leur propre norme idéale de couple ; en revanche parmi ces mêmes personnes, 24 % ont comme modèle idéal la fidélité tant qu'on est avec quelqu'un et 4 % un modèle laissant place aux écarts.
P < 0,000 désigne les probabilités associées au test du khi-carré.

■ La lecture des tableaux

Globalement, ces résultats semblent confirmer l'hypothèse partielle d'une correspondance entre les normes pratiques du cercle familial et les normes idéales des individus. On voit en effet que les individus qui perçoivent la fidélité pour la vie comme norme pratique dominante dans leur cercle familial sont très nombreux (72 %) à présenter cette norme comme leur propre idéal ; ceux qui déclarent que la fidélité tant qu'on est avec quelqu'un est la norme pratique dominante au sein de leur famille sont 76 % à choisir cette norme comme leur propre idéal ; et même ceux qui estiment qu'un modèle avec écarts domine au sein de leur cercle familial sont encore 43 % à opter eux-mêmes pour ce modèle, par ailleurs très minoritaire, puisque retenu par seulement 8 % de l'ensemble des personnes interrogées.

D'après ce tableau, il ne fait guère de doute que les modèles idéaux des répondants correspondent tendanciellement aux normes pratiques observées dans leur cercle familial. De façon générale cependant, lorsque l'on entreprend la lecture d'un tableau et que l'on compare des pourcentages, se pose la question de savoir à partir de quand l'on peut considérer que les écarts entre pourcentages sont significatifs. Les ouvrages spécialisés vous apprendront qu'il existe des tests statistiques appropriés pour vous guider dans votre réponse. Ces ouvrages expliquent très clairement et simplement le pourquoi et le comment des tests de signification. Pour le tableau croisé qui précède, un tel test, le khi-carré, a été calculé : ($X_i^2 = 1043,6$). Les probabilités associées à ce test ($P < 0,000$) permettent d'affirmer que les tendances observées sont statistiquement significatives : il n'y a même pas une chance sur mille que la tendance observée soit due au hasard.

Une précision importante cependant : si un test permet d'affirmer avec quasi-certitude que deux phénomènes sont statistiquement liés, aucun test n'expliquera jamais la raison de ce lien statistique. Si l'on reprend l'exemple que l'on vient de développer, cela signifie que le test confirme que les modèles idéaux des répondants correspondent bien tendanciellement aux normes pratiques qu'ils observent dans leur famille proche, mais le test ne permet pas d'établir un lien de causalité. D'un point de vue statistique, rien ne permet de trancher entre l'hypothèse de l'influence des normes pratiques familiales sur les normes idéales d'*ego* et l'hypothèse inverse de l'influence d'*ego* et de ses normes sur les pratiques (visibles) des membres de son cercle familial. Le lien statistique établi ne trouvera de sens qu'une fois relié à l'ensemble des résultats d'analyse et confronté au modèle théorique.

Revenons à notre hypothèse générale. Comme nous ne disposons que de trois indicateurs pour la dimension « normes pratiques du réseau », l'approche tableau par tableau est possible ; elle a cependant aussi ses limites, sur lesquelles nous reviendrons ci-dessous. Après avoir testé l'hypothèse partielle de l'influence normative du cercle familial sur les normes idéales d'*ego*, le chercheur peut faire de même pour celles ayant trait à l'influence normative du cercle amical d'abord, du cercle des collègues ensuite. Les tableaux correspondants, non repris ici, montrent également une relative correspondance entre les normes pratiques du cercle amical et du cercle des collègues d'une part et les normes idéales des individus d'autre part.

■ *Effet cumulatif, effet déterminant*

Le raisonnement peut être poussé plus loin. Bien que les résultats montrent une relative correspondance entre les normes idéales d'*ego* et les normes pratiques des trois cercles considérés indépendamment les uns des autres, le chercheur pourrait se demander si l'on peut s'attendre à un *effet cumulatif* des différents cercles, ce qui l'amènera alors à tenir compte des normes pratiques des trois cercles à la fois. Pour ce faire, il va distinguer les situations d'homogénéité normative (où la même norme pratique domine au sein des trois cercles), celles de majorité normative (où une même norme pratique domine au sein de deux cercles sur trois) et celles d'hétérogénéité normative (où chaque cercle présente une norme pratique différente). Le tableau ci-contre répond à cette question.

Ce tableau montre que lorsque les trois cercles présentent une même norme (homogénéité normative), la probabilité est grande qu'*ego* adopte cette norme comme son idéal : au total, 47 % ont opté pour la fidélité pour la vie, mais ce pourcentage passe à 89 % chez celles et ceux qui voient cette norme dominer dans les faits dans leurs trois cercles ; dans l'échantillon, 45 % ont opté pour la fidélité tant qu'on est avec quelqu'un, mais ce pourcentage passe à 78 % chez celles et ceux qui voient cette norme dominer dans l'ensemble de leur réseau social ; et même pour le modèle laissant place aux écarts conjugaux, très minoritairement choisi (8 % des répondants), une homogénéité normative au sein du réseau allant en ce sens fait passer ce pourcentage à 47 %, soit 6 fois plus ! Un effet cumulatif semble donc bien à l'œuvre.

Toujours avec ces mêmes données, le chercheur pourrait se demander si un cercle n'a pas un *effet plus déterminant* que les autres. Il pourrait ainsi étudier ce qu'il advient des normes idéales d'*ego* lorsque les normes pratiques d'un cercle diffèrent de celles des deux autres. Ces analyses, qu'on ne reprendra pas ici, lui apprendraient que dans ces situations, seules les normes pratiques familiales restent tendanciellement en correspondance avec les normes idéales d'*ego*. Autrement dit, les normes familiales apparaissent plus déterminantes que celles des deux autres cercles.

Tableau 6.2 – Modèle de couple idéal en fonction de la typologie d'homogénéité normative des cercles

Modèle d'*ego*	Degré d'homogénéité normative P < 0,000							Total
	Homogénéité			Majorité			Hétérogénéité	
	Fidélité pour la vie	Fidélité successive	Écarts et relations parallèles	Fidélité pour la vie	Fidélité successive	Écarts et relations parallèles		
Fidélité pour la vie	89	17	18	74	38	23	50	47
Fidélité successive	10	78	35	22	58	51	39	45
Écarts et relations parallèles	1	5	47	4	4	26	11	8
TOTAL	100	100	100	100	100	100	100	100
N non pondéré	336	432	87	250	499	252	399	2 270

Pourcentages en colonnes. Lire : parmi les personnes qui perçoivent la fidélité pour la vie comme la norme pratique en vigueur dans les trois cercles (homogénéité normative), 89 % déclarent la fidélité pour la vie comme leur propre norme idéale de couple, 10 % la fidélité tant qu'on est avec quelqu'un, etc.
P < 0,000 désigne les probabilités associées au test du khi-carré.

Les manuels spécialisés présentent de nombreuses méthodes plus sophistiquées, comme les divers modèles de régression, permettant de traiter ces questions. Mais, il convient de bien comprendre que les deux questionnements autour de l'*effet cumulatif* et de l'*effet déterminant* ne trouveront jamais de réponse définitive. Le test des hypothèses complémentaires amènera le chercheur à les reposer à nouveau. Dans un article demeuré célèbre, discutant du taux d'écoute de différentes émissions radiophoniques (religieuses, politiques et de musique classique) entre jeunes et vieux, Paul Lazarsfeld a donné des exemples de situations où une différence établie entre jeunes et vieux tantôt disparaissait, tantôt se maintenait, lorsque l'on faisait intervenir une troisième variable (le niveau d'instruction), appelée variable-test. Il a même présenté une situation où l'introduction de cette variable-test faisait apparaître des différences entre jeunes et vieux pour chaque niveau d'instruction alors qu'il n'y en avait pas lorsque la population était considérée dans son ensemble (P. Lazarsfeld, « L'interprétation des relations statistiques comme procédure de recherche », in *L'Analyse empirique de la causalité*, Paris, Mouton, p. 15-27, 1966).

■ *Les variables-tests*

Relativement à l'influence du réseau social sur les normes idéales d'*ego*, l'hypothèse du rôle potentiellement déterminant du contrôle social des différents cercles a également été formulée. Cette hypothèse peut être articulée à celle qui vient d'être discutée. Cela revient à dire : on a vu que les normes d'*ego* étaient largement en correspondance avec les normes pratiques de son réseau, et principalement de celles de son cercle familial, mais ces chiffres ne cachent-ils pas d'autres relations plus pertinentes ? C'est ici que se pose le problème de l'analyse des relations entre les variables et leur signification. Les variables-tests que le chercheur va faire intervenir sont notamment celles qui renvoient aux hypothèses complémentaires formulées dans la phase de construction du modèle d'analyse, et donc, pour notre exemple, le contrôle social familial tel que perçu par *ego*. Le tableau ci-contre introduit la variable-test « contrôle social familial » et distingue les situations où *ego* perçoit le contrôle familial comme étant faible et celles où il le ressent comme étant fort.

Ce tableau montre que, malgré la variable-test, les normes idéales d'*ego* restent tendanciellement en correspondance avec les normes pratiques familiales. Néanmoins, on observe aussi un effet spécifique lié à la perception subjective du contrôle exercé par le cercle familial, ou un effet d'interaction entre les deux variables indépendantes (normes pratiques du cercle familial et perception du contrôle exercé par ce cercle) sur les normes d'*ego*. Ainsi, la perception subjective du contrôle familial modifie la relation entre normes pratiques familiales et normes idéales d'*ego* : le sentiment de pouvoir échapper au contrôle familial (contrôle social faible : CS −) accroît (de 1 à 7 %, de 3 à 8 %, de 35 à 45 % selon la norme pratique familiale) la probabilité qu'*ego* opte pour un modèle qui laisse place aux écarts, alors que le sentiment de ne pas pouvoir échapper au contrôle de sa famille (contrôle social fort : CS +) accroît (de 65 à 79 %, de 15 à 22 %, de 19 à 28 % selon les cas) la probabilité qu'*ego* opte pour le modèle de la fidélité pour la vie.

Tableau 6.3 – Modèle idéal de couple pour *ego* en fonction du modèle qui domine au sein de la famille et de la perception subjective du contrôle exercé par la famille

Modèle d'*ego*	Norme pratique en vigueur dans la famille proche P < 0,000									Total
	Fidélité pour la vie			Fidélité successive			Écarts et relations parallèles			
	CS −	CS +	Total	CS −	CS +	Total	CS −	CS +	Total	
Fidélité pour la vie	65	79	72	15	22	18	19	28	21	47
Fidélité successive	28	20	24	77	75	76	36	37	36	45
Écarts et relations parallèles	7	1	4	8	3	6	45	35	43	8
TOTAL	100	100	100	100	100	100	100	100	100	100
N non pondéré	696	429	1 135	605	244	853	189	45	235	2 270

CS − : contrôle social faible ; CS + : contrôle social fort.
P < 0,000 désigne les probabilités associées au test du khi-carré.

b. Les indices de synthèse

Ces analyses montrent le potentiel d'analyse d'outils pourtant simples en apparence comme les tableaux croisés. Cette manière d'entamer l'analyse des données n'est cependant pas la voie royale. Lorsque l'on dispose de nombreux indicateurs pour une même dimension, elle est même contre-indiquée. On va expliciter cela à partir de l'hypothèse que nous avons retenue pour ce qui concerne le modèle d'analyse KABP, à savoir : mieux une personne connaît les modes de transmission du VIH et les moyens de protection contre ce virus, moins elle court de risques d'en être contaminée lors de ses relations sexuelles.

Les questions portant sur les connaissances comme celles portant sur les comportements sont nombreuses. On pourrait certes produire un premier tableau croisant les réponses à la première question de connaissance (par exemple : « D'après vous, la transmission du virus du Sida est-elle possible lors de rapports sexuels vaginaux ? ») avec celles à la première question relative aux comportements (par exemple : « Lors de votre premier rapport sexuel, avez-vous utilisé un préservatif ? »), et procéder ainsi de suite. Une telle façon de travailler peut vite s'avérer fastidieuse : en effet, une douzaine de questions de connaissance seulement et à peine cinq questions sur les comportements nous amèneraient à devoir produire et analyser pas moins de 60 tableaux ! Mais surtout, traiter ainsi l'information est statistiquement critiquable et risquerait aussi de nous faire passer à côté de l'essentiel.

La procédure est statistiquement critiquable parce qu'en examinant de très nombreux tableaux relatifs à deux concepts ou phénomènes totalement indépendants l'un de l'autre, il n'est pas rare que, par le hasard de l'échantillonnage, un tableau suggère un lien entre eux ; dès lors, mettre en exergue les résultats de ce tableau équivaudrait à confondre un événement produit par hasard, peu susceptible de se reproduire, avec une logique sociale plus profonde.

La procédure serait peu judicieuse car chaque indicateur est indissociable de l'ensemble des indicateurs de la dimension. Si l'hypothèse de l'impact du niveau de connaissance sur les comportements mérite d'être testée, on peut s'interroger sur l'intérêt qu'il y aurait à étudier, par exemple, le lien entre la connaissance du risque de transmission en buvant au verre d'une personne contaminée (une question de connaissance parmi d'autres) et le fait d'avoir, ou non, effectué un test de dépistage avant d'entamer une nouvelle relation (un comportement parmi d'autres). La nécessité d'une approche qui tienne compte simultanément de plusieurs comportements s'impose d'autant plus que certains comportements de protection sont, en termes d'efficacité contre le VIH, quasi substituables l'un à l'autre : par exemple, au début d'une relation, deux partenaires pourraient opter pour l'utilisation d'un préservatif ou pour attendre, avant leur premier rapport sexuel, les résultats d'un double test de dépistage. Autrement dit, ne pas utiliser le préservatif n'est pas en soi un indicateur de prise de risque.

Le principe à suivre est de travailler par dimension du concept et d'entreprendre, pour chacune d'elles, une synthèse des informations, en regroupant si possible les réponses qui s'y rapportent. Une manière de procéder consiste à construire des indices qui synthétisent les informations fournies par les indicateurs. Pour la dimension des modes de transmission du virus, avec des libellés de questions légèrement différents de ceux présentés à l'étape précédente, N. Beltzer, L. Saboni, C. Sauvage, C. Sommen et le groupe KABP, auteurs du rapport de l'enquête KABP 2010 (*Les Connaissances, attitudes, croyances et comportements face au VIH / Sida en Île-de-France en 2010*, Observatoire régional de Santé d'Île-de-France, 2011), ont construit un tel indice « de connaissance des modes de transmission certains » en calculant un score variant de 0 à 5 en fonction du nombre de réponses correctes aux questions relatives aux modes de transmission qualifiés de « certains », à savoir les réponses « oui » pour celles traitant des « rapports sexuels sans préservatif » et « d'une piqûre de drogue avec une seringue déjà utilisée » et les réponses « non » pour celles évoquant l'usage des « toilettes publiques », le fait de boire « dans le verre d'une personne contaminée » et la « piqûre de moustique ». L'indice a été construit de façon telle qu'un score élevé traduise un degré de connaissance élevé.

Tableau 6.4 – Évolution du score de connaissances « certaines » en France – Enquêtes 1994 à 2010

Enquêtes	1994 (n = 601)	1998 (n = 1 198)	2001 (n = 3 321)	2004 (n = 3 367)	2010 (n = 6 955)
Valeur moyenne du score	4,55	4,44	4,45	4,45	4,46

$P_{(2004 \; vs \; 2010)} > 0,05$; $P_{(1994 \; vs \; 2010)} < 0,05$.

À condition de ne pas se leurrer sur sa signification, cette expression synthétique des informations présente beaucoup d'intérêt. Même si la mesure est simpliste, elle illustre jusqu'où peut aller la procédure de description et d'agrégation des données quand celles-ci le permettent. L'objectif est, en fait, de regrouper au mieux les données concernant une dimension (ou une composante), et l'idéal est de les décrire par un indice pertinent.

Outre le fait qu'il constitue une synthèse de l'information, un tel indice peut être mobilisé pour observer l'évolution des connaissances au fil du temps. Avec des scores moyens oscillant entre 4,55 et 4,44 depuis 1994, le degré de connaissance peut être considéré comme relativement bon tout au long de la période étudiée.

On peut aller plus loin et entreprendre de comparer ces indices. Certains d'entre eux paraissent très proches, ne variant que de 1 ou 2 centièmes de point. Mais qu'en est-il de l'écart enregistré entre la première enquête (1994 : 4,55) et la dernière (2010 : 4,46) ? Un écart de 0,09 point existe bel et bien, mais est-il suffisant pour dire que le score de connaissance a baissé entre 1994 et 2010 ? Ici aussi, les auteurs de ce tableau ont calculé un test statistique qui permet de répondre à cette question. L'information qui suit le tableau ($P_{[2004\ vs\ 2010]} > 0,05$; $P_{[1994\ vs\ 2010]} < 0,05$) nous informe que les scores moyens de 2004 et 2010 ne peuvent être considérés comme différents, l'écart n'étant pas statistiquement significatif, mais qu'en revanche, les scores moyens de 1994 et 2010 sont bien statistiquement différents, que l'on a moins de cinq chances sur cent de se tromper en affirmant que le score de connaissance des modes de transmission « certains » a diminué entre ces deux dates. Comme on le voit ici, quand les échantillons sont grands, un écart même faible peut s'avérer statistiquement significatif. Cela signifie simplement qu'il est très probable qu'un écart existe bel et bien dans la population dont les échantillons sont issus. À l'inverse, lorsque les échantillons sont petits, des écarts même importants peuvent se révéler statistiquement non significatifs. Ces tests sont importants si l'on veut éviter de tirer de fausses conclusions.

Revenons-en à notre hypothèse. Après avoir traité les données relatives aux indicateurs de la première dimension, on passera aux suivantes en procédant, si possible, de la même manière. Lorsque le calcul d'un indice synthétique n'est pas possible, le chercheur se rabattra sur des techniques plus simples en traitant chaque question de façon isolée. Pour le test de l'hypothèse portant sur le lien entre connaissances et comportements, un indice « de comportement » devra être construit de façon similaire à partir des questions portant sur les pratiques investiguées lors de l'enquête. La relation entre les deux indices pourra alors être étudiée. Le chercheur comparera par exemple le score moyen de l'indice de prise de risque des personnes ayant une bonne connaissance des modes de transmission avec celui des personnes ayant une mauvaise connaissance des modes de transmission du virus. Cet exercice, non présenté ici, pourra être réalisé à partir des données fournies dans le complément numérique.

■ *La construction d'un indice*

Le mode de construction d'un indice de synthèse vient d'être présenté de façon extrêmement simple. Il n'est cependant pas inutile d'attirer l'attention de ceux qui voudraient se lancer dans un tel exercice sur trois points :

– La cohérence d'un indice dépend du travail d'opérationnalisation des concepts et des dimensions. Si des dimensions sont oubliées, si des indicateurs sont mal choisis, l'indice en sera immanquablement affecté.

— L'équilibre de l'indice dépend aussi de ce travail. Si le chercheur possède quatre indicateurs pour une dimension d'un concept et un seulement pour l'autre dimension, et qu'il les intègre tous (ou les variables qui les mesurent) dans la construction de son indice, il accordera de fait plus d'importance à la première dimension qu'à la seconde... sauf s'il donne un poids quatre fois plus grand à ce dernier indicateur qu'à chacun des quatre autres.

— Il existe des outils statistiques qui permettent de vérifier que différents indicateurs varient ensemble et relèvent donc bien d'une même réalité. À titre d'exemple, l'*alpha* de Cronbach mesure l'homogénéité des indices construits. Plusieurs types d'analyses factorielles peuvent également être mobilisés lors d'un travail de construction d'indices de synthèse.

2.2 Le Mouvement blanc

Le second exemple revient sur l'analyse du Mouvement blanc. Nous nous focaliserons ici sur la première hypothèse. Poser que ce qui se manifeste dans le Mouvement blanc est complexe et diversifié équivaut à faire l'hypothèse que les individus donnent sens à leurs démarches de façons variées, en fonction d'enjeux perçus et définis différemment par les uns et les autres.

Même si les profils des personnes rencontrées au cours des 25 entretiens ont été diversifiés (en termes de genre, d'âge, de milieu social, de participation au Mouvement blanc), avec un tel échantillon, il ne s'agit évidemment pas de mesurer le poids d'attitudes spécifiques dans l'opinion ou de prétendre à une quelconque représentativité de la population.

a. La grille d'analyse

Pour analyser le contenu des entretiens, les chercheurs ont élaboré une grille d'analyse. Celle-ci a plusieurs fonctions. Tout d'abord, elle instaure un intermédiaire objectif entre le chercheur et son matériau. Le contenu des entretiens ne sera pas analysé en fonction des valeurs et de la subjectivité du chercheur, mais bien en fonction des éléments et de la structure de la grille. Ce que le chercheur pourra dire de son matériau résultera de l'application de cette grille à ce matériau, non de ses inclinaisons du moment. Utiliser systématiquement la même grille pour analyser l'ensemble des entretiens d'une enquête (ou de n'importe quel autre matériau comme des documents) est une exigence de rigueur. La rigueur consiste en effet en une adéquation entre les enseignements dégagés et ce qui autorise à les affirmer, en l'occurrence l'utilisation systématique d'une même grille d'analyse. Ensuite, dès lors qu'on appliquera systématiquement cette même grille d'analyse à l'ensemble des entretiens réalisés, les contenus de ces derniers pourront être organisés et comparés sur une base stable et objective. Enfin, si elle est bien conçue, la grille d'analyse permet de saisir les enjeux que les acteurs dégagent des mobilisations, ainsi que le sens qu'ils confèrent à leurs actions. Elle permet de dépasser les propos individuels pour en faire émerger les logiques sociales, c'est-à-dire les cohérences implicites entre une série de représentations et de pratiques qui font que les choses ne se passent pas n'importe comment et contribuent à certaines orientations collectives (voir J. Remy, L. Voyé et É. Servais, 1978, *Produire ou reproduire ? Une sociologie de la vie quotidienne*, tome I, Bruxelles, éditions Vie ouvrière, p. 93).

La grille d'analyse choisie par les chercheurs s'inspire du « schéma actantiel » développé à l'origine par A. J. Greimas (*Sémiotique des sciences sociales*, Paris, Seuil, 1976) et plus tard en sociologie par J.-P. Hiernaux (*L'Institution culturelle*, II, *Méthode de description structurale*, Paris, PUF, 1977). Toute grille d'analyse a forcément un aspect formel qui peut rebuter certains au premier abord, mais avec lequel on se familiarise assez vite si l'on s'en donne la peine. On présentera d'abord la grille de manière abstraite avant de l'illustrer par des exemples.

Pour Greimas, tout discours ou récit s'organise autour d'un enjeu, qu'il appelle une quête. L'analyse de la structure du discours doit permettre de faire émerger sa signification. Toujours selon Greimas, les structures possibles sont assez peu nombreuses, étant donné que tant les rôles tenus par les « personnages » que les relations qu'ils entretiennent entre eux sont en nombre limité. Les rôles distingués dans toute quête sont au nombre de six : le destinateur, l'objet, le destinataire, l'adjuvant, le sujet et l'opposant. Les « personnages » qui jouent ces rôles peuvent être aussi bien des êtres humains que des objets matériels ou des êtres moraux (comme la vertu ou la force du mal par exemple). Ce qui importe, ce n'est pas leur nature, mais leurs rôles narratifs dans le récit de quête, c'est-à-dire leur(s) sphère(s) d'action. C'est pourquoi Greimas les appelle « actants ». Un même personnage ou actant peut jouer des rôles différents et plusieurs actants peuvent jouer un même rôle (occuper un même statut actantiel). Les relations que les actants peuvent entretenir entre eux sont au nombre de trois : des relations de communication, de désir et de pouvoir. Ces relations mettent les actants en interaction deux à deux.

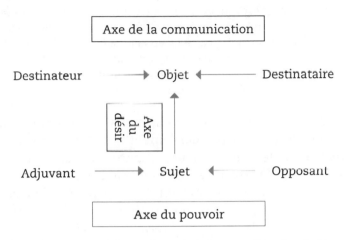

Le schéma actanciel représenté ci-dessus s'inspire de Everaert-Desmedt (*Sémiotique du récit*, Bruxelles, De Boeck, Université, 1989).

Figure 6.1 – Le schéma actantiel

Exprimé très rapidement, l'actant *sujet* et l'actant *objet* sont unis par une relation de désir : le sujet est le personnage qui, ressentant un manque, va se mettre en quête de ce qui pourrait le combler, appelé objet de quête. L'actant *adjuvant* et l'actant *opposant* se situent sur l'axe du pouvoir : dans sa quête, le sujet peut être aidé par l'adjuvant qui possède des atouts qui lui seraient utiles, mais aussi contrarié par un opposant qui se présente comme un obstacle à la réalisation de son objectif. L'actant *destinateur* et l'actant *destinataire* sont unis par une relation de communication : le destinateur est aussi appelé sujet manipulateur dans le sens où il présente un objet (au niveau de la communication) au destinataire de sorte que celui-ci va alors se transformer en sujet en se mettant en quête de l'objet (au niveau pragmatique). Si les rôles actantiels de destinataire et de sujet sont parfois occupés par des personnages distincts, il arrive fréquemment qu'un même personnage joue l'un et l'autre rôle.

Ce schéma a donc été mobilisé en tant que grille d'analyse dans la mesure où il permettait d'étudier d'une part, le rôle et la place que chaque personne s'assignait dans son propre discours et, d'autre part, sa définition spécifique de l'enjeu. Ci-dessous, nous allons analyser deux extraits assez contrastés afin de montrer la pertinence de cette grille.

Le premier extrait est tiré de l'entretien de Marion, 43 ans, mère au foyer :

> J'envisageais ma participation à la Marche blanche comme un soutien aux parents, pour leur montrer que la vie continue. (...) C'était surtout un soutien aux parents en tant que maman d'enfants, et les papas étaient là aussi. On avait énormément d'émotions, on se sentait démunis parce qu'en fait, rien ne remplacera jamais les enfants, donc c'était un petit geste qu'on voulait leur apporter. (...) Les gens, beaucoup se disaient choqués des événements... et honteux d'habiter un pays comme la Belgique... et un peu un sentiment de culpabilité d'avoir encore ses enfants (...).

Ici, l'horizon de l'action est l'action elle-même, dans la mesure où le ressort de la mobilisation est principalement la volonté de commémorer collectivement le deuil des enfants disparus. Il s'agit d'une forme de mobilisation partagée par un grand nombre des personnes interrogées, même si les formes varient, allant d'une version religieuse dans laquelle on parle de *communion* à une version laïque évoquant davantage le thème de la *solidarité*. Pour Marion, il s'agit d'apporter « un soutien aux parents et de montrer que la vie continue ».

Elle se présente avant tout en tant que parent s'associant à la peine d'autres parents. Les éléments déclencheurs de sa démarche sont d'abord des émotions fortes – la honte (d'être belge), la culpabilité (d'avoir encore ses enfants, d'appartenir à la société qui a permis cela, etc.) – qui sont à la base du *choc* ressenti.

Action typique : commémorer le deuil

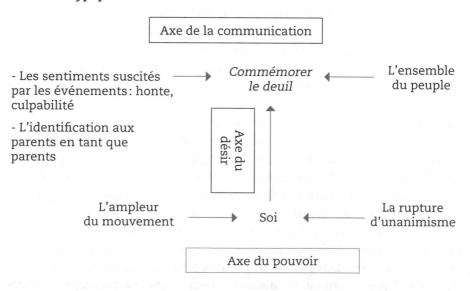

Figure 6.2 – Commémorer le deuil

Le second extrait est tiré de l'entretien de Roland, 40 ans, employé :

> J'ai participé à deux, trois manifestations locales (...) notamment pour ressentir une série de choses par rapport à mon engagement vert. J'avais l'impression qu'il y avait une série de revendications (...) qui étaient dans le programme des Verts et qui à travers l'occasion de la mise en question de la justice, les problèmes de Mélissa et de Julie réapparaissaient pour une série de gens, à la limite mal dites, dites de manière très sentimentale, mais qui touchaient à quelque chose de fort. (...) Je crois que ça fait partie de mon engagement. (...) C'est un souci... enfin, un besoin de cohérence. La manière dont les parents Russo, la maman d'Élisabeth et Nabela ont pu traiter avec et être dans l'actualité m'a fortement impressionné. Je crois que des gens mis dans des situations d'urgence sont capables d'intelligence, de perception, de compréhension politique, et de stratégie (...). Leur perception des rouages de la société est quand même assez super. (...) Le Mouvement blanc peut pousser à créer des réflexions localement.

Roland se présente d'abord comme un acteur : il participe aux Mobilisations blanches parce qu'il y perçoit un certain nombre d'indications témoignant du fait que celles-ci sont politiquement proches de ses engagements antérieurs. En ce sens, ces mobilisations s'inscrivent dans le cadre plus large de son action politique. Sans doute gardent-elles une certaine spécificité qui tient aux événements dramatiques qui en sont à l'origine, mais la dimension de deuil est ici moins marquée. Si Roland souligne avoir voulu manifester sa solidarité avec les parents des enfants disparus, ce n'est pas d'abord parce qu'il s'identifie à eux en tant que parent, mais parce qu'il reconnaît en eux une approche politique, tant du point de vue de l'analyse des événements que de la stratégie, qui rejoint la sienne.

Pour Roland, le déclencheur de la participation aux Mobilisations blanches apparaît être une coalition entre d'une part, son engagement vert et, d'autre part, des acteurs nouveaux (les parents des enfants disparus) émergeant à l'occasion d'événements et qui mettent en exergue de façon particulière les manques de notre société. Dans ce cadre, il se sent appelé à réagir, au même titre que tout citoyen, mais de façon plus insistante en tant que militant.

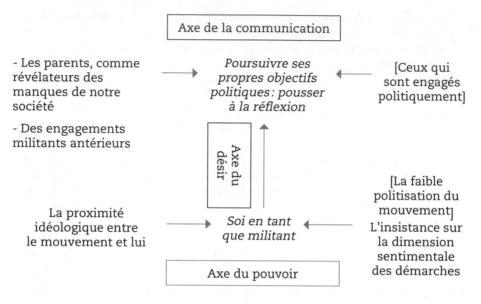

Figure 6.3 – Politiser les actions

Si Roland a participé à quelques manifestations, il évoque aussi des freins à la participation, la faible politisation de certains acteurs (ce qui n'apparaît pas dans l'extrait sélectionné), mais aussi une trop grande tendance chez certains à rester focalisés sur les émotions, les sentiments.

b. La construction d'une typologie

Faire l'hypothèse d'une plainte sociale diversifiée n'équivaut pas à présenter la singularité des attitudes et des vécus de chacun comme horizon indépassable. Si chaque cas est unique, au bout du compte, ce sont bien les logiques sociales qui constituent l'objet de la recherche sociologique. Un rapport de recherche ne peut d'ailleurs se limiter à la présentation successive des différents entretiens. Une telle démarche aurait probablement pour conséquence de perdre le lecteur dans une multitude de détails sans lui offrir la moindre clé de structuration de l'ensemble.

De façon assez classique pour une recherche qualitative, la présentation des résultats de l'analyse des discours a été structurée en fonction des schémas actantiels typiques ou idéal-typiques, au sens où Max Weber entend cette notion. Un type idéal représente un outil méthodologique grâce auquel la spécificité d'une situation, d'une pratique ou d'un individu est mise en évidence et peut éventuellement être comparée à d'autres dans une typologie. Les types idéaux sont construits en sélectionnant un certain nombre de traits pertinents par rapport aux objectifs de la recherche, en les accentuant pour bien faire ressortir la spécificité recherchée et en les articulant les uns aux autres dans un schéma de pensée cohérent.

Dans cette recherche sur les ressorts du Mouvement blanc, les idéaux-types ont été construits en se focalisant sur l'axe du désir et en dégageant trois points : l'horizon de l'action entreprise du point de vue du locuteur (l'action elle-même pour Marion, l'action comme une étape pour Roland) ; le rôle et la place que le locuteur s'assigne dans son propre discours et l'identification du destinataire de l'action (un soi-parent s'adressant aux parents des victimes pour Marion, un soi-militant s'adressant aux personnes engagées politiquement pour Roland) ; les enjeux identifiés par le locuteur (commémorer le deuil et manifester son soutien aux parents pour Marion, poursuivre ses objectifs politiques de militant pour Roland). Chaque type est construit à partir de plusieurs entretiens. Il est probable qu'aucun d'entre eux ne corresponde exactement à un type particulier car un type n'est pas une catégorie dans laquelle une situation, une pratique ou un individu entre entièrement ou non, mais plutôt un repère par rapport auquel on peut les situer comme plus ou moins proches ou distants. En ce sens, aucune personne interviewée ne se reconnaîtrait sans doute totalement dans un des types proposés, mais de nombreuses personnes se percevraient comme « porteuses des caractéristiques » de plusieurs types ou sous-types, dans des proportions variées. Certaines relations privilégiées entre rôles, certaines dominantes au niveau des registres d'argumentation existent cependant et fondent la pertinence d'une démarche typologique. Le tableau suivant en présente une brève synthèse.

Tableau 6.5 – Synthèse de la typologie

Horizon de l'action	Destinataire de l'action	Enjeux
L'action en elle-même	Soi-individu (type 1)	En être, observer
	Les parents (type 2)	Commémorer le deuil : communion et solidarité, pardon
L'action comme étape	Les institutionnels (type 3)	Exprimer un ras-le-bol, une fracture sociale, des critiques spécifiques relatives notamment à l'inefficacité des institutions
	Les citoyens (type 4)	Provoquer un réveil citoyen
	Les militants (type 5)	Politiser les actions

Une telle typologie, construite grâce à la grille d'analyse, permet de mettre au jour différentes logiques d'adhésion au Mouvement blanc. Grâce à elle, on n'est ni dans une vision homogénéisante et très simpliste du mouvement, ni dans une vision éclatée selon laquelle il n'y aurait que des cas particuliers. Les significations qui s'entrecroisent au sein de ce mouvement peuvent apparaître de manière subtile.

3. Les trois opérations de l'analyse des informations

Fort différentes, les deux démarches illustrées ci-dessus impliquent de multiples opérations spécifiques tantôt à l'analyse quantitative, tantôt à l'analyse qualitative. Mais, dans tous les cas de figure, trois opérations sont toujours nécessaires et inévitables, même si, selon les méthodes, elles peuvent s'agencer les unes aux autres de manières diverses. Ces trois opérations sont : *primo*, la préparation des données ou informations ; *secundo*, la mise en relation des données ou informations ; *tertio*, la comparaison des résultats obtenus aux résultats attendus par hypothèse. Pour exposer chacun de ces points, on se placera alternativement dans le scénario d'une analyse quantitative et dans celui d'une analyse qualitative.

3.1 La préparation des données ou informations

a. Analyse quantitative : décrire et agréger

Pour tester une hypothèse, il faut d'abord exprimer chacun de ses deux termes par une mesure précise, afin de pouvoir examiner leur relation. Dans la préparation des données, la description et l'agrégation des données visent précisément à cela. Décrire les données d'une variable revient à en présenter la distribution à l'aide de tableaux ou de graphiques, mais aussi à exprimer cette distribution par une mesure synthétique. Dans cette description, l'essentiel consiste donc à bien mettre en évidence les caractéristiques de la distribution de la variable.

Agréger des données ou des variables consiste à les regrouper en sous-catégories ou à les exprimer par une nouvelle donnée pertinente. C'est ce qui a été fait en construisant l'indice de connaissance des modes de transmission « certains ». Mais décrire une variable par une expression synthétique (le score moyen de connaissance, par exemple) suit des procédures différentes selon le type d'information dont on dispose. Voici quelques précisions et rappels utiles à ce sujet.

Les réponses-informations obtenues pour chaque indicateur lors de l'observation sont les données qui vont faire l'objet de l'analyse. Ces données manifestent les différentes modalités ou les différents états d'une variable. À titre d'exemples, Allemand, Belge et Français sont des modalités ou états de la variable nationalité, comme 30 ans est une modalité ou un état de la variable âge.

On appelle variable toute caractéristique susceptible de prendre plusieurs modalités. Si ce n'est pas le cas, on a affaire à une constante et non à une variable. Lorsqu'un concept n'a qu'un seul indicateur, la variable s'identifie à l'indicateur (par exemple l'âge). Quand un concept est composé de plusieurs dimensions, le chercheur pourra souhaiter construire une variable résultant de l'agrégation des diverses dimensions (comme le niveau de connaissance des modes de transmission « certains » du Sida dans l'exemple précédent).

Les variables qualitatives sont soit nominales, soit ordinales ; on parle aussi de *niveau de mesure nominal* ou *ordinal*. Une variable est dite nominale si ses modalités ne présentent pas d'ordre naturel, ou, ce qui revient au même, si tout ordonnancement des modalités reste purement arbitraire. C'est le cas de la variable nationalité, pour laquelle on peut certes opérer un classement des modalités (présenter les différentes nationalités par ordre alphabétique, par exemple), mais dont le caractère arbitraire apparaît pour peu que l'on procède à une traduction qui change du coup l'ordre initial. Quand la variable nominale ne compte que deux modalités (par exemple le résultat à un test exprimé par « réussi » ou « échec »), on parle de variable nominale dichotomique. Une variable est dite ordinale si ses modalités sont ordonnées, mais sans que l'on ait une mesure de l'importance de l'écart entre deux modalités successives. C'est le cas d'une variable telle que le degré d'accord à l'égard d'une opinion et dont les modalités seraient par exemple : pas du tout d'accord, plutôt pas d'accord, plutôt d'accord, tout à fait d'accord. Les quatre modalités sont clairement ordonnées, mais rien n'est précisé quant aux distances qui les séparent les unes des autres et il serait sans doute hasardeux de prétendre que les modalités sont équidistantes. Enfin, il existe des variables, dites quantitatives, et dont les modalités ont une valeur numérique. Lorsque l'on mesure la taille d'un individu, que l'on dénombre les enfants d'une famille, que l'on enregistre le pourcentage obtenu à l'examen de mathématiques par un élève, etc., les différentes valeurs récoltées (1,80 m, 3 enfants, 71 %) n'ont rien d'arbitraire et indiquent bien plus qu'un ordre entre les modalités. Chaque réponse est ici signifiée par un nombre qui renvoie à une métrique permettant de mesurer des écarts entre les réponses des différents individus.

Ces précisions un peu techniques ne sont pas inutiles, car lors de la description et de l'agrégation des données ou des variables, il faut adopter les procédures de calcul adéquates. La description d'une variable et l'usage que l'on peut en faire ne sont pas les mêmes selon qu'elle est nominale, ordinale ou continue. On ne traite pas les variables qualitatives de la même manière que les variables quantitatives. Pour décrire une variable par une expression synthétique, on utilisera par exemple les pourcentages si elle est nominale, la médiane si elle est ordinale et la moyenne si elle est continue. Il faut y penser au moment de l'élaboration des instruments d'observation car il n'est pas indifférent que les réponses obtenues donnent à la variable un caractère nominal, ordinal ou continu. C'est à cela notamment que nous faisions allusion lorsque nous avons parlé d'anticipation des réponses lors de la formulation des questions.

Pour l'agrégation des variables, on ne peut regrouper des mesures de types différents sans passer par un dénominateur commun, le niveau de mesure le plus faible, ce qui conduit à une sérieuse perte d'information. Ceci est particulièrement important lorsqu'il faut agréger des variables pour reconstituer un concept et l'exprimer par une mesure synthétique. Illustrons ceci par un exemple simple. Imaginons un bulletin sur lequel figurent les évaluations pour cinq cours : anglais, 82 % ; français, 70 % ; géographie, 75 %, histoire, réussi ; mathématique, 65 %. Nous avons là quatre variables quantitatives dont les mesures sont exprimées en pourcents et une variable nominale, celle relative au cours d'histoire. Si on veut synthétiser la totalité de l'information en une formule simple, on peut certes dire que l'étudiant a réussi ses cinq évaluations, mais, en raison du mode de notation du cours d'histoire, on ne peut calculer un pourcentage moyen pour les cinq cours. Analyser les relations entre les deux concepts d'une hypothèse devient difficile à partir du moment où l'on ne peut les exprimer par une mesure adéquate. Or c'est bien le but d'un travail scientifique.

b. Analyse qualitative : retranscrire et organiser

Pour tester les hypothèses à partir d'entretiens semi-directifs, il est nécessaire de commencer par les retranscrire. Sauf situation exceptionnelle, cette retranscription est intégrale, même si elle occupe des dizaines de pages, sans quoi des analyses fines sont très difficiles, surtout si elles visent à reconstituer la structure ou la dynamique d'ensemble du propos. La retranscription intégrale permet aussi d'éviter d'écarter trop vite de l'analyse des parties de l'entretien qui seraient jugées *a priori* inintéressantes, ce qui pourrait se révéler inexact au fil de l'analyse. Avant toute chose, il faut un matériau consistant et de qualité (en l'occurrence des entretiens) qui soit parfaitement restitué et entièrement disponible pour l'analyse. Quelles que soient les opérations auxquelles il sera procédé par la suite, il sera toujours possible de revenir à ce matériau de base et de s'y retrouver.

Dès que l'entretien est retranscrit, il faut penser à l'anonymiser, sans quoi le risque est grand que des versions n'ayant pas subi cette transformation continuent à circuler entre les chercheurs, voire en dehors de l'équipe de recherche. Anonymiser, ce n'est pas simplement, comme le pensent parfois des chercheurs en herbe, remplacer les noms par leur initiale. Anonymiser signifie apporter les modifications nécessaires afin que les interviewés ne puissent être reconnus s'ils ne le souhaitent pas. Le chercheur doit être particulièrement attentif aux possibilités de recoupement des informations à partir de l'ensemble du matériau qu'il rendra visible dans ses diverses publications. Cet exercice peut s'avérer d'autant plus difficile que le degré d'interconnaissance entre les personnes ayant participé ou étant intéressées par la recherche est grand.

Ensuite, il faut organiser ce matériau d'une manière qui permette son analyse. Les logiciels permettent de nombreuses manipulations, à commencer par les simples traitements de texte grâce auxquels on peut rechercher des mots et les souligner, déplacer des passages pour les mettre en parallèle avec d'autres, etc. Mais tout cela ne sera d'aucune utilité si le chercheur n'a pas une vision claire des principes selon lesquels il veut organiser son matériau.

Dans notre second exemple sur le Mouvement blanc, cette organisation est relativement sophistiquée. Reposant sur une grille d'analyse visant à reconstituer et à formaliser le schéma actantiel, elle empiète déjà sur l'opération suivante.

3.2 La mise en relation des données ou informations

a. Analyse quantitative : l'analyse des relations entre variables

L'analyse des relations entre les variables constitue le deuxième passage obligé.

Les variables à mettre en relation sont donc celles qui correspondent aux termes de l'hypothèse, c'est-à-dire soit les concepts impliqués dans les hypothèses, soit les dimensions, soit les indicateurs ou attributs qui les définissent. L'exemple ci-dessus illustre notamment l'état de la relation entre le modèle familial en matière de couple d'une part et le modèle idéal d'*ego* d'autre part.

Dans la pratique, on procède d'abord à l'examen des liens entre les variables des hypothèses principales, et ensuite on passe aux hypothèses complémentaires. Celles-ci auront été élaborées dans la phase de construction, mais elles peuvent aussi naître en cours d'analyse à la suite d'informations inattendues.

Rappelons que c'est ici qu'interviennent les variables-tests. Celles-ci sont introduites par les hypothèses complémentaires pour s'assurer que la relation supposée par l'hypothèse principale n'est pas fallacieuse, ou, si elle ne l'est pas, pour l'affiner. Par exemple, dans l'exemple précédent, l'introduction de la variable-test « contrôle social familial » a permis de nuancer la relation observée entre le modèle familial et le modèle d'*ego*.

Ceci n'est qu'un cas particulier d'un problème général, celui de la pertinence des variables prises en considération. Si deux variables *A* et *B*, sans lien entre elles, sont étroitement dépendantes d'une autre variable *C*, toute variation de celle-ci entraînera des variations parallèles des deux premières. Si on ne connaît pas l'existence de *C*, la cooccurrence de *A* et *B* sera interprétée comme l'expression d'une relation directe entre elles, alors qu'elle n'est que le reflet de leur dépendance à l'égard de *C*. L'ouvrage de R. Boudon *Les Méthodes en sociologie* (Paris, PUF, coll. « Que sais-je ? », 1969) comporte plusieurs illustrations des relations possibles entre variables.

Les procédures d'analyse ou d'agrégation des variables sont très différentes selon les problèmes posés et les variables en jeu. De plus, chaque méthode d'analyse des données implique des procédures techniques spécifiques, mais nous ne pouvons être plus précis ici sans nous engager dans des techniques trop particulières par rapport à nos objectifs.

On ajoutera simplement qu'il existe aussi des techniques d'analyse quantitative qui, plutôt que d'étudier les relations entre variables, traitent des ressemblances et différences entre les individus statistiques. Elles sont d'une grande aide pour construire des typologies. Utilisées seules, elles ont une visée descriptive, mais elles peuvent aisément être associées à des techniques destinées à étudier les liens entre variables. Ainsi, la typologie construite dans un premier temps est une nouvelle variable et celle-ci peut être mise en relation avec d'autres variables dont dispose le chercheur.

b. Analyse qualitative : comparaisons et typologies

L'utilisation d'une grille d'analyse pour traiter des informations qualitatives, comme le contenu d'un entretien, permet de faire des liens à deux niveaux. Au niveau de chaque entretien, les relations entre ses éléments (par exemple entre les actants dans l'entretien de Marion) peuvent être mises en évidence, de manière à reconstituer la structure de l'entretien et, par là, le système de représentation et d'action de la personne interviewée. Au niveau de l'ensemble des entretiens, des comparaisons peuvent être faites (entre Marion, Roland et les autres), des convergences et divergences peuvent être mises en évidence de manière à faire apparaître les logiques sociales implicites, qui, en l'occurrence, pourront elles-mêmes être saisies par l'outil de la typologie.

Mais, tout comme on vient de souligner que les techniques d'analyse quantitatives peuvent être utiles à la construction de typologies, il convient précisément de ne pas réduire l'apport du qualitatif à la production de typologies. Comme on le verra dans la seconde application en fin de manuel (Les modes d'adaptation au risque de contamination par le VIH dans les relations hétérosexuelles), l'analyse qualitative permet aussi d'étudier le lien entre phénomènes, concepts ou variables ; ici, en s'interrogeant sur les déterminants des comportements à risque.

Qu'il s'agisse de méthode quantitative ou qualitative, le principe de l'analyse est toujours de faire des liens (ou de montrer qu'il n'y en a pas), quels que soient les modalités et les termes utilisés : corrélation, co-occurrence, opposition, indépendance, convergence ou divergence, etc. Par les opérations diverses qui établissent des liens (statistiques, grilles d'analyse...), le matériau de départ change profondément de nature. À partir de réponses individuelles à un questionnaire, on construit des corrélations entre variables grâce à l'outil statistique ; à partir de propos individuels (ou de l'observation directe de comportements), on construit une structure de pensée et d'action grâce aux outils de la grille d'analyse et de la typologie. Dans l'analyse, le matériau de départ a, en quelque sorte, « fermenté » par la comparaison et la mise en relation de ses composantes, révélant des perspectives d'explication non perçues au départ de la recherche, jetant sur les phénomènes un regard plus éclairant, à la fois plus englobant et plus subtil. Quelle que soit la méthode utilisée, un bon chercheur est celui qui sait faire fermenter son matériau.

3.3 La comparaison des résultats observés avec les résultats attendus et l'interprétation des écarts

Chaque hypothèse élaborée lors de la phase de construction exprime les relations que l'on pense correctes et que devraient donc confirmer l'observation et l'analyse. Ainsi, dans l'étude des comportements sexuels face au risque du Sida, nous avions émis l'hypothèse que les normes des membres du réseau auquel l'individu appartient constituaient pour lui des références qui influençaient fortement ses idéaux (et ses comportements). Les résultats attendus par hypothèse devaient donc être que ses idéaux conjugaux concordent avec les normes de son réseau. Les résultats observés sont ceux qui résultent des opérations précédentes. C'est en comparant ceux-ci aux résultats attendus par hypothèse que l'on pourra tirer les conclusions.

S'il y a divergence entre les résultats observés et les résultats attendus, ce qui n'est pas rare, il faudra soit examiner d'où viennent les écarts
et chercher en quoi la réalité est différente de ce qui était présumé au
départ, soit élaborer de nouvelles hypothèses et, à partir d'une nouvelle
analyse des données disponibles, examiner dans quelle mesure elles
sont confirmées, ou les deux. Dans certains cas, il sera même nécessaire de compléter l'observation.

Au départ de la recherche sur le Mouvement blanc, quatre hypothèses avaient été formulées. La première, sur laquelle a porté l'illustration, était celle d'une plainte complexe et diversifiée. Elle n'a pas
été simplement confirmée par l'analyse ; la complexité et la diversité
supposées ont été explorées et ont reçu un contenu synthétisé dans
la typologie. À partir de là, de nouvelles hypothèses, plus fines et plus
judicieuses encore, pourraient être formulées, qui pourront à leur tour
être explorées si l'on dispose du temps et des moyens nécessaires.

Ces exemples montrent bien qu'il ne s'agit pas seulement de vérifier ou d'infirmer l'hypothèse. Qu'elle soit vérifiée ou infirmée, en tout
ou en partie, si l'observation et l'analyse ont été bien menées, c'est un
ensemble d'enseignements qui apparaissent, l'hypothèse n'étant que le
fil conducteur qui va permettre de savoir de quel côté il est raisonnable
et intéressant de chercher. Ce que l'on trouve alors est toujours bien
plus nuancé que l'hypothèse, qui n'en aura pas moins joué son rôle.

L'interaction que nous venons d'évoquer entre l'analyse, les hypothèses et l'observation est représentée par deux boucles de rétroaction :

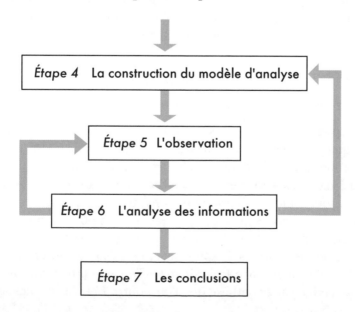

4. Panorama des principales méthodes d'analyse des informations

La plus grande partie des méthodes d'analyse des informations relève de deux grandes catégories : l'analyse statistique des données et l'analyse de contenu. Ce sont donc elles qui seront présentées ici, avec quelques-unes de leurs variantes. Certaines méthodes présentées dans l'étape précédente comme les méthodes de recueil des informations associent toutefois étroitement le recueil et l'analyse. C'est notamment le cas de l'observation anthropologique et de l'entretien compréhensif, lorsqu'ils sont mis en œuvre, le plus souvent dans une démarche purement inductive. Les distinctions entre le recueil et l'analyse des informations ne sont donc pas forcément aussi nettes que la présente organisation des étapes peut le laisser supposer.

4.1 L'analyse statistique des données

a. Présentation

Le développement et la démocratisation des ordinateurs et des logiciels ont profondément transformé l'analyse des données. La possibilité de manipuler rapidement des masses de données considérables a encouragé la mise au point de nouvelles procédures statistiques telles que l'analyse factorielle des correspondances, qui permet de visualiser et d'étudier les liaisons entre plusieurs dizaines de variables en même temps. Parallèlement, la facilité avec laquelle les données peuvent être façonnées et présentées a incité de nombreux chercheurs à les étudier pour elles-mêmes, sans référence explicite à un cadre d'interprétation.

Présenter les mêmes données sous diverses formes favorise incontestablement la qualité des interprétations. En ce sens, la statistique descriptive et l'expression graphique des données constituent bien plus que de simples méthodes d'exposition des résultats. Mais cette présentation diversifiée des données ne peut remplacer la réflexion théorique préalable, qui seule procure des critères explicites et stables pour le recueil, l'organisation et surtout l'interprétation des données et assure ainsi sa cohérence et son sens à l'ensemble du travail.

La boîte à outils pour l'analyse statistique des données est aujourd'hui extrêmement vaste. Les techniques les plus récentes en voisinent d'autres, plus simples et plus anciennes, qu'elles enrichissent, mais ne remplacent pas forcément. Les plus simples – mesures de tendance centrale (mode, médiane, moyenne), mesures de dispersion (étendue, écart interquartile, écart-type…), tableaux de fréquences, représentations graphiques diverses (diagramme circulaire, histogramme…) – sont conçues pour l'analyse univariée, autrement dit l'analyse d'une seule variable à la fois. Elles ont en conséquence une visée descriptive. Les techniques les plus utilisées pour l'analyse bivariée, portant donc sur la relation entre deux variables, sont elles aussi anciennes : le tableau de contingence ou tableau croisé, le test du *khi*-carré, la corrélation (linéaire ou non), le test t de comparaison de deux moyennes. En dépit de leur apparente simplicité, ces techniques ne sont pas toujours bien maîtrisées ; ceci est d'autant plus dommageable que certaines constituent la base de techniques plus sophistiquées (ainsi, la corrélation linéaire est la mesure de base des modèles de régression linéaire). Les analyses multivariées mobilisent des techniques mathématiques plus complexes, dont les variantes sont extrêmement nombreuses et produites quasiment en continu, mais dont les bases sont parfois anciennes également. Les moyens de calcul des ordinateurs permettent cependant des développements sans précédents. Les principales familles de techniques sont : les analyses factorielles, qui visent à révéler les covariations entre variables ou modalités ; les analyses classificatoires, dont l'objectif est de constituer des classes d'individus homogènes et différentes entre elles ; les modèles de régression, qui cherchent à évaluer l'effet spécifique d'une variable (indépendante) sur le phénomène social étudié (la variable dépendante), pendant que toute une série d'autres variables (indépendantes) sont maintenues constantes. Cette liste, évidemment sommaire, laisse de côté des méthodes en plein essor comme l'analyse en réseau par exemple *(Social Network Analysis)*. Pour chacune de ces techniques et méthodes, on ne peut qu'encourager le lecteur à se référer à des ouvrages spécialisés.

b. Variantes

- Lorsque les données à analyser préexistent à la recherche, et sont puisées dans des bases de données existantes ou rassemblées par recueil de données documentaires, on parlera couramment d'analyse secondaire. Dans ce cas, le chercheur sera plus ou moins limité dans ses analyses par le problème de la compatibilité des données entre elles et avec les hypothèses qu'il souhaite mettre à l'épreuve.

- Lorsque les données à analyser ont été spécialement récoltées pour les besoins de la recherche à l'aide d'une enquête par questionnaire, on parlera couramment de « traitement d'enquête ». Dans ce cas, les analyses sont généralement plus approfondies car les données sont en principe standardisées au départ et parfaitement en phase avec les objectifs de la recherche.

- Les méthodes d'analyse statistique des données sont également utilisées pour l'examen de textes. Il s'agit alors d'une méthode d'analyse de contenu, qui sera reprise plus loin sous ce titre.

c. Objectifs pour lesquels la méthode convient particulièrement

- Par définition, elle convient pour toutes les recherches axées sur l'étude de relations entre des phénomènes susceptibles d'être exprimés en variables quantitatives. Dès lors, elle s'applique généralement très bien aux recherches menées dans une perspective d'analyse causale. Mais ce n'est guère exclusif. Par exemple, dans le cadre du paradigme systémique, une corrélation entre deux variables sera interprétée non comme une relation de causalité, mais comme une covariation entre composantes d'un même système qui évoluent conjointement (M. Loriaux, « Des causes aux systèmes : la causalité en question », in R. Franck, dir., *op. cit.*, p. 41-86).
- L'analyse statistique des données s'impose dans tous les cas où ces dernières sont recueillies à l'aide d'enquêtes par questionnaire où les questions sont dites « fermées », c'est-à-dire lorsque les répondants doivent choisir entre un petit nombre de réponses préformulées (de type oui/non, toujours/souvent/rarement/jamais). Il faut donc se référer aux objectifs pour lesquels cette méthode de recueil des données convient elle-même.

d. Principaux avantages

- La précision et la rigueur du dispositif méthodologique qui permettent aux pairs d'apprécier la démarche de la recherche.
- La puissance des moyens informatiques qui permettent de manipuler très rapidement un grand nombre d'individus statistiques et de variables.
- La clarté des résultats et des rapports de recherche, lorsque le chercheur fait l'effort de traduire de façon pédagogique des méthodes et techniques parfois complexes, par exemple en mettant à profit les ressources de la présentation graphique des informations.

e. Limites et problèmes

- L'outil statistique a un pouvoir d'élucidation limité aux postulats (l'importance du nombre, des corrélations entre variables…) sur lesquels il repose, mais il ne dispose pas en lui-même d'un pouvoir explicatif. Il peut décrire des relations, des structures latentes, mais la signification de ces relations et de ces structures ne vient pas de lui. C'est le chercheur qui donne un sens à ces relations par le modèle théorique qu'il a construit au préalable et en fonction duquel il a choisi une méthode d'analyse statistique. (Cette question est bien traitée dans R. Franck, *op. cit.*, 1994.)

• Dans cette perspective, on devrait être particulièrement attentif au risque de terrorisme quantitatif qui voudrait qu'une analyse quantitative soit forcément plus pertinente qu'une analyse qualitative, et qu'elle le soit d'autant plus qu'elle mobilise des modèles mathématiques extrêmement sophistiqués que seuls quelques spécialistes, souvent ignorants des sciences humaines, peuvent comprendre. Le chercheur responsable n'utilisera que des méthodes dont il comprend les postulats de base, les conditions d'application, les limites et les règles d'interprétation.

f. Méthodes complémentaires

En amont : l'enquête par questionnaire et le recueil de données statistiques existantes.

g. Formation requise

• Bonnes notions en statistique descriptive.
• Bonnes notions en analyse multivariée.
• Initiation aux programmes informatiques de gestion et d'analyse de données d'enquêtes (R, SPSS, SPAD, SAS, STATA...).

h. Quelques références bibliographiques

BERTHIER N. (2016), *Les Techniques d'enquête en sciences sociales. Méthode et exercices corrigés*, Paris, Armand Colin.

BLÖSS T., GROSSETTI M. (1999), *Introduction aux méthodes statistiques en sociologie*, Paris, PUF.

BOUDON R. (1967), *L'Analyse mathématique des faits sociaux*, Paris, Plon.

BOUDON R. et FILLIEULE R. (2018), *Les Méthodes en sociologie*, Paris, PUF, coll. « Que sais-je ? ».

BRUGGEMAN J. (2008). *Social Networks. An Introduction*, London and New York, Routledge.

CIBOIS Ph. (2000), *L'Analyse factorielle*, Paris, PUF, coll. « Que sais-je ? ».

CIBOIS Ph. (2007), *Les Méthodes d'analyse d'enquêtes*, Paris, PUF, coll. « Que sais-je ? ».

HOWELL D. C. (2008), *Méthodes statistiques en sciences humaines*, Bruxelles, De Boeck Supérieur.

LAGARDE, DE J. (1998), *Initiation à l'analyse des données*, Paris, Dunod.

Lebaron F. (2006), *L'Enquête quantitative en sciences sociales : recueil et analyse de données*, Paris, Dunod.

Lorenzi-Cioldi F. (1997), *Questions de méthodologie en sciences sociales*, Lausanne, Delachaux et Niestlé.

Martin O. (2020), *L'Analyse quantitative des données*, Paris, Armand Colin.

Masuy-Stroobant G. et Costa R., dir. (2013), *Analyser les données en sciences sociales. De la préparation des données à l'analyse multivariée*, Bruxelles, P.I.E. Peter Lang.

Rouanet H. et Le Roux B. (1993), *Statistique en sciences humaines. Analyse des données multidimensionnelles*, Paris, Dunod.

Scott J. (1991), *Social Network Analysis. A Handbook*, London, Sage.

Selz M. et Maillochon F. (2009), *Le Raisonnement statistique en sociologie*, Paris, PUF.

Wasserman S. et Faust K. (1994), *Social Network Analysis*, Cambridge, Cambridge University Press.

4.2 L'analyse de contenu

a. Présentation

L'analyse de contenu porte sur des messages aussi variés que des œuvres littéraires, des articles de journaux, des documents officiels, des programmes audiovisuels, des déclarations politiques, des rapports de réunion et, bien entendu, des comptes rendus d'entretiens semi-directifs. Le choix des termes utilisés par le locuteur, leur fréquence et leur mode d'agencement, les thèmes qu'il aborde et sa façon de les développer, la construction même de son « discours » constituent des sources d'information à partir desquelles le chercheur tente de mettre au jour et de reconstituer des processus sociaux, culturels ou politiques (par exemple la socialisation et l'évolution des idées au sein d'une population, la manière dont certains problèmes sont traités au niveau collectif, les relations entre dirigeants religieux ou politiques et leurs fidèles ou électeurs potentiels, les tensions et conflits au sein d'une collectivité quelconque, etc.).

Contrairement à la linguistique, l'analyse de contenu en sciences sociales n'a pas pour objectif de comprendre le fonctionnement du langage en tant que tel. Si les aspects formels les plus divers du discours peuvent être pris en compte et examinés, parfois avec une minutie et une patience de moine, ce n'est jamais que pour en retirer un enseignement qui porte sur un objet extérieur à eux-mêmes. Les aspects formels de la communication sont alors considérés comme des indicateurs de l'activité cognitive du locuteur, des significations sociales ou politiques de son discours ou de l'usage social qu'il fait de la communication.

Concrètement, l'analyse de contenu consiste à soumettre les informations recueillies à un traitement méthodique, par exemple : les regrouper par thèmes pertinents selon les hypothèses, les comparer les unes aux autres et les mettre en relation, ou encore les organiser selon une structure qui leur donne sens (comme dans la recherche sur la Marche blanche présentée plus haut). Dans ce but, les méthodes d'analyse de contenu impliquent la mise en œuvre de procédures techniques relativement précises, comme le calcul des fréquences relatives ou des cooccurrences des termes utilisés. Seule l'utilisation de méthodes construites et stables permet en effet au chercheur d'élaborer une interprétation qui ne prenne pas pour repères ses propres valeurs et sa subjectivité. La méthode et ses procédures constituent en quelque sorte un intermédiaire entre la réflexion du chercheur et son matériau grâce auquel il peut objectiver les enseignements qu'il en retire et éviter par là les interprétations arbitraires et versatiles.

En étant soumis à ces procédures d'analyse, le matériau de premier degré, tel que livré par le locuteur au cours d'un entretien ou dans un texte, se transforme en un matériau plus élaboré, plus complexe et plus synthétique à la fois.

L'analyse de contenu occupe une grande place dans la recherche en sciences sociales, notamment parce qu'elle offre la possibilité de traiter de manière méthodique des informations et des témoignages qui présentent un certain degré de profondeur et de complexité, par exemple les rapports d'entretiens semi-directifs.

Les progrès récents des méthodes d'analyse de contenu ont été favorisés par les progrès de la linguistique, des sciences de la communication et de l'informatique. Pour ce qui concerne plus particulièrement la recherche sociale proprement dite, ils doivent beaucoup à R. Barthes, C. Lévi-Strauss et A. J. Greimas notamment.

Malgré leur diversité, la plupart des analyses de contenu procèdent en deux temps, bien que ce ne soit pas une règle absolue : dans un premier temps, les documents ou entretiens préalablement retranscrits sont analysés un par un ; dans un second temps, on procède à une analyse transversale et comparative (par exemple pour voir si une opinion est ou non largement partagée et, si oui, avec quelles nuances ou pour construire une typologie). Tant dans l'analyse interne de chaque entretien ou document que dans une analyse transversale comparative, le chercheur veillera à « trianguler » ses constatations, c'est-à-dire à vérifier si une même constatation est confirmée par plusieurs angles de vue : par plusieurs propos à des moments différents d'un même entretien ; par plusieurs locuteurs dans des entretiens différents.

Le travail en équipe est ici fortement recommandé. Par exemple, dans certaines équipes de recherche, chaque entretien est analysé à la fois par le chercheur qui l'a réalisé et par un autre membre de l'équipe, de manière à pouvoir confronter leurs analyses, examiner les raisons d'éventuelles divergences et, surtout, discuter les hypothèses nouvelles que chacun proposerait.

b. Principales variantes

Il est courant de regrouper les différentes méthodes d'analyse de contenu en deux catégories : les méthodes quantitatives et les méthodes qualitatives. Les premières seraient extensives (analyse d'un grand nombre d'informations sommaires) et auraient comme information de base la fréquence d'apparition de certaines caractéristiques de contenu ou les corrélations entre elles. Les secondes seraient intensives (analyse d'un petit nombre d'informations complexes et détaillées) et auraient comme information de base la présence ou l'absence d'une caractéristique ou la manière dont les éléments du « discours » sont articulés les uns aux autres. Ces distinctions ne sont valables que très globalement : les caractéristiques propres des deux types de démarche ne sont pas aussi nettes et plusieurs méthodes font aussi bien appel à l'un qu'à l'autre.

Sans prétendre régler toutes les questions de démarcation entre les différentes méthodes d'analyse de contenu, nous proposons ici de distinguer trois grandes catégories de méthodes selon que l'examen porte principalement sur certains éléments du discours, sur sa forme ou sur les relations entre ses éléments constitutifs. À l'intérieur de chaque catégorie, nous nous limiterons à l'évocation de quelques-unes des principales variantes. Les variantes énumérées sont celles que distingue L. Bardin dans *L'Analyse de contenu*, Paris, PUF, 2009.

■ *Les analyses thématiques*

Ce sont celles qui tentent principalement de mettre en évidence les représentations sociales ou les jugements des locuteurs à partir d'un examen de certains éléments constitutifs du discours. Parmi ces méthodes, on peut distinguer notamment :

– *l'analyse catégorielle* : la plus ancienne et la plus courante. Elle consiste à calculer et à comparer les fréquences de certaines caractéristiques (le plus souvent les thèmes évoqués) préalablement regroupées en catégories significatives. Elle se fonde sur l'hypothèse qu'une caractéristique est d'autant plus importante pour le locuteur qu'elle est fréquemment citée. La démarche est essentiellement quantitative ;

– *l'analyse de l'évaluation* : qui porte sur les jugements formulés par le locuteur. La fréquence des différents jugements (ou évaluations) est calculée, de même que leur direction (jugement positif ou négatif) et leur intensité.

■ *Les analyses formelles*

Ce sont celles qui portent principalement sur les formes et l'enchaînement du discours. Parmi ces méthodes, on peut distinguer notamment :

– *l'analyse de l'expression* : qui porte sur la forme de la communication dont les caractéristiques (vocabulaire, longueur des phrases, ordre des mots, hésitations…) apportent une information sur l'état d'esprit du locuteur et ses dispositions idéologiques ;

– *l'analyse de l'énonciation* : qui porte sur le discours conçu comme un processus dont la dynamique propre est en elle-même révélatrice. Le chercheur est alors attentif à des données telles que le développement général du discours, l'ordre de ses séquences, les répétitions, les ruptures du rythme, etc.

■ *Les analyses structurales*

Les analyses structurales partent de l'idée que les significations d'un texte sont révélées par sa structure, c'est-à-dire par le mode d'agencement entre ses éléments. On peut distinguer :

– *l'analyse des cooccurrences* : elle représente une modalité relativement simple de l'analyse structurale. Il s'agit d'examiner non plus les fréquences individuelles (ou occurrences) des thèmes, mais bien leurs associations (ou cooccurrences). Savoir quels thèmes sont systématiquement associés dans les propos du répondant informe sur son univers culturel ou idéologique ;

– *l'analyse structurale proprement dite* : elle va plus loin car elle vise à mettre au jour la structure d'ensemble du texte, les principes sous-jacents d'organisation entre ses éléments, le système de relations entre eux. L'analyse structurale s'intéresse notamment aux couples d'oppositions entre éléments et à la manière dont ces couples d'oppositions s'articulent les uns aux autres pour former des structures d'oppositions plus englobantes des éléments du texte, aux règles d'enchaînement entre les éléments du texte, à sa trame et, plus largement, à tout ce qui structure le texte et y révèle un « ordre » sous des propos qui, au premier abord, peuvent sembler désordonnés voire décousus. La méthode élaborée par A. J. Greimas, utilisée plus haut dans le deuxième exemple, est une de ses variantes.

c. Objectifs pour lesquels la méthode convient particulièrement

Sous ses différentes modalités, l'analyse de contenu a un très vaste champ d'application. Elle peut porter sur des communications de formes très diverses : textes littéraires, émissions télévisées ou radiophoniques, films, rapports d'entretiens, messages non verbaux, ensembles décoratifs, etc. Sur le plan des objectifs de recherche, elle peut être notamment utilisée pour :

- L'analyse des idéologies, des systèmes de valeurs, des représentations et des aspirations ainsi que de leur transformation.
- L'examen des logiques de fonctionnement d'organisations à partir des documents qu'elles produisent.
- L'étude des productions culturelles et artistiques.
- L'analyse des processus de diffusion et de socialisation (manuels scolaires, journaux, publicités...).
- L'analyse de stratégies, des enjeux d'un conflit, des composantes d'une situation problématique, des interprétations d'un événement, des réactions latentes à une décision, de l'impact d'une mesure.
- La reconstitution de réalités passées non matérielles : mentalités, sensibilités...

d. Principaux avantages

- Toutes les méthodes d'analyse de contenu conviennent à l'étude de l'implicite.
- Elles obligent le chercheur à prendre beaucoup de recul à l'égard des interprétations spontanées et, en particulier, des siennes propres. En effet, il ne s'agit pas d'utiliser ses propres convictions idéologiques ou normatives pour juger celles des autres, mais bien de les analyser à partir de critères qui portent davantage sur l'organisation interne du discours que sur son contenu explicite.
- Portant sur une communication reproduite sur un support matériel (habituellement un document écrit), elles permettent un contrôle ultérieur du travail de recherche.
- Plusieurs d'entre elles sont construites de manière très méthodique et systématique sans que cela nuise à la profondeur du travail et à la créativité du chercheur, bien au contraire.

e. Limites et problèmes

Il est difficile de généraliser ici car les limites et les problèmes posés par ces méthodes varient fortement de l'une à l'autre. Les différentes variantes ne sont guère équivalentes et ne sont donc pas interchangeables.

Dans le choix de l'une d'entre elles, on sera particulièrement attentif aux points suivants :

- Certaines méthodes d'analyse de contenu reposent sur des présupposés pour le moins simplistes. Le record à cet égard appartient sans doute à l'analyse catégorielle (voir plus haut) pour laquelle la fréquence d'une caractéristique est censée constituer un indicateur suffisant de son importance. Il faut donc se demander si la recherche peut s'accommoder de ces limites. Si non, il faudra retenir une autre méthode ou en utiliser plusieurs conjointement. L'analyse catégorielle est d'ailleurs souvent mise utilement en œuvre en complément d'autres méthodes plus élaborées, ou comme une première étape.
- Certaines méthodes, comme l'analyse de l'évaluation, sont très lourdes et laborieuses. Avant de s'y engager, il faut être certain qu'elles conviennent parfaitement aux objectifs de la recherche et que l'on dispose du temps et des moyens nécessaires pour les mener à bien.
- Si l'analyse de contenu, prise globalement, offre un champ d'application extrêmement vaste, il n'en va pas de même pour chacune des méthodes particulières dont certaines ont, au contraire, un champ d'application très réduit. En réalité, il n'y a pas une, mais des méthodes d'analyse de contenu.

f. Méthodes complémentaires

Les méthodes les plus couramment associées à l'analyse de contenu sont :

- Surtout : les entretiens semi-directifs dont les éléments d'information conviennent particulièrement bien à un traitement par l'analyse de l'énonciation (qui en démontera la dynamique) et l'analyse structurale.
- Le recueil de documents sur lesquels portera l'analyse de contenu.

g. Formation requise

- Chaque méthode suppose un apprentissage spécifique plus ou moins long selon le degré de formalisation de la méthode. Dans tous les cas, il faut une pratique soutenue par une bonne formation théorique, sans laquelle il est impossible de donner sens aux opérations effectuées.
- De plus en plus souvent, les chercheurs font appel à des logiciels, aussi bien dans la mise en œuvre de méthodes qualitatives, comme l'analyse structurale, que quantitatives. Les logiciels peuvent assister les chercheurs dans diverses tâches. Certaines, relativement simples, comme repérer des mots et les localiser dans leur contexte, déplacer des extraits, les juxtaposer pour comparaison, peuvent être

effectuées avec un simple traitement de texte bien maîtrisé. Mais il existe aujourd'hui des logiciels spécialement conçus pour l'analyse de contenu capables de multiples opérations comme associer des passages de textes à des catégories choisies par le chercheur, repérer et calculer des occurrences et des cooccurrences et faire des croisements. Très souples, ces logiciels peuvent véritablement assister l'investigation relevant notamment de l'analyse structurale ou de la théorie enracinée (voir Ch. Lejeune, « Montrer, calculer, explorer, analyser. Ce que l'informatique fait [faire] à l'analyse qualitative », *Recherches qualitatives,* hors-série, 9, 2010, 15-32). Des logiciels comme Alceste ou Iramuteq, qui lui est libre et gratuit, se fondent sur la fréquence et la cooccurrence d'unités syntaxiques pour faire apparaître des structures de vocabulaire. D'autres logiciels sont conçus pour soutenir le chercheur dans son travail de catégorisation et de codification du texte, et lors des phases ultérieures de l'analyse. Parmi les logiciels les plus connus, citons Atlas TI, NVivo et MaxQDA ainsi que Weft-QDA qui est libre, gratuit et très simple d'utilisation[1]. Cassandre est un autre logiciel libre et gratuit qui offre des fonctionnalités pour le codage semi-automatique de textes ou même des analyses collectives (voir Ch. Lejeune, « Au fil de l'interprétation. L'apport des registres aux logiciels d'analyse qualitative », *Revue suisse de sociologie, 34*[3], 2008, 593-603).

- Aussi précieux soient-ils pour la rapidité, la rigueur et la souplesse qu'ils permettent, les logiciels ne réfléchiront pas à la place des chercheurs et ne définiront pas à leur place les catégories pertinentes à prendre en compte. Les différentes opérations doivent donc être soigneusement préparées.

- Ceci dit, il n'est pas exagéré d'affirmer que ces logiciels sont en train de transformer en profondeur l'analyse de contenu de sorte qu'il vaut la peine de s'informer et de suivre, le cas échéant, des formations spécialisées.

h. Quelques références bibliographiques

BARDIN L. (2013), *L'Analyse de contenu*, Paris, PUF.

BARTHES R. *et al.* (1981), *L'Analyse structurale du récit*, Paris, Le Seuil.

DEMAZIÈRE D. et DUBAR C. (1997), *Analyser les entretiens biographiques. L'exemple des récits d'insertion*, Paris, Nathan.

HIERNAUX J.-P. (1995), « Analyse structurale de contenus et modèles culturels. Application à des matériels volumineux », in L. ALBARELLO *et al., Pratiques et méthodes de recherche en sciences sociales*, Paris, Armand Colin, p. 111-144.

---

1. Pour un catalogue des logiciels existants, voir http://www.squash.ulg.ac.be/logiciels/

GHIGLIONE R., BEAUVOIS J.-L., CHABROL C. et TROGNON A. (1990), *Manuel d'analyse de contenu*, Paris, Armand Colin.

GHIGLIONE R., MATALON B et BACRI N. (1985), *Les Dires analysés : l'analyse proposi-tionnelle du discours*, Presses universitaires de Vincennes, Centre de recherche de l'université de Paris VIII.

LÉGER J.-M. et FLORAND M.-F. (1985), « L'analyse de contenu : deux méthodes, deux résultats ? », in A. BLANCHET *et al.*, *L'Entretien dans les sciences sociales*, Paris, Dunod, p. 237-273.

LEJEUNE C. (2014), *Manuel d'analyse qualitative. Analyser sans compter ni classer*, Louvain-la-Neuve, De Boeck.

LESSARD-HÉBERT M., GOYETTE G. et BOUTIN G. (1997), *La Recherche qualitative. Fondements et pratiques*, Bruxelles, De Boeck Université.

MAROY Ch. (1995), « L'analyse qualitative d'entretiens », in L. ALBARELLO *et al.*, *Pratiques et méthodes de recherche en sciences sociales*, Paris, Armand Colin, p. 83-110.

PAILLÉ P. et MUCCHIELLI A. (2021), *L'Analyse qualitative en sciences sociales et humaines*, Paris, Armand Colin.

PIRET A., NIZET J. et BOURGEOIS E. (1996), *L'Analyse structurale. Une méthode d'analyse de contenu pour les sciences humaines*, Bruxelles, De Boeck Université.

REMY J. et RUQUOY D., dir. (1990), *Méthodes d'analyse de contenu et sociologie*, Bruxelles, Publications des Facultés universitaires Saint-Louis.

4.3 Limites et complémentarité des méthodes particulières : l'exemple de la *field research*

Nous conclurons cette présentation par quelques remarques importantes sur les limites et la complémentarité des méthodes particulières, qu'elles soient de recueil ou d'analyse des informations.

Rappelons tout d'abord qu'aucun dispositif méthodologique ne peut être appliqué de manière mécanique. Le souci de rigueur ne peut conduire à une rigidité dans l'application des méthodes. Pour chaque recherche, les méthodes doivent être choisies et mises en œuvre avec souplesse, en fonction de ses objectifs propres, de son modèle d'analyse et de ses hypothèses. Dès lors, il n'existe pas de méthode idéale qui soit, en elle-même, supérieure à toutes les autres. Chacune peut rendre les services attendus à condition d'avoir été judicieusement choisie, d'être appliquée avec rigueur mais sans rigidité, et que le chercheur soit capable d'en estimer les limites et la validité. En revanche, le dispositif méthodologique le plus sophistiqué est impuissant si le chercheur le met en œuvre sans discernement critique ou sans savoir clairement ce qu'il cherche à mieux comprendre.

Comme nous l'avons rappelé plus haut, la distinction entre les méthodes de recueil et les méthodes d'analyse des informations n'est pas toujours nette. Mais, plus largement encore, nous voyons que la construction théorique et le travail empirique ne se suivent pas forcément dans l'ordre chronologique et séquentiel, en particulier dans l'observation anthropologique et dans l'entretien compréhensif. Il apparaît donc de plus en plus nettement que la démarche de recherche ne consiste pas à appliquer un ensemble de recettes précises dans un ordre prédéterminé, mais bien à inventer, à mettre en œuvre et à contrôler un dispositif original qui bénéficie de l'expérience antérieure des chercheurs et réponde à certaines exigences d'élaboration. Une telle démarche ne peut s'apprendre que par sa pratique car elle relève essentiellement d'un savoir-faire.

Enfin, on observe que la véritable rigueur n'est pas synonyme de formalisme technique. La rigueur ne porte pas avant tout sur les détails de la mise en œuvre de chaque procédure utilisée, mais bien sur la cohérence de l'ensemble de la démarche de recherche et sur la manière dont elle respecte des exigences épistémologiques bien comprises. Dès lors, il est faux de croire que les recherches les plus rigoureuses sont celles qui font appel à des méthodes très formalisées, et il est tout aussi faux de penser qu'un chercheur ne peut faire preuve de rigueur qu'au détriment de son imagination.

Au contraire, une démarche construite de manière claire et structurée permet, à certains moments, de laisser courir son imagination et son inventivité sans se perdre en chemin et sombrer dans l'incohérence. Le chercheur peut prendre d'autant mieux le risque d'« errer » quelque peu qu'il pourra toujours se raccrocher à son fil conducteur. De même, comme on l'a vu, une certaine formalisation dans les exigences méthodologiques (notamment dans la constitution d'un échantillon, qu'il soit représentatif ou raisonné, ou dans l'utilisation d'une grille d'analyse structurée) oblige le chercheur à se placer en position d'être surpris par ses données car elles l'obligent à investiguer où il n'aurait peut-être pas été spontanément.

Un bon exemple de recours fructueux à l'imagination du chercheur, de la nécessaire cohérence de l'ensemble de la démarche de recherche et de la complémentarité des méthodes est la *field research* (ou étude sur le terrain). Elle consiste à étudier les situations concrètes dans leur contexte réel.

Utilisée par les anthropologues et les sociologues, la *field research* met en œuvre une pluralité de méthodes. Elle combine le plus souvent l'observation participante et les entretiens semi-directifs, auxquels s'ajoute parfois l'analyse de documents. C'est au cours de la recherche elle-même que le chercheur décide de recourir à l'une ou l'autre de ces méthodes, aucun protocole définitif de recherche n'étant établi au début. Essentiellement inductive, la démarche n'a rien de linéaire. La *field research* relève d'un pragmatisme méthodologique dont le pivot central est l'initiative du chercheur lui-même et le maître mot, la flexibilité.

Les difficultés rencontrées au cours d'une telle démarche sont multiples et omniprésentes. Le chercheur doit constamment décider quand, où, quoi et qui observer ou interviewer. Il doit continuellement choisir les périodes, les endroits, les comportements et les personnes à étudier. Il est sans cesse confronté aux problèmes de l'échantillonnage. Comment fera-t-il par exemple pour sélectionner un échantillon de jeunes considérés comme délinquants alors qu'il n'existe aucune liste regroupant cette population ? Sans arrêt aussi, il doit négocier et renégocier son entrée sur le terrain. Par conséquent, le plan de recherche peut être continuellement adapté. Une fois sur le terrain, pour observer ou pour interviewer, le chercheur doit perpétuellement recomposer son attitude (son âge, son sexe, son ethnie et sa psychologie influençant les rôles qu'il doit endosser à chaque étape de la démarche). Il doit aussi réfléchir aux types de données à observer, à noter et à retenir pour l'analyse. Il n'y a pas de règle en la matière. Tout dépend de l'expérience et de l'appréciation du chercheur. Par conséquent, ce dernier doit être initié à de nombreuses méthodes qu'il doit relativiser les unes par rapport aux autres. Cette pluralité méthodologique permet la triangulation dont il a été question plus haut.

Son approche doit rester flexible et il doit considérer sans relâche qu'il fait lui-même partie intégrante de la situation observée : il réagit d'une telle manière plutôt que d'une autre, il commet des erreurs, il est plus ou moins chanceux, etc. Inlassablement, le *field researcher* doit réfléchir à l'impact de son rôle sur le déroulement de sa recherche sans négliger pour autant sa question de départ et ses hypothèses (R.G. Burgess, *In the Field. An Introduction to Field Research*, London & New York, Routledge, 1984).

4.4 Un scénario de recherche non linéaire

Comme pour la *field research*, certaines études ne suivent pas rigoureusement l'enchaînement des étapes tel qu'il a été présenté jusqu'ici. Les hypothèses et même les questions sont susceptibles d'évoluer constamment au fur et à mesure du travail sur le terrain. En retour, le travail empirique se verra régulièrement réorienté en fonction des approfondissements successifs de la question de recherche, de la problématique et des hypothèses. Itératif, le processus implique un dialogue et un va-et-vient permanents entre théorie et empirie, mais aussi entre construction et intuition, qui sont davantage imbriquées. Même doté de boucles de rétroaction, le schéma linéaire des étapes de la recherche représente mal ce processus, qui pourrait prendre une forme circulaire :

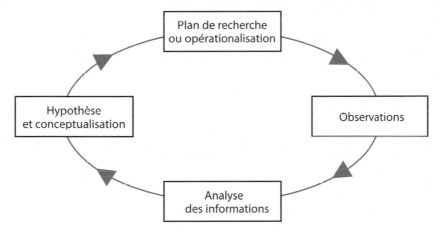

D'une certaine façon, tout se passe comme si l'ensemble du dispositif en sept étapes que nous avons distinguées était parcouru à plusieurs reprises, mais d'une manière moins formalisée et séquentielle que dans une recherche qui adopte une démarche déductive.

Pour conclure, rappelons que la plupart des recherches concrètes comportent une part de déduction et une part d'induction, dans des proportions très variables. Par conséquent, il ne faut pas opposer de manière trop radicale et simpliste démarche déductive et démarche inductive, pas plus qu'il ne faut opposer de manière trop radicale et simpliste l'explication des phénomènes sociaux et la compréhension du sens que les acteurs donnent à leurs expériences. Plusieurs applications de cet ouvrage le montrent bien. Ces deux démarches doivent plutôt être vues comme complémentaires, comme le recommandent plusieurs auteurs (notamment M.-N. Schurmans, 2006, *Expliquer, interpréter, comprendre. Le paysage épistémologique des sciences sociales*, université de Genève).

4.5 Exemples de recherches qui mettent en œuvre les méthodes présentées

Amsellem-Mainguy Y. et Vuattoux A. (2020), *Les Jeunes, la Sexualité et Internet*, Paris, éditions François Bourin. (Entretiens et questionnaire.)

Bajos N. et Bozon M., dir. (2008), *Enquête sur la sexualité en France*, Paris, La Découverte. (Enquête par questionnaire – Analyse statistique de données.)

Becker H.S. (1963), *Outsiders. Études de sociologie de la déviance*, Paris, éditions A.-M. Métailié, rééd. 1985. *(Field research.)*

BERNSTEIN B. (1975), *Langage et classes sociales. Codes sociolinguistiques et contrôle social*, Paris, éditions de Minuit. (Analyse quantitative de contenu.)

BOURDIEU P. (1979), *La Distinction. Critique sociale du jugement*, Paris, éditions de Minuit. (Enquête par questionnaire – Analyse statistique de données.)

BOURDIEU P., dir. (1993), *La Misère du monde*, Paris, Seuil. (Entretiens semi-directifs.)

CLAIR I. (2008), *Les Jeunes et l'Amour dans les cités*, Paris, Armand Colin. (Entretiens et observation directe.)

CROZIER M. (1963), *Le Phénomène bureaucratique*, Paris, Le Seuil. (Entretiens semi-directifs – Observation participante – Analyse statistique des données – Analyse secondaire.)

DARMON M. (2013), *Les Classes préparatoires. La fabrique d'une jeunesse dominante*, Paris, La Découverte. (Observation directe non participante.)

DURKHEIM E. (1930), *Le Suicide*, Paris, PUF, coll. « Quadrige », rééd. 1983. (Analyse statistique de données secondaires.)

GARCIA S. et OLLER A.-C. (2015), *Réapprendre à lire. De la querelle des méthodes à l'action pédagogique*, Paris, Seuil. (Observation participante.)

GOFFMAN E. (1961), *Asiles. Étude sur la condition sociale des malades mentaux*, Paris, éditions de Minuit, rééd. 1968. (Observation participante.)

GRANOVETTER M. (1997), *Getting a job. A Study of Contacts and Careers*, Cambridge, Harvard University Press. *(Social Network Analysis.)*

JOUNIN N. (2014), *Voyage de classes*, Paris, La Découverte. *(Field Research.)*

LAHIRE B. (1995), *Tableaux de familles*, Paris, Seuil/Gallimard. (Entretiens.)

LAHIRE B. (2002), *Portraits sociologiques. Dispositions et variations individuelles*, Paris, Nathan. (Entretiens – Études de cas.)

LAHIRE B. (2004), *La Culture des individus. Dissonances culturelles et distinction de soi*, Paris, La Découverte. (Analyse statistique de données secondaires – Entretiens.)

LAURENT P.-J. (2010), *Beautés imaginaires. Anthropologie du corps et de la parenté*, Louvain-la-Neuve, Academia-Bruylant. *(Field Research.)*

LÉVI-STRAUSS Cl. (1964), *Le Cru et le Cuit*, Paris, Plon. (Analyse structurale de contenu.)

LIPSET S.M. (1960), *L'Homme et la Politique*, Paris, Seuil, rééd. 1963. (Recueil de données existantes – Analyse statistique des données – Analyse secondaire.)

MILLS C.W. (1951), *Les Cols blancs. Essai sur les classes moyennes américaines*, Paris, éd. François Maspero, rééd. 1966. (Entretiens – Analyse de contenu.)

MORIN E. (1969), *La Rumeur d'Orléans*, Paris, Seuil. (Observation – Entretiens semi-directifs.)

NIZET J. et HIERNAUX J.-P. (1984), *Violence et ennui : malaise au quotidien dans les relations professeurs-élèves*, Paris, PUF, coll. « Le Sociologue ». (Entretien semi-directif – Analyse structurale de contenu.)

OPPENCHAIM N. (2016), *Adolescents de cité. L'épreuve de la mobilité*, Tours, Presses universitaires François Rabelais. (Exploitation secondaire d'enquêtes – observation directe – entretiens semi-directifs.)

Pasquier D. (2018), *L'Internet des familles modestes. Enquête dans la France rurale*, Paris, Presses des Mines. (Entretiens – Recueil et analyse de données existantes [comptes Facebook]).

Sainsaulieu R. (1977), *L'Identité au travail*, Paris, Presses de la Fondation nationale des Sciences politiques. (Observation participante – Enquête par questionnaire.)

Touraine A. (1966), *La Conscience ouvrière*, Paris, Le Seuil. (Enquête par questionnaire – Analyse statistique des données.)

Van Campenhoudt L., Franssen A., Hubert G., Van Espen A., Lejeune A., Huynen Ph., avec la collaboration de de Coninck F., Herbrand Ch., Hermesse J., Peto D. (2004), *La Consultation des enseignants du secondaire*, Rapport élaboré pour la Commission de Pilotage, ministère de la Communauté française, Centre d'études sociologiques des Facultés universitaires Saint-Louis. (Questionnaire à questions ouvertes).

Van Zanten A. (2001), *L'École de la périphérie*, Paris, PUF. (Entretiens semi-directifs – Observation.)

Vörös F. (2020), *Désirer comme un homme. Enquête sur les fantasmes et la masculinité*, Paris, La Découverte. (Entretiens semi-directifs.)

Wacquant L. (2014), *Corps et âme : carnets ethnographiques d'un apprenti boxeur*, Marseille, Agone. (Observation participante.)

Wallraff G. (1986), *Tête de Turc*, Paris, La Découverte. (Observation participante.)

Résumé de la 6ᵉ étape
L'analyse des informations

L'analyse des informations est l'étape qui traite l'information obtenue par l'observation pour la présenter de manière à pouvoir comparer les résultats observés aux résultats attendus par hypothèse. Cette étape comprend trois opérations :

• La première opération consiste à préparer les données et informations. Cela revient, d'une part, à les présenter (agrégées ou non) sous la forme requise par les hypothèses et, d'autre part, à les présenter de manière à permettre leur analyse.

• La deuxième opération consiste à examiner les relations entre les variables, conformément à la manière dont ces relations ont été prévues par les hypothèses.

• La troisième opération consiste à comparer les relations observées aux relations théoriquement attendues par hypothèse.

Les principales méthodes d'analyse des informations sont l'analyse statistique des données et l'analyse de contenu. Les trois opérations ci-dessus se présenteront et s'articuleront de manière différente selon la méthode mise en œuvre. La *field research* constitue un exemple de mise en œuvre complémentaire de différentes méthodes d'observation et d'analyse des informations.

Travail d'application n° 12
Analyse des informations

Dans cette étape, il est encore plus difficile qu'ailleurs de donner des repères précis pour un travail personnel, tant la diversité des problèmes et des techniques est grande. Les questions suivantes peuvent cependant aider à progresser dans la plupart des travaux.

• Pour l'analyse quantitative :

1. Quelles sont les variables impliquées par les hypothèses ?

2. Quelles sont les informations qui correspondent aux variables ou qui doivent être agrégées pour pouvoir décrire les variables ?

3. Comment exprimer les données pour bien mettre en évidence leurs caractéristiques principales ?

4. Avec quel type de variable faut-il travailler (nominale, ordinale ou continue) et quelles sont les techniques d'analyse compatibles avec ces données ?

• Pour l'analyse qualitative :

1. Comment organiser les éléments des entretiens retranscrits et/ou les observations effectuées ?

2. Comment les analyser en fonction des hypothèses et, le cas échéant, de la grille d'analyse ?

3. Selon quels critères construire la typologie (dans la mesure où cet outil est utilisé) ?

4. Dans quelle mesure les résultats obtenus correspondent-ils aux hypothèses ? Quels sont les résultats qui ne concordent pas et comment les expliquer ?

Les conclusions

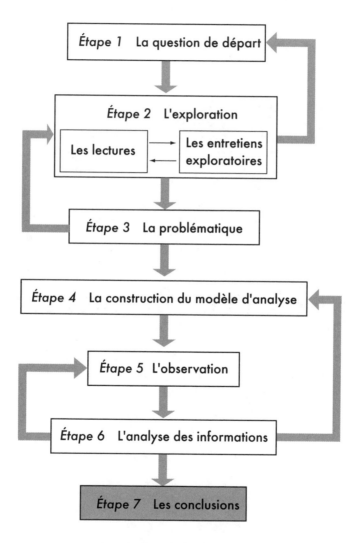

Les étapes de la démarche

1. Objectifs

Vous avez maintenant tous les éléments en main pour conclure votre recherche. Loin de n'être qu'une simple formalité, la conclusion constitue une étape à part entière de la recherche ; on ne peut donc la négliger. Elle vise à répondre à deux questions : *primo*, et surtout, qu'est-ce que cette recherche nous a appris au bout du compte ? *Secundo*, sur quelles perspectives pratiques ouvre-t-elle ? C'est dans une large mesure à partir de la réponse à ces deux questions que la recherche sera évaluée. En outre, la conclusion vise à préparer le rapport de la recherche.

2. Nouvelles connaissances, enseignements théoriques et méthodologiques

Pour répondre à la première de ces deux questions, le chercheur s'appuiera principalement sur la dernière étape d'analyse des informations et, en particulier, sur la comparaison des résultats observés avec les résultats attendus par les hypothèses, mais pas seulement. Les résultats d'une recherche ne se limitent pas à dire si oui ou non et, éventuellement dans quelle mesure, les hypothèses sont vérifiées. Comme on y a insisté, les hypothèses ne sont que des fils conducteurs pour faire progresser le processus de recherche de manière organisée vers les meilleures pistes. Si elles ont été correctement utilisées, les enseignements d'une recherche sont généralement bien plus riches et nuancés. C'est donc l'ensemble de ces enseignements qu'il faut maintenant prendre en considération et synthétiser.

Le travail de recherche est susceptible d'apporter trois types d'enseignements : d'abord et surtout de nouvelles connaissances relatives à l'objet d'analyse ; ensuite des enseignements théoriques ; enfin, dans certains cas, des enseignements d'ordre méthodologique.

2.1 Nouvelles connaissances relatives à l'objet d'analyse

Ces nouvelles connaissances portent sur le phénomène étudié en tant que tel comme, pour ne reprendre que quelques exemples abordés plus haut, sur le taux suicide au sein d'une population, sur l'échec scolaire, sur les rapports de pouvoir dans le travail en réseau, sur les comportements face au risque de contamination par le VIH ou sur la participation à une action collective. Il s'agit ici de mettre en évidence en quoi la recherche a permis de mieux connaître ce phénomène. Ces apports nouveaux ont une double nature.

– D'une part, ils s'ajoutent aux connaissances antérieures relatives à l'objet d'analyse. Une recherche sur le chômage apporte forcément de nouvelles informations sur ce phénomène.

– D'autre part, ils nuancent, corrigent et, parfois même, remettent fondamentalement en question les connaissances antérieures. Tout apport de connaissance en sciences sociales est forcément correctif, dans la mesure où les objets de connaissance (sociétés globales, organisations, cultures, groupes, comportements et représentations des acteurs sociaux, etc.) font partie d'un environnement dont nous avons toujours une certaine connaissance, fût-elle grossière et spontanée. Tel est très clairement le cas de l'apport de Durkheim sur le suicide. En effet, sa contribution ne se limite pas à fournir des connaissances supplémentaires (statistiques notamment) ; elle remet en question l'idée du suicide comme phénomène strictement individuel et corrige l'image antérieure de ce phénomène.

Les nouvelles connaissances relatives à l'objet sont donc celles que l'on peut mettre en évidence en répondant aux deux questions suivantes :

– Qu'est-ce que je sais *de plus* sur l'objet d'analyse ?
– Qu'est-ce que je sais *d'autre* sur cet objet ?

2.2 Enseignements théoriques

Pour approfondir sa connaissance d'un domaine concret de la vie sociale, le chercheur a défini une problématique et a élaboré un modèle d'analyse composé de concepts et d'hypothèses. Au fil de son travail, non seulement ce domaine concret s'est progressivement dévoilé mais, en même temps, la pertinence de la problématique et du modèle d'analyse a été mise à l'épreuve. Dès lors, un travail de recherche doit normalement permettre également d'évaluer la problématique et le modèle d'analyse qui l'ont sous-tendu.

La possibilité qu'une recherche en sciences sociales conduise à de nouvelles connaissances théoriques est bien entendu liée à la formation théorique et à l'expérience du chercheur. Le chercheur débutant ne doit donc pas trop se faire d'illusions sur ce point. Cependant, nous ne nous plaçons pas ici sur le plan des découvertes théoriques inédites et de grand intérêt pour l'ensemble de la communauté scientifique mais, beaucoup plus simplement, sur celui de la découverte de perspectives théoriques nouvelles du point de vue du chercheur qui a effectué le travail, même si celles-ci sont largement connues par ailleurs. Notre optique reste une optique de formation.

Tout chercheur peut en effet progresser lui-même dans sa capacité d'analyser des phénomènes sociaux en évaluant, *a posteriori*, son propre travail théorique. Cette évaluation prend en général deux directions complémentaires.

— La première, en amont du modèle d'analyse, porte sur la pertinence de la problématique. Celle-ci a-t-elle permis de mettre en évidence des facettes peu connues du phénomène étudié ? A-t-elle rendu possible l'apport de nouvelles connaissances empiriques d'ordre correctif ? N'a-t-elle pas engagé le travail sur la voie de propositions et d'analyses banales qui ne font que répéter ce qu'on savait déjà ?

— La seconde direction, en aval du modèle d'analyse, porte sur son opérationnalisation. Le modèle a-t-il été construit avec suffisamment de cohérence, de sorte que les analyses aient pu être menées de manière claire et ordonnée ? Les hypothèses, les concepts et les indicateurs étaient-ils bien choisis et suffisamment précis ?

À partir de cet examen critique, des perspectives théoriques nouvelles peuvent être formulées pour des recherches ultérieures. Sur le plan de la problématique, on pourra notamment proposer d'autres points de vue, d'autres questionnements complémentaires dont on a des raisons de croire qu'ils seraient plus éclairants ou qu'ils pourraient convenir pour l'analyse d'une plus large palette de phénomènes. Sur le plan de l'opérationnalisation, on pourra suggérer de revoir la formulation d'une hypothèse, de définir un concept de manière plus précise ou d'affiner certains indicateurs.

Les progrès théoriques qui procèdent de cette double évaluation présentent l'avantage d'être construits en référence directe à un travail empirique. Plus cette base empirique est robuste, plus elle leur confère une justification solide. En tout cas, il est indispensable d'indiquer clairement sur quoi se fondent les idées nouvelles qui sont proposées en fin de travail. Il est particulièrement important de distinguer celles qui prennent directement appui sur les enseignements de la recherche de celles qui viennent à l'esprit du chercheur, sans pouvoir être immédiatement reliées à ce travail empirique.

2.3 Enseignements méthodologiques

Au cours de sa recherche, le chercheur aura expérimenté différentes méthodes, il se sera confronté à des difficultés pour recueillir son matériau et pour l'analyser. Il aura pu mieux cerner les avantages et les limites, voire les inconvénients des méthodes utilisées, non en général mais pour un projet tel que le sien. Il n'est pas inutile d'en faire état et de procéder donc à une courte évaluation méthodologique à ce stade final du travail.

Pour y parvenir, il a tout intérêt à procéder à ce qu'on appelle *l'enquête sur l'enquête*, qui a déjà été brièvement évoquée dans la présentation de l'observation directe (« Limites et problèmes »). Celle-ci pourra sans doute s'avérer également fort utile au niveau de l'apport de connaissances sur l'objet de la recherche. C'est pourquoi nous préciserons ici en quoi elle consiste et ce qu'elle apporte.

3. L'enquête sur l'enquête

Au cours des étapes précédentes de votre recherche, vous aurez sans doute constaté certaines réactions de vos interlocuteurs que vous aurez trouvées intéressantes à noter et qui, parfois, vous auront même carrément surpris, par exemple des refus de se laisser interviewer, des réticences à répondre à certaines de vos questions ou à vous laisser accéder à certaines informations. Parfois, vous aurez eu l'impression que certains interlocuteurs avaient des choses à vous cacher, tandis que d'autres insistaient pour que vous les interrogiez et manifestaient un engouement sur certains sujets. Peut-être aurez-vous subi les sarcasmes de membres d'un groupe auquel vous vous adressiez, tandis qu'à un autre moment, vous aurez reçu un soutien inattendu. Au cours d'un entretien, un répondant aura peut-être insisté pour que vous actiez certains propos ou pour que vous ne fassiez pas état de certains autres. À un moment précis, vous aurez peut-être été la cible de pressions pour que vous orientiez vos investigations dans certaines directions et renonciez à certaines pistes... Il se peut aussi que vous ayez éprouvé vous-même, parfois, des sentiments (par exemple d'insécurité, de satisfaction, de sympathie ou d'antipathie envers certains interlocuteurs...), ou eu des réactions (de surprise, d'énervement, de respect excessif pour certaines personnes...) auxquels, à chaud, vous n'aviez pas apporté l'attention voulue ou que vous aviez des difficultés à appréhender, mais qu'avec le recul vous êtes en mesure de mieux interpréter. Il est temps alors d'y revenir.

Ces réactions en sens divers ne sont pas que des aléas de la recherche qui vous facilitent ou vous compliquent la vie. Elles représentent souvent des informations précieuses à deux titres.

Tout d'abord, sur le plus méthodologique, elles vous donnent des indications sur les limites de votre travail. Par exemple, si, sur un sujet sensible comme certains abordés dans ce manuel, plusieurs personnes sollicitées par vous pour être interviewées s'esquivent, ou, ayant accepté d'être interviewées, refusent néanmoins de répondre à certaines questions, vous devrez vous interroger sur ce que cela implique concernant la portée et les limites des résultats de vos analyses, et sur la validité de votre échantillon. Sans doute aurez-vous réglé ces problèmes au moment même où ils se posaient, par exemple en écartant certaines données ou certains entretiens peu fiables, ou en procédant à des observations ou entretiens supplémentaires pour combler les lacunes. Mais, au moment de tirer les conclusions, disposant d'une vue d'ensemble, il est nécessaire de refaire une dernière fois le point sur ce qui, dans le déroulement du processus de recherche, est susceptible d'en avoir influencé les orientations ainsi que les résultats, et d'en tirer des enseignements sur la mise en œuvre de votre dispositif méthodologique.

Ensuite, ces réactions auxquelles le chercheur a dû faire face en cours de recherche sont souvent révélatrices de phénomènes potentiellement intéressants sur l'objet même de son travail et constituent en elles-mêmes des informations potentiellement précieuses. Par exemple, la gêne (ou parfois, comme nous avons pu le constater occasionnellement, une certaine vantardise) manifestée par des répondants face à certaines questions (par exemple relatives aux comportements sexuels) est en soi une information (sur le rapport de ces répondants à la sexualité) aussi instructive que le contenu explicite de leurs réponses, plus ou moins altéré par des formes diverses d'autocensure. Autre exemple : le refus d'un responsable de service administratif, d'entreprise ou d'association de vous laisser accéder à certains documents ou de vous laisser interviewer certains de leurs subordonnés peut être révélateur d'un type d'exercice du pouvoir utile à percer pour répondre à votre question de recherche. Troisième exemple : en réfléchissant à votre propre attitude spontanément respectueuse face à un interlocuteur en position haute, vous pouvez mieux vous mettre dans la peau des personnes placées sous l'autorité de cette personne et en retirer des enseignements sur votre objet de recherche.

La prudence est toutefois ici de mise. Pour éviter de tirer trop vite des conclusions à la légère, le chercheur doit croiser ces interprétations avec d'autres informations retirées de la recherche par les moyens méthodologiques prévus.

On appelle *enquête sur l'enquête* cette « méta-analyse » consistant à prendre pour objet le déroulement de l'enquête elle-même, pour tout à la fois mieux cerner la portée et les limites des résultats engrangés, et apporter un surcroît d'enseignements sur l'objet de la recherche et donc sur la réponse apportée à la question de recherche.

4. Perspectives pratiques

Tout chercheur souhaite que son travail serve à quelque chose. Souvent même, il l'a entamé soit à la demande de tiers, comme c'est le cas pour les deux applications de la démarche qui seront reprises plus loin. Parfois, le chercheur exerce lui-même des responsabilités (dans une institution ou une association), ou il milite dans un mouvement social et souhaite mieux cerner les tenants et aboutissants de son engagement ou de son propre travail social, économique, culturel ou politique.

Il est souvent attendu des recherches en sciences sociales que leurs résultats puissent directement se traduire par des décisions et des actions. Cela n'est possible que lorsque l'étude engagée est de caractère très technique, par exemple dans les études de marché. Mais, en règle générale, les liens entre recherche et action ne sont pas aussi immédiats.

Les conclusions d'une recherche en sciences sociales conduisent rarement à des perspectives pratiques claires et indiscutables, ou à des applications concrètes (comme ce serait le cas pour des recherches en matière technologique). Il est donc nécessaire que le chercheur et ses éventuels commanditaires modèrent leurs ardeurs et que le premier précise bien les liens entre les perspectives pratiques et les éléments de l'analyse dont elles sont censées s'inspirer. S'agit-il de conséquences pratiques que certains éléments d'analyse impliquent clairement ? Si oui, quels éléments d'analyse et en quoi l'implication est-elle indiscutable ? S'agit-il plus simplement de pistes d'action que les analyses suggèrent, sans les induire de manière automatique et incontestable ? Bref, on ne peut aller au-delà de ce que la recherche suggère sans indiquer très clairement ce changement de registre.

Entre l'analyse et la décision pratique, on ne peut notamment contourner la question du jugement moral et de la responsabilité. L'analyse sociologique peut éclairer les processus de fonctionnement et de changement des ensembles sociaux (par exemple des organisations). Mais on ne peut en tirer pour autant des conséquences pratiques sans passer explicitement par la médiation d'un jugement et d'une prise de position d'ordre normatif.

Le simple fait de travailler sur des questions humaines et sociales entraîne toutefois un questionnement sur les implications pratiques et sur des enjeux éthiques et normatifs. Analyser les effets d'une politique publique et examiner dans quelle mesure ces effets correspondent aux intentions et déclarations des décideurs, étudier le degré de correspondance entre les paroles et les actes d'acteurs sociaux déterminés, analyser aussi bien les représentations et comportements des puissants que des citoyens de base, s'interroger sur les effets du fonctionnement d'une institution (par exemple une entreprise, une école, un établissement pour personnes âgées ou une prison) sur la vie de son personnel ou de ses usagers... de tels projets de recherche en sciences sociales ouvrent inévitablement sur des débats relatifs aux changements à envisager ainsi que sur les responsabilités et les marges de manœuvre des uns et des autres.

Lorsque le travail d'un chercheur contribue à enrichir et à approfondir les problématiques et les modèles d'analyse, ce n'est pas simplement la connaissance d'un objet précis qui progresse ; c'est, plus profondément, le champ du concevable qui se modifie. En quelques décennies, les chercheurs en sciences sociales ont considérablement modifié la manière d'étudier de nombreuses questions comme la réussite ou l'échec scolaires. Sans doute très peu de recherches sociologiques qui s'y rapportent ont-elles eu d'impact direct et visible sur ce qui se passait dans les écoles. Mais ce travail n'en a pas moins largement contribué à enrichir les débats actuels sur l'école et à modifier profondément la vision que les responsables et les enseignants avaient auparavant du problème et de leurs propres fonctions et, par voie de conséquence, à transformer, directement ou indirectement, les cadres institutionnels et leurs propres pratiques. Dès lors, si un travail de recherche a quelquefois un impact sur la société et les pratiques sociales, c'est le plus souvent comme composante, avec d'autres, d'un processus collectif complexe.

Dans un tel processus, il est difficile de prétendre que la recherche serait directement « utile », mais on ne peut pas dire non plus que les chercheurs restent dans leur tour d'ivoire. Le qualificatif qui conviendrait sans doute le mieux à ce type de recherche en sciences sociales, et sans doute à la plus grande partie des recherches en sciences humaines et sociales, serait ni « utile », ni « appliquée », mais « impliquée » (selon la formule de J. Commaille et F. Thibault (dir.), *Des sciences dans la Science*, Alliance Athena, 2014).

5. Le rapport de recherche et le stockage des données

Au terme de la conclusion, viendra le moment de songer à en présenter les résultats dans un rapport écrit. La forme prise par cette présentation (monographie, ouvrage, article dans une revue ou dans un ouvrage collectif…) variera selon qu'il s'agit d'un travail de fin d'études ou d'un mémoire d'étudiant, d'une dissertation doctorale, ou d'une recherche sur commande, ou effectuée dans le cadre d'un programme scientifique national ou international.

Que l'ambition soit élevée ou modeste, le plan standard d'une communication écrite comportera normalement les points suivants :
– la question de recherche, soit la question de départ, qui aura, le plus souvent, été retravaillée et reformulée au terme de la phase exploratoire, accompagnée de la synthèse de la revue de la littérature à son propos ;
– la problématique, les principales caractéristiques du modèle d'analyse, en particulier les hypothèses de recherche ;
– le champ d'observation, les méthodes mises en œuvre et les observations effectuées ;
– la comparaison des résultats attendus par hypothèses et des résultats observés, ainsi que la manière dont ces écarts ont été interprétés ;
– les conclusions de la recherche.

Dans certains cas se posera la question du stockage des données recueillies et de leur analyse (données et tableaux statistiques, retranscription d'entretiens, comptes rendus d'observations directes…). Les questions qui se posent ici et qui doivent impérativement être anticipées sont celles de la protection des sources, de l'anonymat des répondants, de la sécurité du système de stockage et des règles à respecter pour leur utilisation ultérieure éventuelle, par exemple pour des analyses secondaires (voir le point 5.6 « Le recueil des données existantes : données secondaires et données documentaires » dans le panorama des méthodes d'observation).

Deux applications de la démarche

1. Objectifs

La première application concerne la compréhension d'une attitude, le rapport au corps dans la relation de soin ; la seconde traite de l'explication de comportements, les modes d'adaptation au risque de contamination par le virus du Sida dans les relations hétérosexuelles.

La problématique et le modèle d'analyse de la première application sont construits à partir d'une approche théorique centrale, celle de la socialisation, tandis que ceux de la seconde combinent plusieurs approches. Les méthodes sont également différentes : dans le premier cas, des entretiens exploratoires suivis d'un questionnaire dont les réponses seront traitées quantitativement ; dans le second cas, l'entretien semi-structuré et l'analyse de contenu. Ces différences rendent la juxtaposition des deux applications particulièrement intéressante.

Les deux applications vont illustrer combien, dans la réalité, chaque recherche applique des solutions méthodologiques spécifiques en tenant compte des conditions et des objectifs du travail. Ces solutions ne correspondent jamais exactement à la démarche telle qu'elle est exposée « théoriquement », sans pour autant en transgresser les principes généraux.

2. Application n° 1 : Le rapport au corps dans la relation de soin

Ce premier exemple s'inscrit dans une longue histoire. En 2004, un séminaire d'initiation à la recherche destiné aux étudiant(e)s en sociologie du deuxième cycle universitaire se donne pour thème « Le rapport au corps dans la relation de soin ». En 2007, la thématique est reprise par une équipe pluridisciplinaire composée de deux sociologues, d'une infirmière de formation chargée de la formation des étudiant(e)s en soins infirmiers et sage-femme ainsi que de la formation des aides-soignant(e)s, et d'une anthropologue. L'équipe part de la production du séminaire – fiches de lecture, entretiens exploratoires, pistes de problématisation, première version et test d'un questionnaire standardisé, base de données exploitable – et met sur pied un dispositif d'enquête davantage élaboré en vue d'approfondir les résultats initiaux. Ce dispositif comporte deux vagues successives, la première auprès d'étudiant(e)s de première année en soins infirmiers et sage-femme réalisée durant l'année scolaire 2007-2008 et la seconde auprès d'étudiant(e)s de troisième année en soins infirmiers et sage-femme réalisée durant l'année scolaire 2009-2010.

Les développements qui suivent renvoient tantôt à la recherche initiale menée dans le cadre du séminaire de recherche, tantôt à ses prolongements ultérieurs partiellement publiés dans l'ouvrage de J. Marquet, N. Marquis et N. Hubert (dir.) *Corps soignant, corps soigné. Les soins infirmiers : de la formation à la profession* (Louvain-la-Neuve, Académia-L'Harmattan, 2013), et notamment les articles intitulés « La cartographie du corps » (N. Hubert, J. Marquet, N. Marquis et A.-M. Vuillemenot, p. 59-83) et « Soigner le proche et l'inconnu : rôles familiaux et rôles professionnels » (J. Marquet, p. 171-206). Le lecteur qui souhaiterait de plus amples développements pourra retourner à ces articles. Pour des raisons pédagogiques, l'histoire de cette recherche en plusieurs épisodes a été ici quelque peu simplifiée.

2.1 La question de départ

Le projet est né à la suite de discussions avec des enseignant(e)s et professionnel(le)s engagé(e)s dans la formation des étudiant(e)s en soins infirmiers et sage-femme, et qui faisaient part de leurs préoccupations : de nombreux étudiant(e)s vivent leur premier stage comme un véritable choc avec la réalité. La confrontation à la nudité des patient(e)s est alors une réelle épreuve. Certain(e)s n'arrivent que très difficilement, voire jamais à la dépasser. Tendanciellement, les témoignages respectifs des garçons et des filles sont fort différents et renvoient à des vécus différenciés. Ce sont ces préoccupations qui ont amené ces enseignant(e)s et professionnel(le)s à nous inviter à travailler la question du rapport au corps dans la relation de soin, en impliquant les étudiant(e)s dans le processus.

Le sujet fut proposé aux étudiant(e)s de première année du deuxième cycle en sociologie, dans le cadre d'un séminaire de recherche. Dans sa formulation provisoire, la question de départ était « Quels sont les déterminants du rapport au corps dans la relation de soin ? ». D'emblée l'expression « rapport au corps » fut soumise à discussion. Là où la demande des enseignant(e)s et professionnel(le)s de la formation et de la santé mettait explicitement en avant la posture de leurs étudiant(e)s, apprenti(e)s soignant(e)s, les étudiant(e)s en sociologie adoptaient sans cesse des postures différentes, tantôt celle de soignant(e), tantôt celle de soigné(e) ou de leurs proches. Ce faisant, ils/elles ont questionné d'emblée la pertinence de la formule « rapport au corps ». Avant de se préoccuper des déterminants du rapport au corps dans la relation de soin, il fallait clarifier cette formule. L'étape d'exploration allait nous y aider.

2.2 L'exploration

a. Les lectures

La recherche de littérature a été orientée par deux mots-clés : « corps » et « soin ». Dans un premier temps, il s'est agi de clarifier la formule « rapport au corps », de lui enlever son caractère d'évidence spontanée et de la transformer en concept. Même en se limitant aux textes sociologiques, à la littérature consacrée au corps, à sa place dans les sociétés, à ses représentations, à ses pratiques et usages sociaux... la tâche était incommensurable. Il fallait opérer une sélection raisonnée. Dans le cadre du séminaire de recherche, le choix a été fait de se concentrer dans un premier temps sur les ouvrages de synthèse les plus contemporains et, dans un second temps, de remonter à partir d'eux vers les références les plus mobilisées. Malgré cette limitation, le matériau restait très important. Heureusement, il ne s'agissait nullement de faire une synthèse de ces différents travaux, mais de progresser vers une construction conceptuelle. Dans ce processus, le concept de « culture somatique » de L. Boltanski (« Les usages sociaux du corps », *Annales, 1,* 1971, 205-233) a joué un rôle clé. La culture somatique d'un groupe spécifique est en quelque sorte le rapport au corps légitime et valorisé par celui-ci, c'est-à-dire le système de règles qui régule les conduites relatives au corps au sein du groupe. En nous inspirant de cette perspective, mais en y apportant une inflexion interactionniste à nos yeux plus à même de saisir ce qui se jouait dans une relation de soin, le rapport au corps a été progressivement défini comme un système d'interactions et d'articulations entre un ensemble de pratiques corporelles et les significations qui leur sont données. Il s'est donc agi d'appréhender les pratiques corporelles, l'idée que chacun se faisait de son corps, du corps d'autrui, des pratiques sur les corps, et des effets de ces dernières en termes de positionnement social.

Les lectures articulant les deux mots-clés privilégiés – « corps » et « santé » – peuvent être réparties en trois catégories : celles qui traitent de la médecine dans une perspective socioanthropologique comparatiste et mettent en évidence que chaque manière d'appréhender les corps renvoie immanquablement à une conception de l'homme ; celles qui, puisant dans la sociologie des organisations et la sociologie des professions, soulignent avec force la multiplicité, la diversité et la spécificité des métiers du soin ; enfin, celles, d'inspiration essentiellement féministe, qui interrogent les continuités et les discontinuités entre le *care* (en français : le « prendre soin ») domestique et le *care* professionnel. Chacune de ces perspectives envisage des types de déterminants différents du rapport au corps dans la relation de soin : les modèles culturels, la socialisation professionnelle et les conditions d'exercice d'un métier, la socialisation familiale et le genre.

b. Les entretiens exploratoires

Parallèlement aux lectures, les étudiant(e)s ont réalisé des entretiens exploratoires semi-directifs auprès, d'une part, de professionnel(le)s du soin au sens large (infirmiers ou infirmières pour la plupart, mais aussi quelques médecins) et, d'autre part, de patient(e)s ayant besoin de soins. Dans les deux cas, il s'agissait de se centrer sur l'interaction entre soigné(e) et soignant(e), et d'observer dans quelle mesure la relation de soin était susceptible de révéler le rapport au corps des différent(e)s intervenant(e)s.

Pour les professionnel(le)s du soin, les principales questions tournaient autour de leur façon d'appréhender les patient(e)s, et leur corps, en étant attentif aux évolutions au fil de leur propre carrière et à leurs expériences marquantes.

Concernant les déterminants du rapport au corps dans la relation de soin, les principaux enseignements de ces entretiens furent les suivants :

– Des professionnel(le)s se disent conscient(e)s d'appréhender différemment le rapport au corps des patient(e)s en fonction du sexe, de la génération, de la classe sociale, de la religion et de la culture des individus.

– L'interaction doit être prise en compte, tant dans ses composantes objectives (l'âge, le sexe, la classe sociale, la religion, la culture... des deux personnes en interaction) que dans sa dynamique (« la pudeur, la gêne, le malaise sont contagieux »).

– La formation et l'expérience professionnelle sont susceptibles de transformer le rapport au corps des soignant(e)s, le rapport à leur propre corps et à celui des patient(e)s.

– Certaines expériences préalables ou parallèles à la socialisation professionnelle, dans le cadre familial (expériences de nudité) ou celui des loisirs (douches collectives, soins...) ont également une influence.

– Les conditions objectives du cadre d'exercice du soin déterminent en partie les marges de manœuvre des acteurs en présence : selon qu'il a lieu hors ou en institution, selon les services, selon les professions de soin et notamment les spécialités des professionnel(le)s, le rapport au corps peut être très variable.

– La nature des actes posés change le rapport au corps ; dans cet esprit, il y a lieu de distinguer les soins d'hygiène des actes médicaux.

– Toutes les personnes soignantes rencontrées distinguent la pratique de soins à un(e) proche et à un(e) inconnu(e).

– Par ailleurs, nombreuses sont celles qui pointent comme expérience marquante la première fois qu'elles ont fait la toilette d'un patient ; devoir gérer l'éventuelle érection du patient apparaît comme la crainte principale.

Pour les patient(e)s, l'entretien reposait sur leurs expériences récentes avec les différent(e)s professionnel(le)s du soin, abordées d'abord globalement, puis avec une attention particulière sur la gestion de la pudeur et sur les expériences marquantes.

Les éléments saillants des entretiens avec les patient(e)s sont les suivants :

– Les patient(e)s opposent la relation de soin idéale à la relation de soin mal vécue. La première est faite d'attention, de personnalisation de la relation, d'un souci d'expliquer ce qui se passe, et de compétence. La seconde se caractérise par le manque d'attention (des professionnel[le]s distant[e]s et qui parlent entre eux/elles, des médecins « courants d'air ») et de personnalisation (« n'être perçu qu'à travers sa maladie », « être des objets de soin », « n'être qu'un numéro de chambre », « être réduit à un corps sans intimité »), le sentiment d'être incompris, et parfois même l'inquiétude nourrie par les contradictions entre les différent(e)s intervenant(e)s.

– La question de la gestion de la pudeur est importante, mais est à articuler à celles de la dépendance, de la souffrance et des actes professionnels à poser. Plusieurs personnes soulignent par exemple que la douleur fait passer les préoccupations relatives à la dépendance et à la pudeur au second plan.

– Plusieurs patient(e)s se disent co-responsables et donc partenaires de la gestion de la pudeur.

– Lorsqu'il s'agit de rendre compte de leur propre pudeur, les patient(e)s le font la plupart du temps en se référant à leur histoire familiale (famille « très catholique », « réservée »), alors que l'absence de pudeur est renvoyée à la profession des intervenant(e)s (« c'est leur métier »).

– Nombre de patient(e)s se disent conscient(e)s que le cadre d'exercice du soin prédétermine la marge de liberté des intervenant(e)s, que, par exemple, ce qui est possible lors de soins à domicile ne l'est pas dans un service d'urgence.

– Si le sexe des médecins semble assez souvent indifférent, en raison notamment de leur faible proximité, plusieurs patient(e)s évoquent leur préférence pour des infirmières plutôt que pour des infirmiers, allant parfois jusqu'à naturaliser les « compétences féminines » (attention, douceur, délicatesse, gentillesse).

Tant les lectures que les entretiens ont ouvert de multiples pistes d'analyse. En cela, la phase exploratoire a parfaitement rempli son rôle. Toutes ces pistes ne pourront bien évidemment pas être développées ici.

2.3 La problématique

a. Faire le point

On a vu que les lectures avaient permis d'identifier plusieurs registres de déterminants potentiels du rapport au corps dans la relation de soin : les modèles culturels, les conditions d'exercice d'un métier, la socialisation professionnelle, la socialisation familiale, et la construction du genre. Les entretiens exploratoires ne disqualifient aucun de ces registres explicatifs ; au contraire, ils apportent plutôt des arguments témoignant de leur pertinence. En soi, toutes ces perspectives sont intéressantes, mais il n'est guère réaliste de vouloir mener une recherche qui donne à toutes le même degré d'importance, au risque de se disperser et de ne pouvoir produire d'apport significatif sur aucune d'entre elles. Cela ne signifie pas qu'il faille absolument n'en retenir qu'une seule et abandonner totalement les autres. Ainsi, on peut au minimum prévoir quelques questions portant sur la nationalité et la religion des répondant(e)s et de leurs parents qui permettront plus tard de considérer, même modestement, des hypothèses relatives à l'importance des modèles culturels et religieux, même si celles-ci ne sont pas retenues comme centrales pour l'analyse. Il n'empêche qu'il fallait définir l'approche privilégiée. Revenons sur les options qui furent prises pour l'enquête de 2007-2008.

b. Se donner une problématique

La recherche trouvant son origine dans la demande des enseignant(e)s et professionnel(le)s de la formation et de la santé confronté(e)s aux difficultés de leurs étudiant(e)s de première année en soins infirmiers et sage-femme, l'équipe de recherche a d'abord opéré des choix stratégiques en cherchant à adopter une problématique directement profitable aux formateurs et formatrices. Ainsi, il fut décidé de se concentrer sur les seuls soins infirmiers, et sur les étudiant(e)s plutôt que sur le cadre de leurs interventions. Sans nier l'intérêt de telles recherches, on écartait de ce fait des comparaisons interprofessionnelles ou des analyses en termes d'organisation ou de dispositifs de soins.

Finalement, c'est l'entrée par la socialisation, en phase avec le rôle des formateurs et des formatrices, qui a été retenue. Elle permettait de s'interroger tout à la fois sur le bagage des étudiant(e)s à leur arrivée au moment d'entamer leur cursus d'études supérieures et sur les transformations opérées par le cycle de formation. Enfin, la question de la construction sociale des genres s'y articulait aisément.

La plupart des auteurs distinguent la socialisation primaire et la socialisation secondaire. La famille est l'instance de socialisation primaire par excellence. Pour la plupart des individus, elle est le premier lieu d'apprentissage des savoir-être et des savoir-faire qui vont leur permettre de comprendre les règles propres à leur société et d'y trouver leur place. La spécificité principale de la socialisation primaire, outre le fait qu'elle vient avant les autres et s'inscrit en quelque sorte sur une page blanche, réside dans le fait que l'enfant n'y adopte pas de posture critique : le monde qui lui est présenté prend d'emblée un statut d'évidence, c'est « LE » monde. La remise en cause des normes, des règles, des valeurs transmises est d'autant moins probable qu'une relation affective forte lie l'enfant à ses parents. Dans nos sociétés, où d'autres instances de socialisation interviennent assez tôt auprès de l'enfant, notamment les organismes de garde et l'école, une attitude réflexive nourrie par la comparaison des différentes manières de gérer une même question tend cependant à se développer dès le jeune âge.

La socialisation par la formation et par le travail relève quant à elle de la socialisation secondaire. Il ne s'agit plus de transmettre des repères pour trouver sa place dans le monde, mais de s'insérer dans une sphère spécifique, la sphère professionnelle. En conséquence, les savoir-être et les savoir-faire sont plus ciblés. S'il arrive qu'ils soient en phase avec ce qui a été transmis antérieurement, il arrive aussi qu'ils soient en décalage. C'est là toute la problématique de la greffe d'une socialisation secondaire sur des acquis antérieurs.

En ce qui concerne la recherche sur le rapport au corps dans la relation de soin, les entretiens exploratoires ont permis de faire l'hypothèse que la première toilette effectuée sur un patient venait comme révéler l'écart entre deux systèmes normatifs : dans la société occidentale, on tend à associer la nudité et la sexualité, et à les renvoyer dans la sphère privée ; lors de soins d'hygiène, le corps des patients doit être désexualisé, la nudité est exposée sans intimité, la pudeur du ou de la patient(e) étant mise entre parenthèses. Le choc de la première toilette illustre les transformations du rapport au corps qu'implique le fait de devenir un(e) professionnel(le) de la relation de soin et est comme un condensé du travail que devra réussir la socialisation par la formation.

Première instance de socialisation, la famille est aussi tenue pour être un lieu privilégié de la production du genre, d'imprégnation de l'ordre symbolique des sexes : « le milieu familial constitue la matrice à l'intérieur de laquelle la socialisation des rôles de sexe la plus précoce prend place » (V. Rouyer et C. Zaouche-Gaudron, « La socialisation des filles et des garçons au sein de la famille : enjeux pour le développement », in A. Dafflon Novelle, (dir.), *Filles-garçons. Socialisation différenciée ?*, Grenoble, Presses universitaires de Grenoble, 2006, p. 45). On peut dès lors penser que, d'une manière générale, s'y transmet un rapport au corps différencié selon les sexes.

C'est à partir de la théorie de la socialisation que la problématique fut construite. Bien que nous ayons essentiellement présenté la socialisation comme un processus de transmission, il ne faut pas négliger le rôle de l'ensemble des acteurs, y compris celui de la personne socialisée. Aujourd'hui, aucun chercheur sérieux ne pourrait plus présenter l'individu socialisé comme un simple réceptacle passif de l'influence des socialisateurs et socialisatrices, comme les parents, les enseignants ou les médias. C'est en ce sens que l'on a évoqué plus haut le développement d'une attitude réflexive chez l'enfant. Il n'en reste pas moins que cette attitude peut être difficile à saisir rétrospectivement par enquête. Celle de 2007-2008 s'est principalement attelée à trouver les traces d'une socialisation familiale différenciée selon le genre, à vérifier si, relativement aux soins, des manières d'être ou de faire se retrouvaient dans l'espace familial et dans l'espace professionnel, et si l'hypothèse d'un effet de socialisation familiale était défendable.

Une fois la problématique de la socialisation retenue, la question de départ se transforme en question de recherche : « En quoi le rapport au corps mobilisé lors des relations de soin par les étudiant(e)s de première année en soins infirmiers et sage-femme porte-t-il les traces d'une socialisation familiale différenciée selon le genre ? » Les déterminants du rapport au corps dans la relation de soin renvoient donc ici à la socialisation, et plus spécifiquement à la socialisation familiale, en d'autres mots à un processus long et multiforme que l'on ne pourra appréhender dans toute sa complexité, mais qu'il faudra néanmoins opérationnaliser faute de quoi la recherche restera pure spéculation. Autrement dit, la problématique va devoir être soumise à l'épreuve des faits. Pour y arriver, nous allons d'abord procéder à la construction du modèle d'analyse.

2.4 La construction du modèle d'analyse

L'objectif de cette étape consiste à rendre observable et falsifiable l'idée selon laquelle le rapport au corps dans la relation de soin est genré (c'est-à-dire marqué par le masculin ou le féminin) et renvoie, au moins pour partie, à la socialisation familiale.

a. Modèle et hypothèses : les effets de la socialisation familiale

Construire le modèle d'analyse revient d'abord à établir une relation (hypothèse) entre le rapport au corps dans la relation de soin des étudiant(e)s et la socialisation familiale qu'ils et elles ont reçue. Cette hypothèse peut être formulée de la manière suivante : « Le rapport au corps genré mobilisé/mobilisable dans les premières relations de soin des étudiant(e)s de première année en soins infirmiers et sage-femme reproduit le rapport au corps présent dans la sphère familiale. »

Synthétiser la recherche autour d'une hypothèse unique présente l'avantage de la concision et permet de mieux communiquer ses objectifs. En réalité, elle en compte trois qui s'imbriquent les unes dans les autres :

- H1 : Le rapport au corps mobilisé/mobilisable dans les premières relations de soin est différent chez les étudiantes et les étudiants.
- H2 : Le rapport au corps genré mobilisé/mobilisable dans les premières relations de soin reproduit le rapport au corps présent dans la sphère familiale.
- H3 : Le rapport au corps genré mobilisé/mobilisable dans les premières relations de soin a été forgé dans la sphère familiale.

Au moment de la recherche de 2007-2008, et sur base du travail effectué en séminaire de recherche en 2004-2005, l'hypothèse de l'existence d'un rapport au corps différent pour l'un et l'autre genre (H1) a été considérée comme largement validée. Il n'empêche qu'elle appelait quelques précisions. Trop de travaux développent des analyses en termes de genre sur base de la seule variable « sexe ». C'est évidemment trop court. Si l'on adopte une perspective de genre, il s'agit de porter notre attention sur les catégorisations (classes de genre, statuts masculins et féminins…) qui font sens d'un point de vue sociologique. Autrement dit, le sexe des répondant(e)s intéressera le chercheur ou la chercheuse en ce qu'il informe sur les catégories « mère », « sœur », « fille », « père », « frère », « fils » comme positions ou statuts au sein d'un système familial, sur les catégories « soignant » et « soignante » en tant que positions ou statuts dans un système de soin, et sur les catégories « femme » et « homme » en tant que positions ou classes au sein d'un système social. Et cette attention sur les catégorisations doit être présente dès la construction du questionnaire ou du guide d'entretien.

La deuxième hypothèse avance que le rapport au corps dans l'espace familial est aussi genré (H2.1) et table sur une homologie du rapport au corps dans la sphère familiale et dans la sphère professionnelle (H2.2). La troisième va un pas plus loin dans le sens où elle met en avant un lien de cause à effet, le rapport au corps dans la relation de soin en stage étant appréhendé comme la résultante, au moins en partie, de la socialisation familiale.

b. Les indicateurs

Bien souvent, les concepts impliqués par l'hypothèse et le modèle ne sont pas directement observables. Il est alors nécessaire d'en préciser les indicateurs qui permettront d'enregistrer les données indispensables pour confronter le modèle à la réalité.

Qu'il s'agisse de l'appréhender dans la sphère familiale ou dans la sphère professionnelle, le rapport au corps dans la relation de soin n'est que partiellement observable. Encore faudrait-il pour cela opter pour une méthodologie qui permette de saisir en direct les interactions entre les différents acteurs. Dans notre cas, cela supposerait, par exemple, que les membres de l'équipe de recherche puissent assister aux soins d'hygiène, ce qui requerrait l'accord préalable des directions d'hôpitaux et de services de soins, des soignant(e)s, et des soigné(e)s. Et même, dans le scénario très optimiste où l'ensemble de ces autorisations serait donné, les chercheurs et chercheuses resteraient dans l'impossibilité d'accéder *de visu* aux significations attribuées aux pratiques corporelles observées. Le sens donné aux comportements par les individus n'est accessible que *via* leurs opinions et représentations, que seules leurs paroles peuvent traduire.

De même, saisir rétrospectivement la socialisation en acte n'est plus possible ; tout au plus peut-on tenter d'en capter certains effets encore mesurables. Devant la difficulté d'observer directement les comportements, on se rabattra là aussi sur l'étude des attitudes, à partir des opinions et représentations des étudiant(e)s.

c. Les liens entre construction et constatation

Le modèle d'analyse de la construction du rapport au corps dans la relation de soin par la socialisation familiale doit identifier clairement ce sur quoi portera l'observation et articuler les différentes hypothèses entre elles. Un schéma, même s'il est toujours réducteur, peut nous y aider grandement. La figure suivante vise cet objectif.

L'analyse portera de façon privilégiée sur les concepts et les hypothèses présentés en couleur, chaque hypothèse portant son numéro. Les concepts et flèches en traits pleins noirs traduisent le fait que la socialisation ne se résume pas à la socialisation familiale, que d'autres instances de socialisation devraient idéalement être prises en compte, mais qu'elles ne recevront pas la même attention que la famille dans cette recherche. Quant au concept et aux flèches en traits pointillés noirs, ils renvoient à la partie de la recherche non présentée ici et qui porte sur la socialisation par la formation, et donc le travail des formateurs, formatrices, et enseignant(e)s qui sont à l'origine de la recherche.

Construire le modèle d'analyse consiste ensuite, pour chaque concept, à préciser ses différentes dimensions et sous-dimensions sur lesquelles portera l'observation. Le genre sera d'abord appréhendé à partir de la variable sexe, mais, comme on le verra au point 2.5, d'autres variables relevant d'autres concepts et dimensions apporteront des compléments d'information permettant de saisir des positions et statuts dans les systèmes familiaux et professionnels.

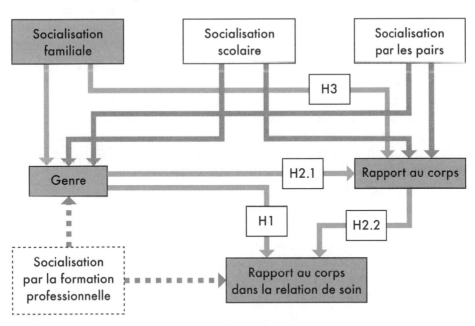

Figure 8.1 – Le modèle d'analyse de la construction du rapport au corps dans la relation de soin par la socialisation familiale

Pour les concepts de socialisation familiale, de rapport au corps dans la sphère familiale et de rapport au corps dans la relation professionnelle de soin, on procédera comme indiqué à l'étape 4 (« Le modèle d'analyse ») en présentant les concepts, dimensions et indicateurs sous forme de tableau. Les concepts, dimensions et indicateurs mobilisés pour la suite de l'exposé figurent en couleur ; les autres ont également fait l'objet d'une récolte de données permettant d'autres analyses non présentées ici.

À partir de ce tableau, on peut alors projeter les résultats auxquels on s'attend par hypothèse, c'est-à-dire ceux que l'on devrait obtenir, dans la phase de constatation, pour que le modèle et ses hypothèses soient confirmés. Pour que H1 se confirme, le degré d'aisance à se projeter en position de recevoir ou de donner des soins d'hygiène doit s'avérer, sur certains points au moins, significativement différent chez les étudiants et chez les étudiantes. L'hypothèse H2.1 se confirmera si, sur certains points essentiels de la représentation du corps, saisie à partir de la cartographie du corps, sur le degré d'aisance à se projeter en position de recevoir ou de donner des soins avec des membres de la famille, les étudiantes et les étudiants affichent des résultats contrastés. L'hypothèse H2.2 se confirmera si des différences observées pour H1 et pour H2.1 présentent des traits, des structures comparables. L'hypothèse 3 se confirmera si les expériences de douche ou de bain avec les membres de la famille modifient significativement le degré d'aisance à se projeter en situation de recevoir ou de donner des soins d'hygiène avec ceux-ci.

En ce qui concerne les résultats attendus, le modèle d'analyse peut aller jusqu'à préciser les méthodes et techniques précises qui seront utilisées pour étudier les liens entre variables. Pour la suite de l'exemple, plutôt que de mobiliser une méthode d'analyse multivariée permettant d'appréhender en une fois toutes les variables renvoyant aux différents concepts, chaque hypothèse sera testée séparément et en mobilisant des techniques simples (indices de synthèse et tableaux croisés).

On perçoit ici la connexion qui existe entre la construction (concepts et hypothèses) et la constatation (traitement et analyse des données). Les hypothèses guident l'analyse statistique des données en désignant les variables à mettre en relation et en précisant la signification que l'on peut valablement attribuer à cette relation. C'est parce que l'hypothèse leur donne une signification que les relations statistiques prennent du sens. Guider le traitement des données et lui donner un sens est une des fonctions de la construction des hypothèses et du modèle.

Le second lien qui unit la construction et la constatation se manifeste par les indicateurs. Ceux-ci assurent la continuité entre la construction des concepts et l'observation. Les indicateurs indiquent les informations à obtenir et, par conséquent, les questions à poser.

Tableau 8.1 – Les concepts, dimensions et indicateurs étudiés

Concepts	Dimensions	Indicateurs
La socialisation familiale	Les expériences de nudité partagées	– Enfant, expériences de douche ou bain avec père, mère, frères, sœurs
		– À l'adolescence, expériences de nudité avec parents, frères/sœurs, grands-parents, autres membres de la famille
		– Voir des corps nus
		– Toucher des corps nus
		– Parler de puberté, de sexualité, de nudité
Le rapport au corps	La représentation du corps	– La cartographie du corps du point de vue du caractère délicat (ou non) d'intervenir sur les différentes zones corporelles
	Attitude projetée en situation de soigné(e) par un(e) membre de la famille	– Degré d'aisance projeté en cas d'obligation de demander à un(e) membre de la famille d'effectuer la toilette complète d'*ego*
	Attitude projetée en situation de soignant(e) d'un(e) membre de la famille	– Degré d'aisance projeté en situation d'effectuer la toilette intégrale d'un(e) membre de la famille
Le rapport au corps dans la relation professionnelle de soin	Attitude projetée en situation de soigné(e)	– Degré d'aisance projeté en cas d'obligation de demander à quelqu'un, défini en fonction de son sexe et de son degré de proximité, d'effectuer la toilette complète (d'*ego*)
	Attitude projetée en situation de soignant(e)	– Degré d'aisance projeté en situation d'effectuer la toilette intégrale de quelqu'un défini en fonction de son sexe et de son degré de proximité
		– Degré d'aisance projeté en situation d'effectuer la toilette intégrale de quelqu'un défini en fonction de sa génération
		– Degré d'aisance projeté en situation d'effectuer la toilette intégrale de quelqu'un défini en fonction de son affection (blessure, brûlure...)
		– Degré d'aisance projeté en situation d'effectuer la toilette intégrale de quelqu'un défini en fonction de son degré de souffrance

2.5 L'observation

a. La sélection des unités d'observation

Elle consiste à choisir les unités sur lesquelles l'observation va por-ter. Assez généralement se pose le problème de la construction d'un échantillon. La population visée était celle des étudiant(e)s en soins infirmiers et sage-femme des établissements francophones de Belgique. S'il n'était matériellement pas possible de réaliser l'enquête dans l'ensemble des écoles concernées, l'équipe de recherche a veillé à s'assurer la collaboration d'un nombre significatif d'écoles en étant attentive à la diversité géographique. En effet, d'une part, les écoles proches de la frontière française accueillent de nombreux jeunes ayant suivi un mode d'enseignement français différent de celui dans lequel a été formée la majorité des étudiant(e)s, et d'autre part, la popula-tion de la région bruxelloise se caractérise par une diversité cultu-relle plus grande, avec une proportion significative de jeunes issus de cultures non occidentales. Sur les quinze établissements poten-tiellement éligibles, neuf ont pris part à l'enquête. En 2007-2008, les étudiant(e)s de première année en soins infirmiers et sage-femme de ces écoles ont été invité(e)s à participer à l'enquête ; deux ans plus tard, ce sont les étudiant(e)s de troisième année qui ont été convié(e)s à faire de même. Pour les développements qui suivent, seule l'enquête de 2007-2008 nous intéresse.

b. L'instrument d'observation

Le questionnaire soumis aux étudiant(e)s de première année en 2007-2008 ne comportait pas moins de 49 questions et de nombreuses sous-questions. Il serait trop long de le reproduire ici en entier. Nous avons donc opéré une sélection en suivant le mode de présentation adopté dans la partie consacrée à la cinquième étape du processus de recherche. Pour chacun des concepts et chacune des dimensions abor-dés, le questionnaire comptait nombre d'indicateurs supplémentaires. N'ont été repris que ceux mobilisés à l'étape ultérieure d'analyse des informations.

Tableau 8.2 – La représentation du corps – les questions

Concept : le rapport au corps dans la relation de soin					
Dimension : la représentation du corps					
Indicateurs	Questions	Réponses			
Le degré plus ou moins délicat d'intervention sur les différentes parties du corps	En tant que soignant(e), vous êtes amené(e) à pratiquer certains gestes (regarder, toucher, etc.) sur le corps des patients. Du point de vue de la relation avec les patients, opérer ces actes sur les parties du corps suivantes vous paraît :	Pas du tout délicat	Un peu délicat	Assez délicat	Très délicat
	La tête (visage, bouche...)	☐	☐	☐	☐
	Les membres supérieurs (bras, mains)	☐	☐	☐	☐
	La poitrine d'une femme ou d'une jeune fille	☐	☐	☐	☐
	La poitrine d'un homme ou d'un jeune homme	☐	☐	☐	☐
	Le ventre	☐	☐	☐	☐
	La zone du sexe d'une femme ou d'une jeune femme	☐	☐	☐	☐
	La zone du sexe d'un homme ou d'un jeune homme	☐	☐	☐	☐
	La zone anale	☐	☐	☐	☐
	Les membres inférieurs	☐	☐	☐	☐

Tableau 8.3 – Attitude projetée en situation de soigné(e) : les questions

Concept : le rapport au corps dans la relation de soin						
Dimension : attitude projetée en situation de soigné(e)						
Indicateurs	Questions et réponses	Codage				
	Imaginez que vous devez demander l'aide d'une autre personne pour qu'elle vous lave entièrement le corps. Seriez-vous : (1) Très mal à l'aise. (2) Plutôt mal à l'aise. (3) Plutôt à l'aise. (4) Très à l'aise. (5) Je ne suis pas concerné par cette situation (ex : je n'ai pas connu mon grand-père, je n'ai pas de frère...) selon que la personne qui vous lave est :	(1)	(2)	(3)	(4)	(5)
Le degré d'aisance projeté à être lavé par des membres de la famille	Mon grand-père	☐	☐	☐	☐	☐
	Ma grand-mère	☐	☐	☐	☐	☐
	Mon père	☐	☐	☐	☐	☐
	Ma mère	☐	☐	☐	☐	☐
	Mon frère	☐	☐	☐	☐	☐
	Ma sœur	☐	☐	☐	☐	☐
	Mon/ma conjoint(e), mon/ma partenaire	☐	☐	☐	☐	☐
Le degré d'aisance projeté à être lavé par des personnes proches ou inconnues	Une autre personne proche (femme)	☐	☐	☐	☐	☐
	Une autre personne proche (homme)	☐	☐	☐	☐	☐
	Une personne inconnue (femme)	☐	☐	☐	☐	☐
	Une personne inconnue (homme)	☐	☐	☐	☐	☐

Tableau 8.4 – Attitude projetée en situation de soignant(e) : les questions

Concept : le rapport au corps dans la relation de soin						
Dimension : attitude projetée en situation de soignant(e)						
Indicateurs	Questions et réponses	Codage				
	Si vous deviez pratiquer des soins d'hygiène aux personnes suivantes, seriez-vous d'accord ? (1) Oui, sans problème. (2) Oui, mais je ne serais pas très à l'aise. (3) Non. (4) Je ne sais pas. (5) Je ne suis pas concerné par cette situation (ex : je n'ai pas connu mon grand-père, je n'ai pas de frère...).	(1)	(2)	(3)	(4)	(5)
Le degré d'aisance projeté à laver des membres de la famille	Grand-père	☐	☐	☐	☐	☐
	Grand-mère	☐	☐	☐	☐	☐
	Père	☐	☐	☐	☐	☐
	Mère	☐	☐	☐	☐	☐
	Frère	☐	☐	☐	☐	☐
	Sœur	☐	☐	☐	☐	☐
	Conjoint(e)	☐	☐	☐	☐	☐
	Fils	☐	☐	☐	☐	☐
	Fille	☐	☐	☐	☐	☐
Le degré d'aisance projeté à laver des personnes proches ou inconnues	Autre personne proche de sexe féminin	☐	☐	☐	☐	☐
	Autre personne proche de sexe masculin	☐	☐	☐	☐	☐
	Personne inconnue de sexe féminin	☐	☐	☐	☐	☐
	Personne inconnue de sexe masculin	☐	☐	☐	☐	☐

Tableau 8.5 – Les expériences de nudité partagées : les questions

Concept : la socialisation familiale					
Dimension : les expériences de nudité partagées					
Indicateurs	Questions et réponses	Codage			
Bain/douche avec des membres de la famille	Vous êtes-vous déjà retrouvé(e) dans une des situations suivantes ? (1) Jamais. (2) Parfois. (3) Souvent. (4) Je ne suis pas concerné(e) par cette situation (ex : je n'ai pas connu ma mère, je n'ai pas de frère...).	(1)	(2)	(3)	(4)
	Prendre une douche/un bain avec votre père quand vous étiez enfant	□	□	□	□
	Prendre une douche/un bain avec votre mère quand vous étiez enfant	□	□	□	□
	Prendre une douche/un bain avec vos frères quand vous étiez enfant	□	□	□	□
	Prendre une douche/un bain avec vos sœurs quand vous étiez enfant	□	□	□	□

c. La collecte des données

Des membres de l'équipe de recherche ont pris des contacts personnalisés dans chacun des établissements. Dans la plupart d'entre eux, ils se sont rendus personnellement sur place pour administrer le questionnaire à l'ensemble des étudiant(e)s de première année en soins infirmiers ou sage-femme ; dans deux établissements, les personnes de contact ont souhaité se charger elles-mêmes de cette tâche. Les précisions nécessaires pour obtenir des réponses adéquates figuraient en début de questionnaire. Il n'empêche que certaines questions d'interprétation se sont posées en cours de route. Là où des membres de l'équipe de recherche étaient présents, une homogénéité des interprétations a pu être assurée ; pour les deux autres écoles, nous n'avons pas cette garantie. Les rares questions problématiques ont été écartées de l'analyse. Au total, 1 468 étudiant(e)s, soit plus de 99 % des participant(e)s, ont complété le questionnaire de façon valide. On compte 83 % d'étudiantes et 17 % d'étudiants.

2.6 L'analyse des informations

a. La cartographie du corps

Une carte du corps relative au degré plus ou moins délicat d'intervention selon les zones corporelles considérées a pu être dessinée à partir des réponses aux questions figurant dans le tableau présenté ci-dessus.

Des résultats non repris ici dessinent comme un corps coupé en deux : une majorité des étudiant(e)s (entre 62 et 79 %) considèrent que poser des gestes qui touchent la tête, les membres supérieurs, la poitrine d'un homme ou d'un jeune homme, le ventre ou les membres inférieurs n'est « pas du tout délicat » ; à l'opposé, une majorité (entre 72 % et 78 %) estiment que poser des gestes qui touchent la zone du sexe d'une femme ou d'une jeune femme, la zone du sexe d'un homme ou d'un jeune homme ou la zone anale est soit « assez délicat » soit « très délicat ». La poitrine féminine occupe un statut intermédiaire entre ces deux groupes de zones corporelles, avec cependant un pourcentage de « pas du tout délicat » de seulement 16 % qui rapproche cet indicateur du second groupe.

Au-delà de cette vision globale, la première question porte sur l'existence d'une potentielle représentation genrée des corps. Plutôt que de produire neuf tableaux croisés, conformément au propos développé dans l'étape 5 (« L'analyse des données »), nous avons construit deux indices de synthèse : un premier pour les questions qui renvoient aux parties visibles du corps dans l'espace public occidental (indice PVC), soit le premier groupe de zones corporelles ; un second pour celles qui évoquent les parties invisibles du corps dans l'espace occidental, soit les quatre autres questions (indice PIC). Ces deux indices ont été construits de telle façon à avoir une valeur « 0 » lorsque les gestes posés sur toutes les parties du corps considérées étaient jugés « pas du tout délicats » et « 10 » lorsqu'ils étaient tous jugés « très délicats ».

Tableau 8.6 – Valeurs moyennes des indices PVC et PIC en fonction du genre

	Indice PVC (t-test n.s. à 0,05)	Indice PIC (t-test n.s. à 0,05)
Population totale	1,56	6,52
Étudiants	1,49	6,25
Étudiantes	1,57	6,57

Si l'on compare les valeurs des indices de synthèse calculées pour les étudiantes et les étudiants, on n'observe pas de différence statistiquement significative. Ce résultat peut paraître contre-intuitif dans la mesure où, lors des entretiens exploratoires, plusieurs étudiantes avaient exprimé leur malaise à l'idée de devoir faire la toilette de patients masculins, alors que l'on n'avait pas enregistré de témoignages correspondants chez les étudiants. Cette apparente incohérence entre les données d'entretien et les données d'enquête s'explique en fait par le caractère globalisant d'un indice. L'indice PIC ici concerné agrège des réponses qui évoquent des situations différentes, et il nous indique que globalement les écarts entre étudiantes et étudiants ne sont pas statistiquement significatifs. Il masque ainsi, comme le montre bien le tableau suivant, de potentiels écarts plus spécifiques.

Tableau 8.7 – Évaluation du caractère délicat de pratiquer des gestes sur la zone du sexe d'une femme d'une part, sur la zone du sexe d'un homme d'autre part en fonction du sexe des étudiants

	Pratiquer des gestes sur la zone du sexe d'une femme (Xi^2 n.s. à 0,05)		Pratiquer des gestes sur la zone du sexe d'un homme (Xi^2 sig. 0,001)	
	Étudiantes	Étudiants	Étudiantes	Étudiants
Pas du tout délicat	5,30 %	7,00 %	4,40 %	10,30 %
Un peu délicat	22,10 %	21,90 %	16,00 %	24,70 %
Assez délicat	30,30 %	30,60 %	30,40 %	29,60 %
Très délicat	42,20 %	40,50 %	49,20 %	35,40 %

Ce tableau montre que les réticences féminines et masculines face aux soins d'hygiène ne sont pas tout à fait semblables ; s'interroger sur la dimension genrée des approches semble donc pertinent.

b. Se projeter comme soigné(e) et comme soignant(e)

Le premier indice d'un rapport au corps genré se confirme-t-il dès lors que l'on étudie la façon dont les étudiantes et les étudiants se projettent en tant que receveurs/veuses ou dispensateurs/trices de soins ? Les deux tableaux qui suivent répondent partiellement à cette question.

Tableau 8.8 – Pourcentage d'étudiantes et d'étudiants qui se disent « très mal à l'aise » à l'idée de devoir demander l'aide d'une autre personne pour qu'elle leur lave entièrement le corps, selon le degré de proximité et le genre de cette personne

Les proches et les inconnus : ordonnancement des situations en partant des plus difficiles			
Étudiantes		Étudiants	
	% de « très mal à l'aise »		% de « très mal à l'aise »
Homme proche***	56,4	Homme proche***	28,0
Inconnu***	49,8	Femme proche°	26,4
Inconnue*	30,2	Inconnue*	24,8
Femme proche°	27,9	Inconnu***	24,7

*Légende : *** = Xi^2 sig. 0,001 ; ** = Xi^2 sig. 0,01 ; * = Xi^2 sig. 0,05 ; ° = Xi^2 n.s. 0,05.*
Lire : 56,4 % des étudiantes se disent « très mal à l'aise » à l'idée de devoir demander l'aide d'un homme proche pour qu'il leur lave entièrement le corps.

Tableau 8.9 – Pourcentage d'étudiantes et d'étudiants qui disent qu'elles/ils pratiqueraient « sans problème » des soins d'hygiène, selon le degré de proximité et le genre de la personne à qui les soins seraient prodigués

Les proches et les inconnus : ordonnancement des situations en partant chaque fois des plus difficiles			
Étudiantes		Étudiants	
	% de « sans problème »		% de « sans problème »
Homme proche***	24,0	Femme proche***	33,7
Femme proche***	50,6	Homme proche***	37,4
Inconnu***	60,3	Inconnue*	70,5
Inconnue*	78,3	Inconnu***	74,2

Légende : *** = Xi^2 sig. 0,001 ; ** = Xi^2 sig. 0,01 ; * = Xi^2 sig. 0,05 ; ° = Xi^2 n.s. 0,05.

Lorsqu'elles se projettent elles-mêmes comme soignées, l'approche des étudiantes apparaît clairement genrée. Ce sont en effet les deux figures masculines qui suscitent le degré de malaise maximum. On n'observe pas le même phénomène chez les étudiants. Chez eux, c'est le degré de proximité avec la personne intervenant qui prime. On ajoutera que les écarts entre les pourcentages sont nettement plus réduits du côté des étudiants que des étudiantes, où ils sont très importants, signe que celles-ci différencient nettement les situations évoquées.

Lorsque les étudiant(e)s se projettent comme soignant(e)s, et que l'on ne considère que l'ordre des situations à évaluer, les résultats des deux sexes sont similaires : prodiguer des soins à une personne proche est plus difficile qu'intervenir auprès d'une personne inconnue et donner des soins à une personne du sexe opposé est plus difficile qu'à une personne de son propre sexe. Cela étant, à degré de proximité identique, les étudiantes opèrent une très nette distinction entre les sexes, alors que ce n'est pas le cas chez les étudiants.

Que l'on considère la projection de soi comme soigné(e) ou comme soignant(e), les étudiantes différencient systématiquement les situations en fonction du sexe de la personne avec laquelle elles sont en interaction ; les étudiants ont tendance à ne pas faire de cette variable un critère déterminant.

c. Les indices d'un effet de socialisation familiale

À partir de ces résultats, il semble bien que, pour les dimensions étudiées, les étudiantes et les étudiants aient un rapport au corps différent. Peut-on y voir la trace de la socialisation familiale ?

Chez les étudiants des deux sexes qui sont déjà en couple, le ou la partenaire a incontestablement un statut privilégié. L'intimité partagée au quotidien n'y est pas pour rien ; elle tend à rendre la demande d'aide plus aisée. Arrive ensuite, tant pour les étudiantes que pour les étudiants, la figure de la mère, qui a habituellement assumé un tel rôle de dispensatrice de soin au cours de l'enfance. Là s'arrêtent les points de convergence. Pour les autres figures familiales, les étudiantes développent clairement une approche genrée : le pourcentage de malaise est à son maximum pour les quatre figures masculines ; les écarts entre les figures masculines et féminines d'une même génération sont importants. Chez les étudiants, l'approche est davantage générationnelle et les écarts entre les différentes figures familiales bien plus réduits.

Tableau 8.10 – Pourcentage d'étudiantes et d'étudiants qui se disent « très mal à l'aise » à l'idée de devoir demander l'aide d'une autre personne pour qu'elle leur lave entièrement le corps, en fonction du statut familial de cette personne

Les membres de la famille : ordonnancement des situations en partant chaque fois des plus difficiles			
Étudiantes		Étudiants	
	% de « très mal à l'aise »		% de « très mal à l'aise »
Grand-père***	71,7	Grand-père***	42,6
Père***	63,1	Fille*	40,6
Frère***	61,9	Grand-mère°	39,6
Fils°	45,4	Fils°	37,3
Grand-mère°	44,7	Sœur***	37,1
Fille*	32,1	Frère***	33,5
Sœur***	27,3	Père***	32,0
Mère*	21,3	Mère*	28,5
Conjoint / partenaire°	9,2	Conjoint / partenaire°	6,9

Légende : *** = Xi^2 *sig. 0,001 ;* ** = Xi^2 *sig. 0,01 ;* * = Xi^2 *sig. 0,05 ;* ° = Xi^2 *n.s. 0,05.*

Lorsque les étudiant(e)s se projettent comme soignant(e)s d'un membre de leur famille, trois situations posent peu de problèmes : celles où ils et elles se retrouvent dans un statut de parent et donc dans le rôle de donner des soins à leur fils ou à leur fille ; celle ensuite où il s'agit de donner des soins d'hygiène à leur partenaire, soit la personne avec laquelle une intimité préexiste aux soins ; celle enfin où les soins s'appliquent à des membres de la fratrie de même sexe. Ce dernier scénario est déjà envisagé comme relativement plus difficile, mais moins que tous les autres cas de figure. Pour les cinq scénarios restants, une approche genrée est pointée à plusieurs reprises chez les étudiantes : les toilettes aux pères, grands-pères et frères sont anticipées comme problématiques, nettement plus que celles faites aux grands-mères, mères et sœurs. Chez les étudiants, les figures des deux sexes sont davantage mélangées et les écarts entre scénarios nettement moindres.

Tableau 8.11 – Pourcentage d'étudiantes et d'étudiants qui disent qu'elles/ils pratiqueraient « sans problème » des soins d'hygiène, selon le statut familial de la personne à qui les soins seraient prodigués

Les membres de la famille : ordonnancement des situations en partant chaque fois des plus difficiles			
Étudiantes		Étudiants	
	% de « sans problème »		% de « sans problème »
Père***	23,3	Grand-mère***	32,4
Grand-père**	28,0	Mère***	34,3
Frère*	38,3	Père***	35,7
Grand-mère***	42,8	Sœur***	39,9
Mère***	52,0	Grand-père**	40,2
Sœur***	61,0	Frère*	48,4
Conjoint / partenaire°	91,9	Fille***	79,7
Fille***	93,3	Fils*	85,5
Fils*	93,7	Conjoint / partenaire°	91,6

*Légende : *** = Xi^2 sig. 0,001 ; ** = Xi^2 sig. 0,01 ; * = Xi^2 sig. 0,05 ; ° = Xi^2 n.s. 0,05.*

Le fait que la socialisation familiale soit antérieure à la socialisation par la formation d'une part, le fait que la grande majorité des étudiant(e)s (73 %) n'aient pas encore effectué le moindre stage au moment de la passation du questionnaire d'autre part, rendent plausible l'hypothèse d'un transfert du rapport au corps forgé entre autres dans la sphère familiale dans l'univers professionnel.

Le questionnaire d'enquête comptait de nombreuses questions portant sur des activités relatives aux soins et à la nudité dans l'espace familial. À titre illustratif, nous en avons mobilisé quelques-unes dans le tableau suivant, dont les résultats semblent bien soutenir l'hypothèse d'un effet lié à la socialisation familiale. Pour les quatre scénarios proposés, les écarts entre pourcentages vont dans le même sens : avoir fait l'expérience d'une douche ou d'un bain avec un membre de sa famille pendant l'enfance diminue le malaise à l'idée que cette personne doive aujourd'hui laver le ou la répondant(e).

Tableau 8.12 – Pourcentage d'étudiantes et d'étudiants qui se disent « très mal à l'aise » à l'idée de devoir demander l'aide d'une autre personne pour qu'elle leur lave entièrement le corps, selon le statut familial de cette personne, et selon qu'il leur est arrivé ou non de prendre une douche ou un bain avec cette personne lorsqu'elles/ils étaient enfants

	Étudiantes			Étudiants		
	Sig. du Xi^2	Exp « oui »	Exp « non »	Sig. du Xi^2	Exp « oui »	Exp « non »
Père	***	55,9	67,3	*	22,1	36,5
Mère	***	17,3	28,5	*	20,4	33,8
Frère	***	57,8	72,1	**	28,6	51,4
Sœur	**	24,4	36,1	*	31,2	43,6

*Légende : *** = Xi^2 sig. 0,001 ; ** = Xi^2 sig. 0,01 ; * = Xi^2 sig. 0,05 ; ° = Xi^2 n.s. 0,05.*
Lire : les étudiantes qui ont une expérience de douche ou de bain avec leur père lorsqu'elles étaient enfants sont 55,9 % à se dire « très mal à l'aise » à l'idée de devoir lui demander qu'il leur lave entièrement le corps ; ce pourcentage monte à 67,3 % chez celles qui n'ont pas vécu une telle expérience. L'écart entre ces pourcentages est significatif au seuil de 0,001.

2.7 Les conclusions

Si l'on évalue chaque hypothèse séparément, on peut estimer qu'aucune d'entre elles n'est mise à mal par les résultats présentés. Que l'on considère le degré d'aisance à se projeter en position de recevoir ou le degré d'aisance à se projeter en position de donner des soins d'hygiène, les étudiantes différencient systématiquement les situations en fonction du sexe de la personne avec laquelle elles sont en interaction, les étudiants ne font pas de cette variable un critère déterminant (H1). Lorsque l'on envisage les soins dans la sphère familiale, les étudiantes témoignent systématiquement d'une aisance nettement plus grande dans les interactions avec les membres féminins de la famille ; les étudiants minimisant les différences entre les sexes (H2.1). Autrement dit, la distinction typiquement féminine des situations en fonction du genre se retrouve tant dans la sphère professionnelle que dans la sphère familiale (H2.2). Les expériences de douche ou de bain avec les membres de la famille modifient significativement le degré d'aisance à se projeter en situation de recevoir ou de donner des soins d'hygiène avec ceux-ci (H3).

Pour soutenir la thèse d'une construction genrée du rapport au corps dans la relation de soin lors de la socialisation familiale, on peut cependant tenter d'aller plus loin en réarticulant ces résultats entre eux et avec certains résultats mineurs par rapports aux hypothèses spécifiques, mais instructifs par rapport à la thèse générale. Ainsi :

- La quasi-totalité des étudiant(e)s en couple pensent pouvoir laver ou être lavé(e)s (par) leur partenaire. Or, comparativement aux autres situations évoquées, la relation conjugale est la seule où la sexualité a une place légitime, devenue essentielle dans la société contemporaine.
- En tant que soignante potentielle, la mère bénéficie d'un statut particulier chez les étudiants des deux sexes. Parallèlement, les étudiantes, plus encore que les étudiants, se voient donner sans grands problèmes des soins d'hygiène à leurs enfants des deux sexes. Malgré la transformation progressive des rôles domestiques masculins et féminins, ces résultats semblent plutôt montrer la persistance de la représentation selon laquelle la prise en charge et les soins aux enfants incombent d'abord à la mère.
- Pour les autres scénarios familiaux, qu'il s'agisse de se projeter comme soignée ou comme soignante, les filles manifestent une plus grande difficulté par rapport aux toilettes où elles se retrouvent face à des hommes. Cette observation dépasse le cadre familial et s'étend à tous les scénarios de soin. Tout se passe comme si les étudiantes ne cessaient d'affirmer la différence des sexes, là où les étudiants la gomment. Il n'est pas impossible que les écarts entre étudiants et étudiantes traduisent pour partie les rôles respectifs de l'un et de l'autre sexe dans la gestion de la sexualité : dans notre société, alors que les femmes restent les principales garantes du respect de la pudeur, les hommes continuent à être plus souvent perçus comme des êtres sexuellement désirants indépendamment d'une relation spécifique. Si cette hypothèse est correcte, on peut supposer qu'en tant que femmes, les étudiantes se sentiraient dès lors investies de ce rôle de garantes de la pudeur et attentives à ne pas éveiller le désir sexuel masculin. En miroir, la relative neutralisation de la différence entre les sexes constatée chez les étudiants pourrait être interprétée comme une minimisation des difficultés par des jeunes gens qui veulent faire bonne figure, en phase avec la norme selon laquelle, en toutes circonstances, un homme doit « assurer ».

Si ces hypothèses interprétatives sont exactes, les étudiantes commenceraient leur formation avec trois rôles de référence : le rôle maternel, plus précisément celui de responsable des soins aux enfants ; le rôle conjugal, y compris dans sa composante de sollicitude à l'égard du ou de la partenaire ; le rôle de gardienne de la pudeur appelée à manifester une attitude de réserve par rapport au désir masculin. Confrontées à la toilette d'un adulte de sexe masculin, en conformité avec ce dernier rôle qui n'a pas d'équivalent pour les étudiants, les étudiantes se devraient d'adopter une attitude de retenue, qui se traduirait notamment dans les chiffres enregistrés dans l'étude qui vient d'être exposée. Un des nœuds du dispositif pédagogique consiste alors à rendre légitime, dans le cadre de la relation professionnelle, des actes et des attitudes illégitimes en dehors de celle-ci.

La recherche a bien évidemment été présentée de façon simplifiée. Il n'empêche que l'on perçoit d'emblée la différence entre la construction d'un tel dispositif d'enquête et un simple sondage. Les informations apportées par chaque question sont destinées à être réarticulées, éclairées les unes par les autres, confrontées entre elles de telle sorte qu'elles puissent nourrir un raisonnement complexe. La question de départ, puis la question et les hypothèses de recherche ont joué le rôle de guides. La consistance de la phase exploratoire s'est avérée très précieuse, avant de boucler un questionnaire qui ne pourrait plus être modifié en cours de route, sans rendre les analyses impossibles. On débouche sur des données très intéressantes, même si, en fin de recherche, on le voit ici aussi, l'interprétation nous mène à de nouvelles hypothèses interprétatives et à de nouvelles questions. L'aventure continue...

3. Application n° 2 : Les modes d'adaptation au risque de contamination par le VIH dans les relations hétérosexuelles

Ce second exemple a été retenu pour son caractère pédagogique ainsi que pour sa complémentarité et ses différences d'avec l'application précédente. La recherche vise à construire une forme de typologie, ce qui constitue l'aboutissement fréquent de recherches en sciences sociales. Cette recherche est exposée de manière détaillée dans l'ouvrage de D. Peto, J. Remy, L. Van Campenhoudt et M. Hubert, *Sida : l'amour face à la peur. Modes d'adaptation au risque du Sida dans les relations hétérosexuelles* (Paris, L'Harmattan, 1992).

3.1 La question de départ

Fin des années quatre-vingt, début des années quatre-vingt-dix, le Sida apparaît à tous comme un risque majeur, mais la médecine reste impuissante à l'endiguer. Il n'existe pas de vaccin, et la trithérapie n'a pas encore été mise au point. La prévention reste considérée comme la meilleure manière de faire face au risque. Les sciences sociales sont alors appelées à la rescousse pour conseiller les campagnes de prévention. On leur demande de rendre compte de la connaissance que la population a des risques de contamination, de la manière dont le risque est pris ou non en compte dans les relations sexuelles notamment, en particulier dans les groupes dits « à risque », et de proposer des pistes pour une prévention efficace.

C'est dans ce contexte qu'il est demandé aux chercheurs d'étudier la manière dont des personnes adultes susceptibles d'être exposées au risque dans leurs relations hétérosexuelles prennent ou non en compte ce risque et de quelle manière. La recherche se limite à la partie francophone de la Belgique.

La question de départ a dès lors été formulée comme suit : « Comment les adultes, en particulier ceux qui ont plusieurs partenaires sexuels ou changent de partenaires, réagissent-ils au risque du Sida et pourquoi beaucoup d'entre eux persistent-ils à courir des risques ? »

L'objectif de cette recherche était double : d'une part, elle constituait une étude exploratoire visant à préparer une prochaine enquête à grande échelle portant sur l'ensemble de la population belge ; d'autre part, vu l'urgence, elle devait aider déjà à dégager des perspectives pour des campagnes de prévention.

3.2 L'exploration

a. Les lectures

Les chercheurs sont partis assez désarmés. D'abord parce que la demande était très large, ensuite parce qu'on disposait de très peu d'études préalables sur ce problème relativement nouveau. Néanmoins, les toutes premières enquêtes réalisées dans les pays voisins, des articles qui en discutaient les approches théoriques et des résultats commençaient à être disponibles. Comme on l'a vu dans l'étape 3 (« La problématique »), la plupart des premières enquêtes (notamment KABP) s'inscrivaient dans le paradigme de l'individu rationnel. On en a également vu les limites. Mais à cette époque, les alternatives au paradigme de l'individu rationnel étaient encore balbutiantes.

b. Les entretiens exploratoires

Dès le début de la recherche, nombreux ont été les contacts, les discussions et les entretiens avec des personnes concernées, notamment des responsables associatifs ou institutionnels et des professionnels du secteur socio-sanitaire en contact quotidien avec une grande diversité de publics en demande de conseils, de soins ou d'aide. De plus, les entretiens avec des personnes correspondant au profil défini par la question de départ ont commencé immédiatement, en vue de construire progressivement la problématique de la recherche. Même si la succession des étapes de la démarche a été suivie dans les grandes lignes, le scénario n'a pas été strictement linéaire, dans la mesure où il y a eu un va-et-vient constant entre les entretiens, la problématique et le modèle d'analyse.

Il est vite apparu combien l'activité sexuelle mettait en jeu des dimensions complexes de la personne, des relations humaines et de la culture. Elle implique les partenaires dans ce qu'ils ont de plus essentiel : le sens qu'ils donnent à l'existence, leur rapport aux autres, en particulier aux personnes de l'autre sexe, leur équilibre personnel, leur rapport à leur propre corps et à celui de l'autre, leurs émotions, leur mode d'intégration sociale... Dans ce jeu complexe, prendre ou ne pas prendre un risque peut obéir à des raisons ou à des logiques qui ne se réduisent pas à une question de connaissance, de calcul rationnel ou d'intérêt individuel.

On a observé par exemple que des partenaires débutants ou peu sûrs d'eux qui craignaient de ne pas faire bonne figure pouvaient avoir tendance à ne pas vouloir s'encombrer d'un problème supplémentaire, celui de la protection. On a constaté que dans une relation très romantique, courir ensemble et délibérément un risque pour ou avec l'autre pouvait être vécu comme une manifestation forte d'amour contribuant à renforcer la passion et l'attachement mutuel. On a vu que l'intimité caractéristique de la relation sexuelle pouvait donner vite un grand sentiment de connaissance et de confiance réciproques surtout si les partenaires appartenaient au même milieu social. Il est apparu que pour faire face à l'incertitude dans une relation où chacun se dévoilait intimement, la relation sexuelle se déroulait le plus souvent selon des scénarios plus ou moins fixés à l'avance et que les partenaires « jouaient » de manière assez stable. Ces modèles de comportement interactif par rapport auxquels les partenaires se sentent à l'aise pouvaient être perturbés par la nécessité de se protéger. Les exemples de « bonnes raisons » de ne pas se protéger abondaient.

Mais comment tenir compte de cette complexité et de cette diversité sans s'y perdre ?

Les échanges et entretiens suivis avec des collègues et chercheurs attelés à une tâche comparable ont été ici fort précieux. En l'absence de théories éprouvées sur la question, beaucoup d'entre eux tentaient de transposer à l'étude de la relation sexuelle des problématiques et des cadres théoriques déjà expérimentés dans d'autres domaines. Dans ces approches, un poids particulier était donné à ce qui se joue dans la relation entre les partenaires pour expliquer les comportements. Ainsi, certaines composantes de théories psychosociologiques, de la théorie de l'échange social et de l'analyse des réseaux notamment ont été mobilisées par ces collègues. L'équipe de recherche a procédé de la même manière : loin de se contenter des maigres publications sur le sujet, elle a eu recours à des références théoriques à caractère plus général mais susceptibles d'être ici utiles.

Ainsi, lectures, échanges entre chercheurs et premiers entretiens ont alterné durant cette phase exploratoire.

Enfin, il est apparu que, dans la plupart des cas, les partenaires n'optaient pas pour une solution extrême, comme si l'alternative était soit de se protéger toujours et systématiquement, soit de ne pas se protéger du tout. Ils s'adaptaient au risque selon des modalités variées. Ceux qui avaient modifié leurs comportements en raison du risque du VIH n'avaient que très rarement supprimé purement et simplement tout risque de contamination, par exemple en se limitant à un seul partenaire sexuel absolument sûr ou en utilisant systématiquement le préservatif. Le plus souvent, la modification des comportements se faisait de manière hésitante et nuancée, différenciée selon les partenaires et les circonstances. Bref, chacun et chacune s'adaptait au risque, avec lequel il ou elle faisait une sorte de compromis. Dès lors, la question de départ a été reformulée de la manière suivante : « Quels sont les modes d'adaptation au risque de contamination par le VIH dans les relations hétérosexuelles, dans le chef d'adultes qui ont plusieurs partenaires sexuels ou changent de partenaires ? »

3.3 La problématique

Élaborée de manière progressive, la problématique a connu de nombreux réajustements en cours de recherche. Elle partait d'une double idée et de quelques hypothèses générales. La double idée relevait quasiment de l'évidence : les réactions au risque du Sida sont très diversifiées et dépendent de nombreux facteurs. Elle réclamait néanmoins une problématique capable de rendre compte de cette diversité sans être pour autant éclatée. Les facteurs ont été appelés dans la recherche « facteurs d'intelligibilité » en raison du fait que, d'une manière ou d'une autre, ils étaient supposés contribuer à rendre les comportements intelligibles, sans préjuger de la nature précise de la relation qui les reliait aux comportements. Les hypothèses générales consistaient en un petit nombre d'idées à avoir à l'esprit pour élaborer l'approche théorique, par exemple le fait que l'interaction sexuelle constitue une réalité spécifique irréductible aux partenaires ou encore l'autonomie relative de la sphère sexuelle comme univers à part, qui se définit comme rupture avec l'univers de la vie ordinaire.

a. Les facteurs d'intelligibilité

À la suite du travail exploratoire et de l'analyse des premiers entretiens, les facteurs d'intelligibilité ont été regroupés en trois grandes catégories correspondant à trois approches complémentaires des comportements. Ils ont déjà été partiellement présentés dans l'étape 3 (« La problématique ») :

1. La trajectoire individuelle et les caractéristiques individuelles : même si l'interaction représente une réalité en elle-même, des recherches antérieures montraient clairement l'importance de la trajectoire personnelle des partenaires pour comprendre leur manière d'entrer et de se situer dans la relation. À chaque étape de la vie correspondent en effet des niveaux de connaissance et d'expérience, des difficultés et des attentes différents. La trajectoire a été appréhendée à partir de la position dans le cycle de vie qui fait référence à la situation de l'individu dans son histoire affective, sexuelle et/ou conjugale personnelle ainsi qu'à son statut comme membre d'un ménage associé à cette position (jeune adulte vivant encore chez ses parents, mari ou femme, compagnon ou compagne, célibataire, séparé, parent…). La position et le statut dans le cycle de vie sont liés à l'âge mais ils ne se juxtaposent pas, les trajectoires individuelles au parcours spécifique comportant souvent plusieurs fois la même étape (comme le fait de s'installer avec une autre personne ou de se séparer). Enfin, à ce niveau individuel, il est clair que le sexe doit être pris en compte.

2. L'interaction entre les partenaires : dès le moment où deux partenaires s'engagent dans une relation sexuelle, passagère ou répétée, ils se retrouvent dans un jeu à deux où chacun n'est plus seul maître de ce qui se passe. Certes, les caractéristiques individuelles interviennent, mais la relation entre eux obéit aussi et surtout aux caractéristiques propres de la relation (notamment le stade où elle en est), à son contexte ainsi qu'à des processus spécifiquement relationnels.

3. Le réseau social des partenaires : le réseau est ici compris dans son sens large, comme système de relations personnelles (familiales, professionnelles, amicales…) dans lequel chaque partenaire est impliqué. Il offre des ressources mobilisables (le « capital social ») et détermine un espace de contraintes et d'opportunités (notamment en matière sexuelle).

b. Une typologie des modes d'adaptation au risque

Pour rendre compte de manière ordonnée de la diversité des situations et des modes d'adaptation au risque, il a été décidé d'assigner à la recherche l'objectif de construire une typologie des modes d'adaptation au risque.

Pour rappel, une typologie ne consiste pas en un ensemble de catégories concrètes tel que chaque cas étudié entrerait entièrement dans une et une seule de ces catégories. Une typologie constitue un système de repères par rapport auxquels les différents cas peuvent être situés (par une certaine proximité ou une certaine distance) et comparés. Composés à partir des mêmes critères (les facteurs d'intelligibilité et les modes d'adaptation au risque), les différents types distingués composent ensemble un tableau de pensée cohérent à partir duquel il doit être possible de saisir en quoi chaque type est ou non problématique du point de vue de l'adaptation au risque. Formellement, un type se présente comme une combinaison spécifique d'une situation caractérisée par un ensemble de facteurs d'intelligibilité et par un mode particulier d'adaptation au risque.

Deux opérations doivent alors être menées. Sur le plan théorique, il s'agit de déterminer les critères de construction des types (soit les facteurs d'intelligibilité et leurs principales dimensions, ainsi que des différents modes d'adaptation au risque). Cette première opération faite (ce sera l'objet de l'étape suivante), sur le plan empirique, il s'agira ensuite de construire les différents types qui émergent des entretiens en tant que « typiques » d'une facette du problème de l'adaptation au risque du VIH. On peut alors faire des hypothèses spécifiques pour chaque type et, par là, concevoir des scénarios et des messages de prévention adaptés. À partir de là, chaque cas concret doit pouvoir être situé soit, s'il s'en rapproche fort, par sa proximité avec un type particulier, soit par sa position intermédiaire entre deux ou plusieurs types distingués.

3.4 La construction du modèle d'analyse

Le modèle d'analyse opérationnalise la problématique en définissant les principales catégories de l'observation. La première tâche va consister à déterminer les dimensions observables des différents facteurs d'intelligibilité. La deuxième, à distinguer différents modes d'adaptation au risque. À partir de là, la structure de la typologie pourra être construite.

a. Dimensions des différents facteurs d'intelligibilité

Différentes phases sont distinguées concernant la position dans le cycle de vie : phase de découverte de la sexualité, sans expérience de la cohabitation et sans responsabilités conjugales et parentales ; phase de transition, où l'individu cherche à bâtir un mode de vie plus stable dans le cadre d'un couple ou d'un ménage qui restent à construire ; phase de stabilisation, correspondant aux premières années de vie en ménage, avec ou sans charge d'enfants ; phase de déconstruction correspondant soit à un maintien d'une vie commune qui se dégrade, soit à une séparation mais où l'un des deux au moins reste la personne de référence dans l'imaginaire de l'autre ; phase de célibat. Chaque phase est associée à des conditions de natures diverses (aussi bien matérielles que psychologiques notamment) susceptibles de favoriser certains comportements en matière affective et sexuelle et d'en défavoriser d'autres (par exemple les opportunités et le désir de nouvelles rencontres).

L'interaction entre les partenaires a été saisie à partir de plusieurs dimensions : le stade de la relation (stade de conquête et de séduction, stade de familiarité ou stade de dénouement) ; les attentes des partenaires à l'égard de la relation (attentes de procréation, attentes affectives, attentes de plaisir, souhait de se mettre en ménage, quête d'un statut social, espoir de promotion ou crainte de sanctions en cas de refus de relations) ; la primarité ou la secondarité de l'espace de la relation (selon qu'elle a une visibilité sociale ou qu'elle est secrète) et des partenaires (stables ou occasionnels) ; les normes (d'équité ou de réciprocité) et le rapport de pouvoir dans la relation, en particulier entre genres (les ressources des partenaires dans la relation et leurs structures de capitaux respectives, les coûts liés à la relation). À chaque situation définie par les dimensions de l'interaction correspondent des comportements face au risque plus ou moins plausible voire probable, par exemple le désir de transgresser les normes (y compris de prudence) dans des relations secondaires lorsque le couple se trouve dans une phase de dénouement difficilement acceptée par un des partenaires.

Plusieurs dimensions classiques du réseau social des partenaires, pertinentes par rapport à l'objet de recherche, ont été distinguées : l'étendue et l'homogénéité/hétérogénéité du réseau ; la densité du réseau (soit le fait que les connaissances d'une personne se connaissent entre elles ou non) ; l'unidimensionnalité *versus* multidimensionnalité du réseau (selon le nombre de niveaux auxquels les personnes qui en font partie sont liées) ; l'intensité des relations dans le réseau (selon la charge émotionnelle des relations). La configuration du réseau, modélisée à l'aide de ces dimensions, permet de saisir notamment le système de contraintes et d'opportunités de rencontre des partenaires.

b. Les modes d'adaptation au risque

L'adaptation au risque peut se faire en amont du rapport sexuel (en sélectionnant certains types de partenaires et en en évitant d'autres). Le travail empirique montrera que, du point de vue du risque, cette sélection se fait souvent selon des critères fort subjectifs : la « bonne mine » et l'aspect *clean* notamment.

À l'intérieur même de l'interaction sexuelle, plusieurs modes d'adaptation au risque seront distingués : la responsabilité (les partenaires en discutent, demandent un test de dépistage, ne perçoivent pas le préservatif comme une marque de méfiance...) ; la confiance dans le partenaire (même si celui-ci ou celle-là a eu d'autres relations auparavant) ; l'acceptation d'un risque limité ; la domination-soumission (lorsque un des partenaires impose sa loi à l'autre de sorte que la protection éventuelle ne dépend que de celui-là ; la relation exceptionnelle non maîtrisée (soit non programmée et qui se déroule dans un contexte particulier ou sous l'influence d'alcool ou de drogues) ; le défi (où le risque est recherché délibérément, éventuellement comme composante du plaisir ou pour s'affranchir de normes ou d'une éducation jugée trop longtemps contraignante) ; la crise anomique (correspondant à une période de désorientation à la suite par exemple d'une séparation ou de difficultés graves à l'intérieur du couple).

En aval du rapport sexuel, c'est essentiellement le test de dépistage qui est en cause comme possibilité de se rassurer après un rapport estimé à risque. La répétition de résultats négatifs peut procurer à certains le sentiment que leur mode de vie est somme toute relativement sûr et qu'ils peuvent donc poursuivre dans la même voie.

Si les dimensions des facteurs d'intelligibilité ont été déterminées en grande partie à partir de la littérature sociologique jugée pertinente au regard des enseignements des premiers entretiens, pour ce qui concerne les modes d'adaptation au risque, c'est exclusivement au fil des entretiens qu'ils ont été discernés.

Chaque type devait donc se présenter comme une combinaison spécifique d'un ensemble de dimensions des facteurs d'intelligibilité et d'un mode d'adaptation au risque, selon le schéma repris sur la fiche page suivante.

Fiche récapitulative par type

Position et statut
dans le cycle de vie

Âge

Sexe

Stade de la (des)
relation(s)

Attentes à l'égard
de la (des) relation(s)

Primarité/secondarité
de la (des) relation(s)

Normes et pouvoir
dans la (les) relation(s)

Réseau social

Mode d'adaptation
au risque

3.5 L'observation

a. La sélection des unités d'observation

Un échantillon de 76 personnes a été constitué en tenant compte des critères suivants : diversité des profils, des situations et des expériences de vie, changements récents dans la vie sexuelle et affective, proximité subjective avec le risque du Sida. Le recrutement des personnes a été possible grâce à diverses associations du secteur socio-sanitaire et préventif. L'âge des personnes interviewées était compris entre 19 et 60 ans, la plupart se situant dans la tranche d'âge des 20-40 ans. L'échantillon comportait pratiquement autant de femmes que d'hommes.

b. L'instrument d'observation et la collecte des données

La méthode utilisée a été l'entretien semi-directif. Le guide d'interview était composé d'un ensemble de points portant sur l'histoire personnelle, en particulier dans sa composante intime, sur l'environnement social et culturel de la personne, sur ses relations sexuelles récentes et en cours et sur la manière dont le risque avait ou non été pris en compte notamment. Il se développait au fur et à mesure de l'élaboration de la problématique et du modèle d'analyse. La grande majorité des entretiens ont duré plus d'une heure, parfois deux heures et plus. Parmi l'ensemble des entretiens réalisés, 49 ont été systématiquement retranscrits pour faire l'objet de l'analyse. Les 27 entretiens écartés l'ont été pour des raisons variables telles que l'absence d'informations pertinentes sur le sujet, le refus des interviewés de se laisser enregistrer ou le fait que l'entretien ait tourné court. Plusieurs d'entre eux n'en ont pas moins été utilisés dans le cadre de la phase exploratoire ou pour tester le guide d'interview.

3.6 L'analyse des informations

a. L'analyse des entretiens

Tous les entretiens ayant été réalisés directement par un des membres de l'équipe de chercheurs, l'interviewer avait une connaissance approfondie des questions de recherche et de la problématique. Cette proximité avec l'approche de l'objet est essentielle dans la mesure où l'interviewer peut, à chaque moment, avoir les meilleures questions à l'esprit et relancer l'interviewé sur les pistes les plus intéressantes. Avec un sujet aussi délicat, même dans ces conditions, il y a, comme on l'a vu, une proportion relativement importante d'entretiens peu utilisables.

L'analyse des entretiens s'est effectuée en deux temps. Dans un premier temps, une ou deux personnes, dont celle qui avait réalisé l'entretien, préparait l'analyse sur base d'un examen thématique. Cette analyse consistait à reprendre tous les éléments de l'entretien, de quelque nature qu'ils soient (propos explicites ou attitude de l'interviewé[e] durant l'entretien), susceptibles d'apporter une information en rapport avec la question de départ et, plus précisément, en rapport avec les composantes du modèle d'analyse (phase de la trajectoire personnelle, caractéristiques de la relation et du réseau, etc.). Présenté à une équipe composée chaque fois de trois chercheurs au minimum, ce travail préparatoire était discuté collectivement sur la base du texte de l'entretien, approfondi et poursuivi par ce petit groupe où étaient confrontées des analyses menées sans se concerter par des chercheurs différents. À quelques reprises, des collègues chercheurs non impliqués dans cette recherche précise ont été associés à ces séances d'analyse collective afin d'ouvrir l'analyse à des perspectives non envisagées au départ par l'équipe de recherche. Au fur et à mesure, les principales hypothèses et les principaux enseignements tirés de l'analyse des premiers entretiens ont été confrontés avec le contenu des derniers entretiens analysés, selon le principe de l'« induction analytique » expliquée plus haut (étape 2 : « L'exploration »).

b. La construction de la typologie

Dans ce dispositif de recherche, le travail empirique a servi non pas principalement à tester des hypothèses empiriques préalablement formulées mais bien à construire une typologie à partir d'un cadre conceptuel composé de facteurs d'intelligibilité. Plusieurs types ont pu effectivement être distingués au fil des analyses par un jeu d'essais et erreurs jusqu'à pouvoir faire état d'un ensemble de types permettant de rendre compte des principales situations problématiques rencontrées et de ce que chacune a de caractéristique.

Neuf types ont été ainsi construits :
— type 1 : l'anxiété du « jeune mec » dans sa difficile exploration ;
— type 2 : le fragile apprentissage du dialogue dans les premières relations privilégiées ;
— type 3 : le risque réfléchi et accepté des jeunes adultes en quête d'un mode de vie ;
— type 4 : la sécurisation par séparation des mondes ;
— type 5 : la gestion rationnelle et contractuelle du risque ;
— type 6 : la confiance aveugle du partenaire fusionnel ;
— type 7 : les écarts secrets du « conjoint infidèle » ;

– type 8 : les réponses à la crise et à l'anomie ;
– type 9 : le risque subi de la femme dominée.

Chaque type était expliqué de manière détaillée, résumé sur une fiche et illustré par les cas des personnes interviewées qui s'en rapprochaient le plus. Pour chaque type, des questions spécifiques pour la prévention étaient posées. À titre d'exemple, on ne reprendra ici que la fiche correspondant au type 4, qui est courant bien que se présentant sous des modalités diverses. Les personnes concernées partagent la caractéristique de scinder leur monde intime en deux : celui des partenaires sexuels considérés comme sûrs où le risque est pris en considération de manière variée et souvent aléatoire, et celui des partenaires jugés dangereux où une protection stricte est appliquée.

En outre, un ensemble d'enseignements transversaux ont été mis en évidence. Le mode d'adaptation au risque du Sida est apparu comme un aspect d'un processus plus large : le mode d'adaptation de l'individu à la problématique de sa propre existence, voire, pour certains, de la survie de leur Moi en situation critique. Se protéger du risque n'était alors qu'une préoccupation parmi d'autres, souvent bien plus importantes à leurs yeux, comme de trouver enfin l'âme sœur avec qui vivre bien (pour plusieurs femmes du type 9) ou survivre à une épreuve durable ou passagère (pour le type 8). Bien plus, il est apparu que la prise de risque pouvait, dans certains cas, faire partie de ce processus de restructuration personnelle et/ou de construction d'une relation satisfaisante. La quête de relations affectives et de reconnaissance par autrui s'est révélée au centre des exigences existentielles des uns et des autres. Loin de devoir être analysés seulement comme des effets de causes antérieures et extérieures à la relation, les comportements sont des éléments constitutifs de la relation et des manières implicites de communiquer qui participent à la construction, au maintien ou à la déconstruction de cette relation, aussi bien quand les partenaires visent un plaisir partagé durant quelque temps seulement que lorsqu'ils vivent le grand amour pour la vie.

Un des principaux problèmes, commun à quasiment tous les types, est celui de parvenir à gérer rationnellement le risque sur fond d'une confiance minimale nécessaire à la relation. Entre ceux qui choisissent de faire une confiance aveugle à l'autre (type 6) et ceux qui parviennent ensemble à gérer le risque de manière contractuelle et explicite (type 5), il y a tous ceux qui alternent confiance et méfiance (type 4), acceptent une certaine dose de risque (type 3), tâtonnent par incapacité d'en parler ouvertement avec leur partenaire (type 2), errent quelque peu face à un problème inhabituel (type 7), auquel ils sont mal préparés (type 1) ou qu'ils ne maîtrisent pas (type 9), ceux enfin qui sont tout simplement à la dérive (type 8).

Type 4 – La sécurisation par séparation des mondes

Position et statut dans le cycle de la vie	Phases de quête d'un mode de vie ou phase de célibat.
Âge	Jeunes adultes, la trentaine en moyenne.
Sexe	Indifférencié.
Stades de la (ou des) relation(s)	Le plus souvent : stades de séduction ou de familiarité.
Attentes à l'égard de la (ou des) relation(s)	Affectives et de plaisir dans son propre monde social. De plaisir uniquement dans le monde extérieur, jugé dangereux.
Primarité/secondarité de la (ou des) relation(s)	Partenaires primaires et secondaires dans son propre milieu social. Parallèlement, partenaires secondaires dans un espace secondaire.
Normes et pouvoir dans la (ou les) relation(s)	Modèle de la relation égalitaire fondée sur l'écoute de l'autre, dans son milieu social. Méfiance et prise de pouvoir en vue d'une protection stricte dans le monde « dangereux ».
Réseau social	Très développé. Grande importance et influence normative de son propre milieu social, considéré comme sûr et que l'on doit protéger du risque.
Mode d'adaptation au risque	Séparation entre deux mondes : le monde « dangereux » où une stricte protection est appliquée, et le monde « sûr » avec gestion différenciée du risque.

Bien d'autres enseignements qu'il serait trop long d'exposer ici ont pu être dégagés sur les rapports entre genres, la manière dont la communication était régulée par des normes sociales, l'influence normative du réseau des proches, les tensions normatives en matière de sexualité et la manière dont le Sida était venu perturber un jeu social intime déjà complexe sur lequel régnait encore souvent le silence sous l'apparence d'un certain exhibitionnisme médiatique de surface.

Quelques observations surprenantes ont été faites, notamment que des partenaires qui utilisaient le préservatif au cours des tout premiers rapports l'abandonnaient le plus souvent après trois ou quatre rapports seulement, bien qu'ils n'aient reçu aucune information supplémentaire concernant le statut sérologique de leur partenaire. Cette observation, vérifiée ensuite à l'aide d'une enquête quantitative portant sur la population générale, illustre toute l'importance de prendre en compte le processus de construction de la relation dans un contexte de confiance et où le sentiment de familiarité et de sécurité est d'autant plus vite ressenti qu'on est dans le domaine de l'intime.

3.7 Les conclusions

Cette étude peut mettre en avant deux catégories de résultats : *primo*, les neuf types reprennent bien une grande part des situations problématiques liées à la protection contre le VIH dans le champ des relations hétérosexuelles. Mis à part certaines situations très particulières (mais pas forcément rares) qui nécessitent des recherches spécialisées (violence intraconjugale, prostitution et traite des femmes, viols...), la plupart des situations concrètes peuvent sinon se retrouver dans un des types, du moins être situées à l'intersection de deux ou plusieurs types. Pour autant, le tableau n'est pas absolument exhaustif ; les types ne représentent que quelques cas induits par le travail empirique parmi tous les cas théoriquement possibles (selon une combinatoire des facteurs d'intelligibilité), ce qui, logiquement et *stricto sensu*, est censé caractériser une typologie. Le choix de multiplier (de manière raisonnable) ces facteurs a rendu l'opération impossible. Priorité a été donnée à la réalité empirique et à une explication ancrée dans un principe de réalité sur le formalisme théorique.

Secondo, le modèle d'analyse et la méthode ne permettaient pas de mesurer le poids respectif de chaque facteur dans l'ensemble du modèle de causalité. Cette ambition n'était pas seulement hors de portée, elle semblait vaine au regard de la complexité des comportements, mais surtout du fait qu'ils n'étaient pas considérés comme de purs effets de facteurs antérieurs et extérieurs ; à travers eux les partenaires construisent leur relation. Les facteurs d'intelligibilité visaient à saisir les données d'une situation et à comprendre ce qu'elle avait de problématique au regard de la protection, non à expliquer les comportements de manière causale.

Les enseignements de ce travail ont permis de formuler un certain nombre d'hypothèses, reprises par la suite dans d'autres recherches, dans un processus cumulatif.

Le fait que la typologie ait finalement porté sur des individus et non sur des relations peut sembler paradoxal pour une approche qui se voulait, pour une large part, « relationnelle ». La prise en compte de la trajectoire personnelle et de la position dans le cycle de vie rendait difficile une typologie strictement relationnelle. L'individu est, pour l'essentiel néanmoins, caractérisé par le système relationnel (tant au niveau de l'interaction sexuelle que du réseau social) dans lequel il est impliqué.

En identifiant de manière compréhensible un nombre significatif de situations à risque, cette étude a pu servir de support à l'information et à la formation de nombreux intervenants dans le champ de la prévention. Une campagne de prévention a été entièrement conçue à partir d'elle. Ses différents messages ont visé chaque fois, très spécifiquement, ce qu'il y avait de problématique dans un certain nombre de situations courantes.

Récapitulation des opérations

Étape 1 >

La question de départ

Formuler la question de départ
en veillant à respecter :
– les qualités de clarté
– les qualités de faisabilité
– les qualités de pertinence

Étape 2 >

L'exploration

Les lectures
• Sélectionner les textes
• Lire avec méthode
• Résumer
• Comparer :
 – les textes entre eux
 – les textes et les entretiens

Les entretiens exploratoires
• Se préparer à l'entretien
• Rencontrer les experts, témoins
 et autres personnes concernées
• Adopter une attitude d'écoute
 et d'ouverture
• Décoder les discours

Étape 3 >

La problématique

• Faire le point et élucider
 les problématiques possibles
• Se donner une problématique

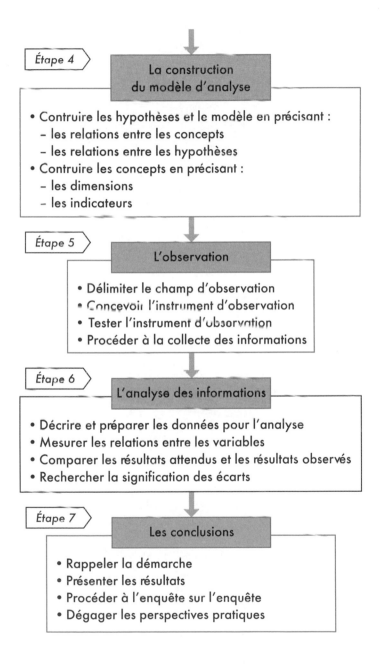

Étape 4

La construction
du modèle d'analyse

- Contruire les hypothèses et le modèle en précisant :
  - les relations entre les concepts
  - les relations entre les hypothèses
- Contruire les concepts en précisant :
  - les dimensions
  - les indicateurs

Étape 5

L'observation

- Délimiter le champ d'observation
- Concevoir l'instrument d'observation
- Tester l'instrument d'observation
- Procéder à la collecte des informations

Étape 6

L'analyse des informations

- Décrire et préparer les données pour l'analyse
- Mesurer les relations entre les variables
- Comparer les résultats attendus et les résultats observés
- Rechercher la signification des écarts

Étape 7

Les conclusions

- Rappeler la démarche
- Présenter les résultats
- Procéder à l'enquête sur l'enquête
- Dégager les perspectives pratiques

Bibliographie

En plus des bibliographiques thématiques présentées dans les parties « L'observation » (p. 226) et « L'analyse des informations » (p. 269), nous proposons ci-dessous une sélection d'ouvrages fondamentaux de méthodologie générale.

AMSELLEM-MAINGUY Y. et VUATTOUX A. (2018), *Enquêter sur la jeunesse. Outils, pratiques d'enquête, analyses*, Paris, Armand Colin.

BACHELARD G. (1976), *La Formation de l'esprit scientifique*, Paris, Librairie philosophique J. Vrin.

BARATS C., dir. (2013), *Manuel d'analyse du Web en sciences humaines sociales*, Paris, Armand Colin.

BECKER H.S. (2002), *Les Ficelles du métier. Comment conduire sa recherche en sciences sociales*, Paris, La Découverte.

BECKER H.S. (2004), *Écrire les sciences sociales. Méthodes des sciences sociales*. Paris, Economica.

BERTHELOT J.-M. (1990), *L'Intelligence du social*, Paris, PUF.

BERTHIER N. (2016), *Les Techniques d'enquête en sciences sociales. Méthode et exercices corrigés*, Paris, Armand Colin.

BOUDON R. et LAZARSFELD P. (1965), *Le Vocabulaire des sciences sociales. Concepts et indices*, Paris, Mouton.

BOUDON R. et LAZARSFELD P., (dir.) (1969), *L'Analyse empirique de la causalité*, Paris, Mouton.

BOURDIEU P., CHAMBOREDON J.-C. et PASSERON J.-C. (1968), *Le Métier de sociologue*, Paris, Mouton, Bordas.

CHAMPAGNE P., LENOIR R. *et al.* (1989), *Initiation à la pratique sociologique*, Paris, Dunod.

CHAZEL F., BOUDON R. et LAZARSFELD P., dir. (1970), *L'Analyse des processus sociaux*, Paris, Mouton.

DANIC I., DELALANDE J. et RAYOU P. (2006), *Enquêter auprès d'enfants et de jeunes : objets, méthodes et terrains de recherche en sciences sociales*, Rennes, Presses universitaires de Rennes.

DUMEZ H. (2013), *Méthodologie de la recherche qualitative : les 10 questions clés de la démarche compréhensive*, Paris, Vuibert.

DURKHEIM E. (1901), *Les Règles de la méthode sociologique*, précédé de J.-M. BERTHELOT, *Les Règles de la méthode sociologique ou l'instauration du raisonnement expérimental en sociologie*, Paris, Flammarion, 1988.

FERREOL G. et DEUBEL Ph. (1993), *Méthodologie des sciences sociales*, Paris, Armand Colin.

FRANCK R., dir. (1994), *Faut-il chercher aux causes une raison ? L'explication causale dans les sciences humaines*, Paris, Librairie philosophique J. Vrin, Lyon, Institut interdisciplinaire d'études épistémologiques.

GLASER B.G. et STRAUSS A.A. (2010), *La Découverte de la théorie ancrée. Stratégies pour la recherche qualitative*, Paris, Armand Colin.

GRAWITZ M. (1996), *Méthodes des sciences sociales*, Paris, Dalloz.

HERMAN J. (1988), *Les Langages de la sociologie*, Paris, PUF.

LESSARD-HÉBERT M., GOYETTE G. et BOUTIN G. (1997), *La Recherche qualitative. Fondements et pratiques*, Bruxelles, De Boeck Supérieur.

LORENZI-CIOLDI F. (1997), *Questions de méthodologie en sciences sociales*, Lausanne, Delachaux et Niestlé.

OLIVIER DE SARDAN J.-P. (2008), *La Rigueur du qualitatif. Les contraintes empiriques de l'interprétation socioanthropologique*, Louvain-la-Neuve, Academia Bruylant.

PIAGET J. (1970), *Épistémologie des sciences de l'homme*, Paris, Gallimard.

POUPART J., DESLAURIERS J.-P., GROULY L.H., LAPERRIÈRE A., MAYER R. et PIRES A.P. (1997), *La Recherche qualitative. Enjeux épistémologiques et méthodologiques*, Montréal, Paris, Casablanca, Gaétan Morin.

SELZ M. et MAILLOCHON F. (2009), *Le Raisonnement statistique en sociologie*, Paris, PUF.

STRAUSS A. et CORBIN J. (2004), *Les Fondements de la recherche qualitative. Techniques et procédures de développement de la théorie enracinée*, Fribourg, Academic Press.

VAN CAMPENHOUDT L. et MARQUIS N. (2014), *Cours de sociologie*, Paris, Dunod.

WEBER M. (1922), *Essai sur la théorie de la science*, Paris, Plon, 1965.

Glossaire

Ce glossaire reprend les principales notions à caractère méthodologique exposées dans le *Manuel*. Les mots en italiques sont des notions figurant également dans le glossaire. Lorsqu'il y a lieu, le nom des auteurs de référence est repris entre parenthèses

Analyse de contenu : consiste à soumettre le contenu d'un discours (par exemple les propos au cours d'un entretien semi-directif, un article de presse, des procès-verbaux de réunion) à une analyse méthodique en vue d'en dégager des enseignements pertinents au regard des objectifs de la recherche. On distingue les analyses thématiques, les analyses formelles et les analyses structurales.

Analyse des informations : étape de la recherche consistant à analyser les données et informations récoltées au cours de l'étape d'*observation*, en vue de tester les *hypothèses*.

Analyse des réseaux sociaux (en anglais *Social Network Analysis*) : ensemble d'outils méthodologiques visant à décrire la structure des échanges entre différents acteurs sociaux interconnectés et à en saisir la logique. Fait appel à des outils mathématiques, comme la théorie des graphes et le calcul matriciel.

Analyse secondaire : consiste à utiliser pour sa propre recherche des informations ou données préexistantes récoltées par d'autres chercheurs ou institutions en fonction d'autres objectifs.

Analyse statistique des données : consiste à soumettre des données chiffrées (données recueillies à partir d'une *enquête par questionnaire* ou par un recueil de données secondaires) à un traitement statistique (par exemple l'analyse de *corrélations* entre *variables*) en vue d'en dégager des enseignements pertinents au regard des objectifs de la recherche.

Cause : au sens large, tout ce qui participe à la constitution d'un *phénomène*, ce avec quoi un phénomène est mis en relation pour être expliqué.

Composante (d'un *concept*) : voir *Dimension*.

Compréhension/comprendre : au sens large, reconstruire dans la pensée les processus par lesquels les *phénomènes* adviennent. En ce sens, la compréhension est la finalité de toute connaissance (J. Ladrière). Au sens restreint, saisir le sens de l'action humaine et sociale, principalement celui que leur donnent les acteurs eux-mêmes (M. Weber).

Concept : catégorie de pensée et d'analyse scientifique qui implique une manière de concevoir la réalité. Pour être rendu opérationnel, un concept peut être décomposé en *dimensions* (ou *composantes*), elles-mêmes traduites en *indicateurs*. La **conceptualisation** est le processus d'élaboration des concepts et des liens entre eux.

Construction (en sciences sociales) : consiste à considérer le *phénomène* étudié à partir de catégories de pensée qui relèvent des sciences sociales, à se référer à un cadre conceptuel organisé susceptible d'exprimer la logique que le chercheur suppose être à la base du phénomène.

Corrélation (entre variables) : relation de co-occurrence, vérifiable statistiquement, entre deux *phénomènes*, représentés par deux *variables*, qui varient conjointement.

Démarche ou méthode **déductive** : démarche méthodologique consistant à aller du général au particulier, et où la *théorisation* (*problématique* et *modèle d'analyse)* précède l'*observation*.

Démarche ou méthode **inductive** : démarche méthodologique consistant à aller du particulier au général, et où l'*observation* précède la *théorisation*.

Dimension ou **composante** (d'un *concept*) : subdivision du *concept* en vue de le rendre opérationnel pour l'*observation* et l'*analyse des informations*.

Données pertinentes : données nécessaires à la vérification des *hypothèses*.

Échantillon : sous-ensemble de la population (d'individus, de groupes ou d'objets quelconques) étudiée sur laquelle portera effectivement l'*observation* ou le recueil d'informations (*via* par exemple l'*enquête par questionnaire* ou les *entretiens*). L'échantillon peut être représentatif ou caractéristique de cette population.

Enquête par questionnaire : méthode de recueil d'informations consistant à poser une série de questions standardisées à un ensemble de personnes (une population totale ou un *échantillon*). Le questionnaire est dit d'administration indirecte lorsque l'enquêteur le complète lui-même à partir des réponses fournies par les répondants. Il est dit d'administration directe lorsque le répondant le remplit lui-même.

Enquête sur l'enquête : méta-analyse consistant à prendre pour objet le déroulement de l'enquête elle-même, pour tout à la fois mieux cerner la portée et les limites des résultats engrangés, et apporter un surcroît d'enseignements sur l'objet de la recherche et donc sur la réponse apportée à la question de recherche.

Entretien : méthode de recueil d'informations consistant en un échange entre l'enquêteur et une personne (le répondant) au cours duquel cette dernière est invitée à s'exprimer à propos de l'objet de la recherche et de son rapport à cet objet.

Dans la recherche en sciences sociales, l'entretien est le plus souvent **semi-directif** dans la mesure où l'enquêteur laisse au répondant une grande liberté de parole, en veillant toutefois à ce que l'échange reste dans le cadre des objectifs de la recherche. L'entretien semi-directif s'inscrit souvent dans une *démarche inductive* où le recueil et l'analyse des informations ne sont pas des étapes successives, mais s'opèrent conjointement, au fur et à mesure des entretiens, en même temps que l'élaboration de la *problématique* et des *hypothèses*.

L'**entretien compréhensif** est une forme d'entretien semi-directif dont l'objectif est de parvenir à une *compréhension* intime de la pensée et de l'action des personnes interviewées (J.-C. Kaufmann).

L'**entretien centré** (en anglais : *focused interview*) : méthode d'entretien consistant à récolter les réactions des répondants à un événement ou à une expérience précise (par exemple un film, une publicité, un témoignage), réactions considérées comme significatives du phénomène étudié. L'entretien centré est souvent collectif (R.K. Merton).

L'entretien est **exploratoire** lorsqu'il prend place dans l'étape d'*exploration* du dispositif de recherche. Il vise alors principalement à construire la *problématique* et doit rester particulièrement ouvert.

Épistémologie : discipline philosophique dont l'objet est la connaissance (essentiellement scientifique) et qui en discute et en examine les fondements, les méthodes et les conditions de validité.

Explication/Expliquer : recherche des *causes* et processus permettant de rendre compte des *phénomènes* étudiés.

Exploration ou étape exploratoire : étape dont la fonction principale est de construire la *problématique* de la recherche, en dégageant les pistes les plus intéressantes. Elle doit permettre de prendre connaissance des principaux travaux sur le sujet et d'éviter de négliger des aspects essentiels du problème. Elle comporte essentiellement des lectures et des *entretiens exploratoires*.

Falsifiabilité : qualité d'une *hypothèse* dont il est possible de montrer qu'elle ne se vérifie pas ou encore qu'elle est fausse, ce qui suppose qu'elle ait un caractère de généralité et qu'elle accepte des énoncés contraires qui sont théoriquement susceptibles d'être vérifiés (K. Popper).

Field research : méthode de recherche de terrain consistant à étudier les situations concrètes dans leur contexte réel. Met en œuvre et combine une pluralité de méthodes, notamment l'*observation participante* et les *entretiens semi-directifs*. Le dispositif de recherche se détermine et est adapté au fur et à mesure de l'avancement du travail.

Heuristique : qualifie une ressource intellectuelle, en particulier un *concept* ou une *hypothèse*, qui permet la découverte.

Hypothèse : proposition falsifiable visant au minimum à rendre compte d'un *phénomène*, au mieux à l'expliquer, présomption à vérifier. L'hypothèse prend la forme d'une anticipation, soit d'une relation entre deux *concepts*, soit d'une relation entre un phénomène et un concept capable d'en rendre compte. Une hypothèse peut être **déduite** d'une théorie préexistante ou **induite** par le travail exploratoire.

Indicateur (d'un *concept* ou d'une *dimension* d'un *concept*) : traduction observable d'un concept ou d'une de ses dimensions, qui permet d'en estimer ou d'en mesurer le degré de présence (ou l'absence) dans la réalité. (Par exemple, le nombre de rites en commun est, pour Durkheim, un des *indicateurs* de la cohésion religieuse).

Indice de synthèse : synthèse chiffrée des informations fournies par les *indicateurs* d'un *concept* (ou d'une de ses *dimensions*) à partir des réponses aux questions qui s'y rapportent.

Jeu du réseau socio-spatial *(Socio-spatial Network Game)* : support à la récolte des données se présentant sous la forme d'un jeu de plateau sur lequel l'informateur va représenter visuellement son réseau à l'aide de divers supports techniques (blocs, pions...) conçu pour l'analyse les interactions socio-spatiales.

Méthode des parcours commentés : méthode de recueil des données qui consiste à produire des récits centrés sur la perception que les usagers ont d'un espace, réalisés sur base de parcours accomplis avec eux (J.-P. Thibaud).

Modèle d'analyse : ensemble de *concepts* (avec leurs *dimensions* et *indicateurs*) et d'*hypothèses* qui sont articulés entre eux pour former ensemble un cadre cohérent en vue de l'*explication* ou de la *compréhension* d'un *phénomène* social.

Observation : Au sens large, étape de la démarche consistant à récolter les informations sur les *phénomènes* étudiés en fonction des *hypothèses*. Dans une *démarche déductive*, recueil de toutes les informations désignées par les *indicateurs* des *concepts* ou de leurs *dimensions*.

Au sens restreint, méthode particulière de recueil d'informations consistant à observer les comportements, les pratiques ou les modes de vie. On distingue l'**observation participante,** qui consiste à étudier un groupe ou une communauté durant une relativement longue période, en participant à la vie collective, en vue de saisir les comportements et modes de vie de l'intérieur, et l'**observation non participante**, où le chercheur ne participe pas à la vie du groupe, qu'il observe donc « de l'extérieur ».

Paradigme : cadre théorique général susceptible d'être appliqué à l'étude de quelque *phénomène* que ce soit, composé de propositions portant sur la manière dont les *modèles d'analyse* qui en relèvent devraient être construits. Exemples : le fonctionnalisme, l'interactionnisme, le structuralisme (R. Boudon et F. Bourricaud).

Phénomène : ce qui se donne à voir, peut faire l'objet d'une appréhension sensible, peut être observé (au sens large du terme : vu, entendu, senti, lu, touché…) et donc être saisi par l'enquête.

Problématique : approche ou perspective théorique adoptée pour traiter le problème posé par la *question de départ*, l'angle sous lequel les *phénomènes* vont être étudiés, la manière dont on va les interroger. Par la problématique, la question de départ évolue pour devenir la *question de recherche*.

Question de départ : question permettant au chercheur de démarrer son travail et premier fil conducteur de celui-ci. Par elle, le chercheur tente d'exprimer le mieux possible ce qu'il cherche à savoir, à *expliquer*, à *comprendre*. La question de départ est appelée à évoluer pour devenir la *question de recherche*. La question de départ doit posséder des qualités de clarté, de faisabilité et de pertinence.

Question de recherche : formulation plus élaborée de la *question de départ* qui évolue en cours de recherche, notamment au terme de la phase d'*exploration* et de l'élaboration de la *problématique*.

Récit de vie : méthode d'*entretien* consistant à reconstituer la trajectoire de vie des individus en vue de saisir comment leur manière d'appréhender leurs expériences se forme et se transforme au fil de l'existence, et des événements qui la jalonnent.

Rigueur : adéquation entre les résultats avancés par le chercheur et ce qui l'autorise à les avancer (notamment la pertinence de la *problématique*, la robustesse du *modèle d'analyse*, la mise en œuvre adéquate des méthodes d'*observation* et d'analyse…). La rigueur réside essentiellement dans la cohérence d'ensemble de la démarche.

Rupture épistémologique : prise de distance des propositions scientifiques avec les préjugés, les idées préconçues et les catégories de pensée du sens commun (G. Bachelard, P. Bourdieu).

Rupture méthodologique : caractère méthodologiquement construit des propositions scientifiques qui instaure une démarcation avec les connaissances non scientifiquement construites.

Théorie : système de pensée composé de *concepts* et d'*hypothèses* destiné à expliquer les *phénomènes*.

Théorie ancrée, ou enracinée

(en anglais, *grounded theory*) : *démarche* essentiellement *inductive* et qualitative où la *théorisation* est un processus qui dérive d'une analyse comparative des informations recueillies (B. Glaser et A. Strauss).

Théorisation : élaboration d'une *théorie*. Dans ce manuel, deux temps complémentaires de la théorisation sont distingués : la *problématique* et le *modèle d'analyse*.

Théorisation bricolée : mise au point par le chercheur d'un *modèle d'analyse* en fonction de ce qu'il lui semble important de prendre en compte, sans emprunt systématique à une *théorie* existante.

Théorisation empruntée : adoption par le chercheur d'un *modèle d'analyse* directement inspiré d'une *théorie* existante, tout en l'adaptant à son propre projet.

Type-idéal : outil méthodologique destiné à saisir la spécificité et le sens d'un *phénomène* au regard d'un objectif de recherche. La construction d'un type-idéal s'opère en trois temps : sélection de traits pertinents, accentuation de ces traits, articulation de ces traits pour former un tableau de pensée cohérent (M. Weber).

Typologie : un ensemble de plusieurs types construits selon les mêmes critères, destiné à comparer les modalités spécifiques d'un même ensemble de phénomènes (par exemple les diverses manières de s'adapter au risque de contamination par le VIH).

Variable : caractéristique qui peut prendre des valeurs différentes, terme d'une *hypothèse* susceptible de prendre des valeurs différentes. La **variable explicative** ou **indépendante** est celle dont les variations sont censées expliquer, par *hypothèse*, les variations de la variable dépendante. La **variable dépendante** est celle dont les variations sont censées être expliquées, par hypothèse, par les variations de la variable indépendante. Une **variable qualitative** est **nominale** si ses modalités ne présentent pas d'ordre naturel (par exemple la nationalité) ; elle est **ordinale** si ses modalités sont ordonnées, mais sans que l'on ait une mesure de l'importance de l'écart entre deux modalités successives (par exemple « pas du tout d'accord », « plutôt pas d'accord », « plutôt d'accord », « d'accord »… avec une opinion). Une **variable quantitative** est une variable dont les modalités ont une valeur numérique (par exemple la taille ou le revenu). Une **variable-test** a pour fonction de s'assurer que la relation supposée par l'*hypothèse* principale n'est pas fallacieuse (R. Boudon, P. Lazarsfeld).

Vérification empirique : mise à l'épreuve des *hypothèses* à partir de l'*observation* et de l'*analyse des informations* récoltées.

Table des matières

263395 - (I) - OSB 80° - 313 - NOC - GCR
Imprimerie CHIRAT - 42540 Saint-Just-la-Pendue
Dépôt légal : juin 2022 - N° 202205.0335

Imprimé en France